D0297873

HUGO MOSER

DEUTSCHE SPRACHGESCHICHTE

HUGO MOSER

DEUTSCHE SPRACHGESCHICHTE

Mit einer Einführung
in die Fragen
der Sprachbetrachtung

Fünfte, durchgesehene Auflage

MAX NIEMEYER VERLAG TÜBINGEN 1965

Mit 4 Abbildungen im Text und 14 Karten

Die erste bis vierte Auflage
erschien im Verlag Curt E. Schwab, Stuttgart

Einband und Schutzumschlag von Prof. Eugen Funk
Druck: Fotokop Darmstadt
Einband: Heinr. Koch Tübingen

INHALT

VON DER DEUTSCHEN SPRACHE UND IHRER GESCHICHTE

Karten

VORWORT

Zur ersten Auflage (1950)

Eine Geschichte der deutschen Sprache (zumal eine so kurz gefaßte) zu schreiben, ist heute ein noch kühneres Unternehmen als vor einem Vierteljahrhundert. Zu viele Fragen haben sich seitdem erhoben und sind zum Gegenstand des wissenschaftlichen Gesprächs und der Auseinandersetzung geworden. Existenz und Gestalt des Urindogermanischen, die Gliederung der germanischen Einzelsprachen und die Entstehung des Deutschen, die zeitliche Einteilung der deutschen Sprachgeschichte, die Entwicklung und innere Entfaltung der neuhochdeutschen Einheitssprache, das Werden des deutschen Wortschatzes wie der Satzbildung, die Gliederung der deutschen Mundarten - das alles sind uns heute Probleme, die großenteils noch keine gültige Lösung gefunden haben. Angesichts dieser starken Dynamik der Forschung sah sich eine Darstellung wie diese besonderen Schwierigkeiten gegenüber. Der knappe Raum und die Bestimmung der Reihe für weitere Kreise verboten eine eingehendere fachwissenschaftliche Auseinandersetzung mit dem Schrifttum und zwangen oft dazu, die Probleme nur anzudeuten oder zu vereinfachen; das gilt auch für die Einführung in die Fragen der Sprachbetrachtung.

Es wurde versucht, soweit unsere Erkenntnisse bis jetzt reichen, die geistigen Kräfte aufzuzeigen, die auf das Werden unserer Sprache wirkten. Doch muß beachtet werden, daß die Sprache eine Erscheinung eigener Art ist, deren Entwicklung nicht nur geistesgeschichtlich betrachtet werden kann; das Werden des Sprachkörpers vollzieht sich weithin unabhängig von der Bildungsgeschichte. Um einen durchgehenden Gesichtspunkt für die zeitliche Gliederung zu gewinnen, habe ich den räumlich-sozialen, also die Frage nach der Geltung mundartlicher und hochsprachlicher Erscheinungsformen, mit der üblichen Epocheneinteilung der geschichtlichen Fächer verknüpft. Dieser Aufbau soll nicht besagen, daß der deutschen Sprache von Anfang an die Tendenz zur Einheitssprache innewohnte, wohl aber, daß beim deutschen wie bei jedem Kulturvolk von einer gewissen geschichtlichen Stufe an das Streben nach einer Gemeinsprache nicht mehr erlischt. Jede Darstellung der deutschen Sprachgeschichte wird im übrigen mehrere Betrachtungsweisen verbinden müssen.

Die Darstellung der Entwicklung der Laute, der Wortbeugung, der Wortbildung, der Satzfügung und des Wortschatzes mußte sich naturgemäß auf eine Auswahl wichtiger und bezeichnender Tatsachen beschränken. Die deutsche Versgeschichte konnte ich im allgemeinen nicht einbeziehen; dagegen wollte ich die Entwicklung der deutschen Namen wenigstens in den Umrissen aufzeigen. Prof. Dr. H. Krahe danke ich für die Durchsicht der nichtgermanischen Beispiele der Kap. 13 und 14.

Dem umfangreichen Schrifttum aus älterer und jüngerer Zeit bin ich stark verpflichtet, ohne daß ich dies im einzelnen vermerken konnte.

Zur vierten Auflage

Gegenüber der voraufgehenden Auflage konnten nur geringe Veränderungen – wie ich hoffe Verbesserungen – vorgenommen werden. Der seinerzeit auf Wunsch des Verlegers beigegebene und angesichts des Buchumfangs notwendig knapp gehaltene Abschnitt „Wege der Sprachbetrachtung“ ist etwas erweitert worden. Er kann und will nicht mehr als eine Hinführung darstellen, eine Anregung zu weiterer Beschäftigung, und hat hier seine Rechtfertigung; wer darin mehr oder anderes suchte, würde die Absicht der Darstellung verkennen, die sich gerade für die neueste Zeit auf eine kleine Auswahl von Namen beschränken muß.

Aus dem Vorwort zur 2. und 3. Auflage nenne ich dankbar die Namen von Fachgenossen, denen ich wichtigere briefliche oder öffentliche Anregungen verdanke: H. Brinkmann, W. Henzen, A. Kracher, Fr. Maurer, L. C. Michels, W. Mitzka, E. Schwarz, G. de Smet, P. Zinsli; ich füge jetzt die von J. Charier (Straßburg) und R. M. S. Heffner (Wisconsin, USA) hinzu.

Die fünfte Auflage

stellt einen fast unveränderten Abdruck der vierten dar. Für Hilfe danke ich außer K. Brinker besonders Dr. H. Stopp.

Bonn, im Oktober 1964 H. M.

VON DER SPRACHE UND IHREM WANDEL

Wie das Denken in seinen menschlichsten Beziehungen eine Sehnsucht aus dem Dunkel nach dem Licht, aus der Beschränkung nach der Unendlichkeit ist, so strömt der Laut aus der Tiefe der Brust nach außen und findet einen ihm wundervoll angemessenen vermittelnden Stoff in der Luft, dem feinsten und am leichtesten bewegbaren aller Elemente, dessen scheinbare Unkörperlichkeit dem Geiste auch sinnlich entspricht.

W. VON HUMBOLDT

1. VOM WESEN DER SPRACHE

Die Sprache ist uns im allgemeinen etwas Selbstverständliches, so selbstverständlich wie das Atmen, wie das Wahrnehmen und Empfinden, wie das Denken. Wie uns jede unbewußte Funktion bewußt wird, wenn wir selbst oder andere an ihrer Ausübung gehindert sind, so auch die Sprache. Sie tritt in die Helle des Bewußtseins, wenn wir einem stummen, tauben oder taubstummen Menschen begegnen, wenn wir beobachten, wie Kinder sprechen lernen, aber auch wenn wir eine andere Mundart oder eine uns nicht bekannte Sprache hören, oder wenn wir selbst versuchen, uns eine fremde Sprache anzueignen.

Das Wort wird uns noch zum tieferen Erlebnis, wenn wir seinen Zauber oder seine Gewalt verspüren, wenn uns eine Dichtung in ihren Bann zieht, wenn wir unter dem Eindruck eines großen Schauspielers oder Redners stehen. Es ist nicht allein der durch die Sprache geformte und geordnete Inhalt, der auf uns wirkt, sondern die wirkende, beschwörende Kraft, die vom Wort ausgeht, die uns zu seinem Gefangenen machen kann. Die Menschen der Frühzeit standen noch mehr unter dieser für sie magischen Wirkung. Durch das Wort, so meinten sie, erlange man Macht über das Genannte oder über den Benannten, ja die gerufene Person werde gegenwärtig. So sollten bei den Germanen mit dem Namen des Großvaters auch dessen Eigenschaften auf den Enkel übergehen. Zu allen Zeiten glaubten die Menschen an die Kraft des Gebets, aber auch der Verfluchung; sie glaubten auch, daß man durch das Wort überirdische Wesen beschwören oder vertreiben könne. Es ist ein Abglanz dieses alten Glaubens, wenn man noch heute gewisse Wörter, Tabu-Wörter, so etwa den Namen des Teufels, nicht ausspricht, oder wenn man das Scherzwort gebraucht: „Wenn man den Teufel nennt, kommt er gleich gerennt!" In der Sprachgewalt, in der Macht des Wortes, liegt aber auch eine Gefahr. Wie die Sprache als Mittel der Lüge entwertet werden kann, so kann sie als Werkzeug des Machtwillens mißbraucht werden.

Sprache ist Ausdrucksform der Persönlichkeit wie die Physiognomie, die Gebärden, die Handschrift. Von jeher galt sie als das den Menschen überhaupt bezeichnende Merkmal. Johann Gottfried Herder und Wilhelm von Humboldt fassen die Sprache geradezu als das auf, was den Menschen ausmacht: „Der Mensch ist nur Mensch durch die Sprache", sagt Humboldt.

Sprache und Rede

Die Sprache ist eine eigentümlich umfassende Erscheinung. Sie reicht in alle Schichten des menschlichen Seins und verbindet sie in einzigartiger, geheimnisvoller Weise miteinander: sie ist physiologischer, psychologischer und geistiger Art.

Physiologischen Ursprungs sind die Laute: verschiedene Organe wirken bei ihrer Bildung mit. Die Laute vereinigen sich zu Lautgruppen, zu Wortkörpern, die durch das Ohr aufgenommen werden. Die Wortwerdung selbst vollzieht sich im psychischen Bereich: assoziativ verknüpfen sich mit den Lautgruppen beim Sprechen bestimmte Vorstellungen, die sich beim Hören entsprechend wiederum mit den Wortkörpern zu verbinden vermögen. Das Wort ist eine unauflösliche Einheit von Lautgruppe und Vorstellung.

Aber die Sprache leistet noch mehr. Durch sie wird die Vorstellung zum Begriff, wird das Denken verdeutlicht, der Begriff verfeinert. Sie erfüllt eine logische, ordnende und klärende Aufgabe. Sprache und Gedanke, Sprachleib und Sprachinhalt durchdringen sich innig, sie lassen sich nicht trennen – auch wenn es je ein sprachfreies Denken geben sollte. Nicht umsonst umschließt der griechische Ausdruck *lógos* beides, Wort und Vernunft.

Vorstellung und Gedanke, Seele und Geist, Sprechwerkzeuge und Gehör wirken bei der Sprache in wunderbarer Weise zusammen. „Wenn uns jemand ein Rätsel vorlegte", schreibt Herder, „wie die Bilder des Auges und alle Empfindungen unsrer verschiedensten Sinne nicht nur in Töne gefaßt, sondern auch diesen Tönen mit inwohnender Kraft so mitgeteilt werden sollen, daß sie Gedanken ausdrücken und Gedanken erregen: ohne Zweifel hielte man dies Problem für den Einfall eines Wahnsinnigen, der . . . die Farbe zum Ton, den Ton zum Gedanken, den Gedanken zum malenden Schall zu machen gedächte. Die Gottheit hat das Problem tätig aufgelöset."

Humboldt zeigte im Gefolge Herders und der Romantik noch einen anderen wichtigen Wesenszug der Sprache auf: sie enthält ein aktives und ein passives Prinzip, sie ist Werdendes und Gewordenes, Schaffendes und Geschaffenes, *enérgeia* und *érgon*, Tätigkeit und Werk zugleich. Die Sprache ist einerseits ständige Tätigkeit, unablässige Entwicklung, indem sie Vorstellungen und Gedanken in die Form der Laute, der Wörter und Sätze eingehen läßt; so betrachtet heißen wir sie auch *Rede*. Daneben besteht sie als Gewordenes, als Schöpfung außerhalb des Menschen, als eigentliche *Sprache*. Die aktive Seite der Sprache, die Rede, ist etwas Individuelles, eine physiologisch-psychisch-geistige Tätigkeit. Die Sprache im passiven Sinn dagegen ist ein überindividuelles Gebilde, die Summe aller Laute, Wörter und der damit verbundenen Vorstellungen und Begriffe bei allen Einzelwesen. Sie ist Ausdruck einer Gemeinschaft und bildet, formt diese zugleich. Darin zeigt sich die *enérgeia* als Wirkkraft der Sprache. Sie ist der gemeinsame Besitz, der von einer Generation zur nächsten weitergegeben, aber auch durch deren *Rede* ständig entwickelt wird. Denn die Rede wird ja zur Sprache, diese wieder zur Rede; es ist ein ewiger Kreislauf.

Aber auch die *Rede* ist, so müssen wir hinzufügen, gemeinschaftsbezogen. Das Denken ist nicht nur „sprechen mit sich selbst" (J. Grimm): in der Aussprache mit anderen erhalten wir Anregungen, entfaltet sich die Wahrheit. Nur durch Sprechen ist gemeinschaftliches Denken möglich.

In dieser Arbeit haben wir es vor allem mit der Sprache als Schöpfung zu tun, mit der Rede nur insoweit, als sich in ihr die Sprache unaufhörlich verändert.

Sprache und Schrift

Die Sprache tritt uns auch in geschriebener Form entgegen. Unter Schrift verstehen wir die Aneinanderreihung von Bildern oder Zeichen, die einen bestimmten sprachlichen Sinn ergeben. Wir glauben heute oft zu Unrecht, daß Schriftlosigkeit, Analphabetentum, immer ein Zeichen eines niedrigen Kulturzustandes sei. Die Schrift ist entstanden aus den praktischen Bedürfnissen des Verkehrs, der Verwaltung vor allem. Sie gehört nicht notwendig zur Sprache – auch nicht zu der eines Kulturvolks, sie ist nicht ein Merkmal der Kultur, sondern der Zivilisation. Es bestanden Kulturen ohne Schrift, und die Dichter des Hochmittelalters waren nicht „ungebildet", wenn sie nicht lesen oder schreiben konnten. Noch bis in die Neuzeit hinein wurden die geistigen Güter vorwiegend auf dem Weg über das Gehör, nicht über das Auge vermittelt. Der Buchdruck hat hier einen grundlegenden Wandel geschaffen. Wie selten und teuer waren vorher Bücher, wie wertvoll früher auch der Stoff, auf den man schrieb! Erst seit dem Ende des 14. Jahrhunderts begann sich in Deutschland das Papier gegenüber dem kostspieligen Pergament zu verbreiten.

Plato stellt in seinem Dialog *Phädrus* den ägyptischen Gott Theut, den Erfinder der Schrift, dem König Thamus gegenüber. Der Gott rühmt dem König die Schriftzeichen als Mittel für das Gedächtnis und die Weisheit. Doch Thamus antwortet: „... Du hast ... kein Mittel für das Gedächtnis, sondern für die Erinnerung gefunden, das den Schülern nur einen falschen Glauben an ihre Weisheit, nimmermehr aber die wahre Weisheit einzuflößen vermag, denn sie ... werden sich jetzt ... für vielerfahren halten und sich weise dünken, anstatt es wirklich zu sein." In der Tat haben die Leistungen des Gedächtnisses seit der allgemeinen Verbreitung und Kenntnis der Schrift außerordentlich nachgelassen. Doch ist heute die Schrift untrennbar mit unserer Kultur verknüpft; sie allein ermöglicht das Bestehen großer Staaten und verhindert ihre sprachliche und politische Zersplitterung. Sie allein war bis vor kurzem, vor der Erfindung der Schallplatte und des Tonbands, das Mittel, das es erlaubte, das Wort über einen engen Umkreis und über den Augenblick hinausdringen zu lassen und für die Zukunft festzuhalten.

Von den Erscheinungsformen der Sprache

Die Sprache hat zunächst in jeder Sprachgemeinschaft die Aufgabe der Mitteilung, ist Zwecksprache und bedient sich als solche fast ausschließlich der Prosa; im Bereich der gehobenen Sprache, vor allem der Kunstsprache, der Dichtersprache, tritt neben die Prosa die gebundene Rede, die sich durch Metrum (Versmaß), Rhythmus und oft durch den Reim auszeichnet. Hier ist die Sprache künstlerisches Mittel eigener Wirkung.

Die Sprache tritt uns einmal entgegen als Mundart, Volkssprache, aber auch als Umgangssprache. Diese Landschaftssprachen werden heute meist nur gesprochen, nicht geschrieben. Früher war dies anders; am Beginn unserer Sprachgeschichte wie der anderer Völker stehen Landschaftssprachen, die auch geschrieben werden: Schriftidiome, Literaturidiome. Seit dem Hochmittelalter entwickeln sich neben diesen landschaftlichen überregionale deutsche schriftsprachliche Bildungen. Aber erst in der Neuzeit erhebt sich über die Landschaftssprachen eine gemeinsame deutsche Hochsprache. Meist pflegt man sie Schriftsprache zu nennen; insoweit sie auch die gesprochene Sprache umfaßt, redet man besser von Hochsprache. Sie ist in ihrer Vollform sowohl einheitliche Schriftsprache als auch Aussprache, d. h. Einheitssprache. Unter dem Gesichtspunkt ihrer allgemeinen Geltung in der Sprachgemeinschaft erscheint die Hochsprache als Gemeinsprache. Die nicht voll ausgebauten schriftsprachlichen Gebilde des späten Mittelalters dagegen heißt man meist *Schreibsprachen.*

Die Hochsprache stellt in sich in der Regel keine völlige Einheit dar. Auch in Deutschland gibt es heute landschaftliche Unterschiede hinsichtlich des Wortschatzes, der Wortbeugung und vor allem der Aussprache. Daneben bestehen auch noch Unterschiede der Fach- und Sondersprachen. Fast jede menschliche Gruppe, jeder Stand, jeder Beruf hat einen besonderen Wortschatz, einen besonderen Stil. Das gilt für die Berufssprachen (der Handwerker,

Bauern, Kaufleute usw.), die wissenschaftlichen und technischen Fachsprachen wie für die Sondersprachen der Dichtung und der Religion, aber auch der Stände und Klassen, des Spiels und des Sports, des Jargons und für die verhüllenden Sondersprachen (Rotwelsch, Zigeunerisch).

Es besteht eine lebendige Wechselwirkung zwischen der Hochsprache und der Volkssprache. Diese ist nicht nur nach Mundarten, sondern auch soziologisch gegliedert: wir zählen zu ihr z. T. die Fachsprachen der Handwerker und Bauern; sie treten neben die „erhöhten" Fachsprachen der Hochsprache. Sie sind ihrerseits auch wieder landschaftlich verschieden. (In einem anderen Sinn redet man von Volkssprachen, wenn man die europäischen nationalen Sprachen der mittelalterlichen lateinischen Einheitssprache gegenüberstellt.)

Volkssprache und Hochsprache sind ständig dem Sprachwandel unterworfen. Die Volkssprache ist dabei in ihrer Entfaltung freier, dynamischer als die durch Regeln gebundene Einheitssprache. Zwischen beiden bestehen Übergänge, Zwischenstufen: die Verkehrs- bzw. Umgangssprache und die Halbmundart. Unter Verkehrssprache mag man mit Frings eine übermundartliche, mündliche Durchschnittssprache verstehen, während die Umgangssprache auch von der Hochsprache geprägt ist. (Dagegen sind „internationale Verkehrssprachen" Weltsprachen wie Englisch.) Die Umgangssprache zeigt starke landschaftliche Verschiedenheiten. Die Halbmundart ist die der Umgangssprache angenäherte Mundart. Unter Alltagssprache schließlich verstehen wir eine Stilstufe zwischen Alltagsmundart und Durchschnittshochsprache, die meist mit der Umgangssprache zusammenfällt, aber auch in hochsprachlicher Lautung (Hochlautung) auftritt.
Heute haben in Deutschland die meisten an verschiedenen dieser Sprachformen Anteil.

1. WEGE DER SPRACHBETRACHTUNG

Seitdem der Mensch über sich selbst nachzudenken begann, bildet das Wunder der Sprache den Gegenstand des Fragens: das Verhältnis zur Sprache kennzeichnet das Verhältnis zum Bewußtsein schlechthin. Durch die Jahrtausende verstummt nie die Frage der Sprachphilosophie nach dem Ursprung und dem Wesen der Sprache. Dazu erwuchsen im Zusammenhang mit den allgemeinen geistigen Strömungen andere, zu verschiedenen Zeiten verschiedene Betrachtungsweisen der Sprache.

2. SPRACHAUFFASSUNGEN DES ALTERTUMS

Das Altertum kennt zwei Wege der Sprachbetrachtung: den theologisch-sprachphilosophischen und den grammatischen, lehrhaft-normativen.

Schon das Alte Testament gibt eine Antwort auf die Grundfrage nach der Herkunft der Sprache: Gott benennt die großen Naturerscheinungen (Tag, Nacht, Himmel, Erde, Meer), der Mensch die lebenden Wesen.

Das Ursprungsproblem beschäftigt auch die Griechen, deren Anschauungen die Sprachauffassungen des Abendlandes entscheidend beeinflussen. Die griechische Sprachphilosophie ist *lógos*-bestimmt: für Aristoteles war der Mensch ein *zôon lógon échon*, ein Wesen, das den *lógos*, Vernunft und Sprache, besitzt. Das Verhältnis von beiden, von Gedanke und Wort, von Ding und Benennung war das Problem der griechischen Sprachphilosophie, die besonders von der Logik ausging. Sind die Dinge der Natur, ihrem Wesen gemäß *(phýsei)* benannt oder aber auf willkürliche, herkömmliche Weise *(nómō, thései)*? Sokrates-Plato vertritt in dem Dialog *Kratylos* den Standpunkt der natürlichen Richtigkeit der Benennung. So ist für Plato das *r* ein Mittel zur Bezeichnung der Bewegung (z. B. *rhéō* fließe), während das *l* etwas Glattes ausdrükken soll (z. B. *leíos* glatt). Auch die Stoiker glaubten, daß die Sprache auf die Nachahmung der Klanggeräusche zurückgehe; die Wörter sind also lautmalend, onomatopoetisch, und stehen in Beziehung zu dem Wesen der benannten Dinge (Nachahmungstheorie). Die Epikuräer andererseits ließen die Sprache aus Naturlauten, aus Interjektionen entstehen, welche der Mensch beim Anblick der Dinge ausstieß. So wurde also die Benennung der Dinge nach der Natur, *phýsei*, sehr verschieden aufgefaßt. Platos Sprachbetrachtung ist eine idealistische, für ihn ist das Wort nicht bloße Nachahmung der Dinge, sondern die sprachliche Form ihres Wesens; die richtige Benennung ist allerdings in vollkommener Form nur im Reich der Ideen zu finden. (Er legt damit den Grund zu jener mittelalterlichen Auffassung, daß den Allgemeinbegriffen eine reale Existenz zukomme; Kap. 3.) Aristoteles scheint dagegen der rationalistischen Meinung des Parmenides, Demokrits und der Sophisten zuzuneigen, daß die Wörter willkürlich entstanden seien. Die Epikuräer versuchten offenbar zwischen den beiden Grundauffassungen zu vermitteln, indem sie annahmen, daß die den verschiedenen Völkern gegebene verschiedene Natur die Sprachen forme, daß aber später die Benennungen *nómō*, nach Notwendigkeit und Herkommen, weiter ausgebildet würden.

Aber auch die eigentliche Sprachwissenschaft wurde bei den Griechen gepflegt. Plato und die Stoiker stellten schon etymologische Untersuchungen über die Verwandtschaft der Wörter an; sie wurde allerdings noch nicht sprachgeschichtlich aufgefaßt, sondern nur aus der Ähnlichkeit des Wortbildes erschlossen (vgl. *Eros-Heroe*). Im späteren hellenistischen Griechenland entstand auch eine philologische Textkritik. Man verstand die Sprachformen der alten Texte nicht mehr und suchte sie, namentlich in Alexandrien und Pergamon, kritisch zu erklären; es ist derselbe Vorgang wie in Indien, wo sich die Sprachwissenschaft aus dem Bestreben entwickelte, die altertümlichen heiligen Gesänge sprachlich genau zu überliefern und zu erläutern. Vor allem aber stand eine normative Betrachtung der Sprache im Vordergrund, das Suchen nach der richtigen Sprache, nach der grammatischen Regel. Dabei ließ man die gesprochene Sprache beiseite.

Die Römer standen bei ihrer Beschäftigung mit der Sprache ganz im Banne der sprachlichen Studien der Griechen. Die lehrhafte grammatische Wissenschaft wurde von den Römern weiter ausgebaut; auf ihr beruhte die europäische Sprachwissenschaft bis in die Neuzeit. Daneben befaßten sich auch die Römer mit etymologischen Studien, die sich wie bei den Griechen auf die Ähnlichkeit der Wörter und auf die Symbolik der einzelnen Laute gründeten. So mißt etwa auch Augustinus im 5. nachchristlichen Jahrhundert dem Buchstaben *v* den Klang von etwas Dickem und Starkem zu: *venter* Bauch, *vinum* Wein, *vis* Kraft usw.

Auch die Araber, bei denen die Grammatik im Mittelalter eine besondere Blütezeit erleben sollte, standen unter dem Einfluß der Griechen, besonders des Aristoteles.

3. EINSTELLUNG DES MITTELALTERS ZUR SPRACHE

Im christlichen Mittelalter bildete weiterhin die Pflege der normativen Grammatik den Hauptteil der sprachlichen Studien. Ihr Gegenstand war das Latein, die übernationale, sich lebendig weiterentwickelnde Einheitssprache des Abendlandes. Geistliche waren die Träger dieser Untersuchungen, die sich wie im Altertum auch auf etymologische Fragen erstreckten. Nur gelegentlich wandte sich die Aufmerksamkeit auch der heimischen, der Nationalsprache zu. So beschäftigten sich deutsche gelehrte Benediktiner des 8. und 9. Jahrhunderts, vor allem Hrabanus Maurus und Walahfrid Strabo und dann um 1000 Notker der Deutsche, mit der Geschichte und Etymologie der deutschen Sprache. Dies ist bedeutsam, auch wenn ihre Erklärungen sprachwissenschaftlich nicht mehr gültig sind. (Notker führte z. B. ahd. *dūsent* tausend auf vulgärlat. *dēscent* aus *dēcies centum* zehnmal hundert zurück; in Wirklichkeit beruht es aber wohl auf germ. **þūshundi* und bedeutet ursprünglich vielhundert.) Aus der gleichen Verbundenheit mit dem angestammten Volkstum und dessen Sprache entsprangen die grammatischen Abhandlungen zur Edda, die in Island im 12. bis 14. Jahrhundert entstanden; ihnen treten zwei Grammatiken der provenzalischen Sprache aus dem 13. Jahrhundert an die Seite. Notker der Deutsche gibt für seine Übersetzungen lateinischer Werke ins Frühdeutsche eine bemerkenswerte Begründung: man verstehe etwas in der Muttersprache rascher, was man in einer fremden kaum oder nicht völlig begreifen könne. Er nimmt damit einen Gedanken von Leibniz vorweg (Kap. 23).

Eine wichtige Rolle spielt die Sprache im 11./12. Jahrhundert in der so entscheidenden philosophischen Auseinandersetzung zwischen Realismus und Nominalismus, dem Universalienstreit. Es ging um die Frage, ob den Allgemeinbegriffen oder Universalien, also den Gattungen und Arten (z. B. *Mensch*), eine reale Existenz zukomme (etwa als Ideen Gottes), oder ob sie bloße Namen, Worte und nur die Einzelwesen (z. B. die menschlichen *Individuen*) objektiv wirklich seien. Der von der platonischen Ideenlehre beeinflußte Realismus, der in extremer Form von Joh. Scottus Eriugena, aber auch von Anselm von Canterbury vertreten wurde, mußte ebenso wie der einseitige Nominalismus etwa eines Roscellin einem gemäßigten Realismus aristotelischer Prägung weichen, bis sich dann in der Spätscholastik des 14. Jahrhunderts durch Wilhelm von Ockham erneut der Nominalismus durchsetzte.

Auch mit der Grundfrage nach der Herkunft der Sprache beschäftigten sich die mittelalterlichen Gelehrten. Augustinus, Thomas von Aquin und Dante beantworteten sie dahingehend, daß die Fähigkeit zur Sprache göttlichen Ursprungs, die tatsächliche Sprachschöpfung aber das Werk des Menschen sei. Seit den Tagen des heiligen Hieronymus, des Verfassers der lateinischen Bibelübersetzung, der Vulgata (gest. 420), ist man der Auffassung, daß die Einzelsprachen gemäß der alttestamentlichen Darstellung aus einer Ursprache hervorgegangen seien, als die man meist das Hebräische betrachtete. Es war zusammen mit Griechisch und Latein eine der drei heiligen Sprachen des Mittelalters, die Hugo von Trimberg um 1300 im „Renner“ so kennzeichnet:

wenne aller sprâche lêrerîn
ist kriechisch, sô muoȝ jüdisch sîn
der sprâche muoter über alliu lant,
daȝ ist den wîsen wol bekant:
aber aller sprâche künigîn
über alle die werlt ist latîn . . .

4. VOM HUMANISMUS ZUR AUFKLÄRUNG

Humanismus ist Rückwendung zur Antike und ihren literarischen und künstlerischen Werken. Es ist nicht mehr wie im Mittelalter das christlich gesehene, als Vorbereitungszeit des Christentums aufgefaßte, vorwiegend römische Altertum, sondern die heidnische, namentlich auch die griechische Antike, die nun als kulturgestaltende Größe erlebt wird. Zum erstenmal wendet sich der Mensch des christlichen Abendlandes zurück und öffnet sich einer vergangenen Zeit und einem ganz anderen Menschentum, um sie auf sein Leben, auf seine Kultur wirken zu lassen. Es ist die Geburtsstunde des historischen Sinns, der dann 300 Jahre später, seit Herder, seine volle, bewußte Ausprägung erfahren sollte. Wie in jener späteren Zeit der Erfüllung führt jetzt schon die Wendung zur Geschichte und zum fremden Volkstum auch zur Beschäftigung mit der Vergangenheit und den geschichtlichen Leistungen des eigenen Volkes, dessen Gleichberechtigung mit den anderen man aus einem starken Eigenbewußtsein heraus dartun will.

Auf sprachlichem Gebiet greift der Humanismus zurück auf die klassische, tote Form des Lateins gegenüber der mittelalterlichen, lebendigen lateinischen Einheitssprache, deren Weiterentwicklung nun in Frage gestellt wird. Jetzt tritt auch das so lange vernachlässigte Griechische, zum Teil auf dem Weg über die Araber, zum Teil über Byzanz, in den Gesichtskreis des Abendlandes. Zugleich aber wendet man sich auch der eigenen Nationalsprache zu. In seiner bedeutsamen Schrift *De vulgari eloquentia doctrina* (Lehre von der natürlichen Beredsamkeit) gibt Dante der Muttersprache als natürlicher Sprache kühn den Vorzug vor der künstlichen lateinischen (1302).

Über das Lateinische und Griechische hinaus weitet sich der Blick: bald wenden sich die Gelehrten auch den semitischen Sprachen zu, zumal der hebräische Urtext der Bibel seit dem 15. Jahrhundert starke Beachtung fand. Joseph Justus Scaliger (1540–1609) versucht, die europäischen Sprachen nach elf Stammsprachen *(matrices)* mit ihren Mundarten *(propagines)* zu gliedern. Doch kranken diese sprachvergleichenden Forschungen daran, daß sie bezeichnenderweise zunächst noch ganz unhistorisch betrieben werden: der historische Sinn entwickelt sich erst allmählich. Etymologische Untersuchungen namentlich in den Niederlanden zeigen, daß man über die Methoden der Antike noch nicht hinausgelangt war. Jetzt erwacht auch ein Interesse für die eigene deutsche Sprache, und man stellt, besonders seit dem 16. Jahrhundert, ihren Wortschatz in Wörterbüchern dar. Deutsche Grammatiken werden nach dem Muster der lateinischen und griechischen Schulgrammatiken angelegt.

Auch das Problem des Ursprungs der Sprache wurde aufgegriffen: der große Gräzist und Orientalist Joh. Reuchlin unternahm es, allerdings ohne Erfolg, dem Geheimnis der Sprache durch die Sprachmagie der jüdischen Mystik, der Kabbala, nahezukommen.

Die Reformation verleiht der Sprache und der Muttersprache im besonderen eine religiöse Weihe. In der Sprache der Schrift offenbart sich Gott, der Mensch hat also durch die Sprache einen Zugang zu ihm. Gott ließ die Sprachen um des Evangeliums willen entstehen. Die Muttersprache, Nationalsprache, in welche der Inhalt der Heiligen Schrift übersetzt wurde, tritt nun als gleichberechtigt neben die heiligen Sprachen des Mittelalters, das Hebräische, das Lateinische und das Griechische. Luther weiß, daß die Sprachen Ausdrucksformen der Volkseigenart sind; die lebendige Rede, die Mundart des Volkes allein führt zur wirklichen Kenntnis der Sprache.

In der Zeit des Barocks ist die Beschäftigung mit der Muttersprache ganz im Sinne der Humanisten eine nationale Angelegenheit. Neben etymologischen Spekulationen geht man auch jetzt dem Geheimnis der Ursprache nach. Schon 1606 hatte der Franzose Guichard erkannt, daß das Syrische und das Chaldäische mit dem Hebräischen zusammengehörten; nun glaubt man die Ursprache in verschiedenen anderen nationalen Sprachen, vor allem im Hebräischen zu finden – so auch Harsdörfer, der Mitbegründer der Nürnberger Sprachgesellschaft „Hirten- und Blumenorden an der Pegnitz“ (1644).

Immer mehr entfaltet sich nun der Sinn für das Historische: so wie man sich den älteren Epochen der deutschen Literatur zuwendet, beginnt man auch die Sprache geschichtlich zu betrachten und sich mit früheren Stufen der Nationalsprachen, besonders der germanischen, zu beschäftigen (Kap. 23). Harsdörfer läßt das Deutsche aus dem Hebräischen entstehen und leitet von ihm die übrigen europäischen Sprachen her, deren Urverwandtschaft man zu erkennen beginnt. Leibniz (1646 bis 1716) widerlegt dagegen die Hypothese, daß das Hebräische die menschliche Ursprache sei, und gibt zugleich die Anregung zu zahlreichen Wörtersammlungen und Grammatiken lebender Volkssprachen in Europa, Asien und Amerika. Sie finden günstige Vorbedingungen in der Reiselust und in der ausgedehnten missionarischen Tätigkeit des 17. und 18. Jahrhunderts. Von 1786 an erscheinen, unterstützt von der Kaiserin Katharina, vor allem die großen Wortlisten von P. S. Pallas, der diese besonders im europäischen und asiatischen Rußland aufgestellt hatte (die Ausgabe von 1791 berücksichtigt 272 Sprachen, darunter auch einige aus Asien und Amerika), während der spanische Jesuit Hervás um die gleiche Zeit Grammatiken von 40 Sprachen herausgibt; die letzte solcher Sammlungen ist Adelungs „Mithridates oder allgemeine Sprachenkunde" (1806ff.).

In der Barockzeit lebte der Gedanke der griechischen Sprachphilosophie, daß die Dinge *phýsei*, nach der Natur, benannt seien, wieder auf. Man betrachtete die Sprache als „Natursprache". Aus dem Nürnberger Dichterkreis um Harsdörfer kamen Anschauungen, die den lautmalenden, onomatopoetischen Charakter der Sprache, besonders des Deutschen, betonten. Die deutsche Sprache „redet mit der Zungen der Natur, indem sie alles Getön und was nur einen Laut, Hall und Schall von sich gibet, wohl vernehmlich ausdrücket". Dagegen greift der große Sprachwissenschaftler des Barocks, Justus Georg Schottel (1612 bis 1676), auf Gedanken Platos zurück, wenn er die Einheit von Wort und Gegenstand nicht schallnachahmend faßt, sondern in den gemeinsamen göttlichen Ursprung verlegt, aus dem Natur- und Sprachgebilde entstehen. Er nimmt zugleich Anschauungen Luthers auf und glaubt, daß jede Sprachgestalt dem Wesen eines Volkes entspricht: jedem Volk eignet seine Sprache von Natur aus.

In der Auffassung von dem gemeinsamen göttlichen Ursprung von Wort und Sache berührt sich mit Schottel die Sprachmystik Jakob Böhmes. Für ihn ist der Logos, Christus, in jeder Seele, er ist der Urgrund allen Erkennens und allen Sagens. Aufgabe des Menschen ist es, die überlieferte Sprache neu zu beleben und dadurch die Welt sozusagen neu zu schaffen. Der Sprachschöpfer, der Dichter, „formet das Wort des Namens eines Dinges im Munde, wie das Ding in der Schöpfung ist worden". Diese Anschauungen wirken stark auf Hamann und Herder und durch sie auf Wilhelm von Humboldt. Auch Leibniz steht unter Schottels Einfluß. Doch ist das Denken nach ihm sprachfrei; das Wort hat nur die Aufgabe, das Denken zu erleichtern und zu vermitteln. Das Wort ist also entwertet; es ist nicht Bild der Idee, sondern gehört der sinnlichen Sphäre an.

Der Fortschrittsgläubigkeit der Aufklärung entspricht die Überzeugung, daß die Sprache der eigenen Zeit die beste, weil die vernunftsgemäßeste, sei. Daraus erhält das schon seit Schottel erwachte Bestreben, richtig zu schreiben, die Sprache korrekt zu handhaben, neue Antriebe. So ist auch in Deutschland die Aufklärung das Zeitalter der Sprachregelung; sie wird hauptsächlich von J. Chr. Gottsched vertreten. Bezeichnend für die Zeit ist auch die Entstehung vieler Wörterbücher (Kap. 23).

Daneben stellten die Aufklärer auch die Frage nach dem Ursprung der Sprache. Rousseau versuchte vergeblich, sie ebenso rationalistisch zu lösen wie das Problem des Ursprungs der Gesellschaft, indem er auch die Sprache wie jene durch eine Übereinkunft, durch Erfindung, entstehen ließ; dabei sprach er wie die Epikuräer und wie im 17. Jahrhundert der Engländer John Locke den Naturlauten, den Interjektionen, eine wichtige Rolle zu.

Andererseits vertraten manche Theologen, auch Hamann, die Meinung, die Sprache sei ein unmittelbares Geschenk Gottes (traditionalistische Theorie). Dagegen erhob sich Herder, wohl der größte Anreger der Neuzeit, der auch der Sprachphilosophie eine neue Richtung gab.

5. DIE SPRACHE IN DER SICHT DES SPÄTEREN 18. UND 19. JAHRHUNDERTS

Sprachphilosophie

Johann Gottfried Herder und Wilhelm von Humboldt sind die Hauptvertreter der Sprachphilosophie des 18. und 19. Jahrhunderts. Herder, der auch in seiner Sprachbetrachtung stark von Hamann beeinflußt ist, wandte sich ebenso gegen die rationalistische Lehre Rousseaus wie gegen die traditionalistische Meinung seines Lehrrers. Die Sprache, so meint Herder, ist einer Notwendigkeit der menschlichen Natur entsprungen, die gottgegeben ist. Damit erneuert er die Auffassung von Augustin, Thomas von Aquin und Dante (Kap. 3). Durch die Sprache unterscheidet sich der Mensch von den Tieren, den „Stummen der Erde", mit ihr „empfing der Mensch den Atem der Gottheit". Herder erkennt einen Zusammenhang zwischen Sprache und Urdichtung, d. h. einer Art unausgebildeten, unbeholfenen Singens: Poesie war die Ursprache des Menschengeschlechts.

Die Sprache ist sinnlich-geistiger Art. Sie ist Ausdruck der wirklichen Dinge nicht im Sinne einer Nachahmung der äußeren Klanggeräusche (wie es etwa die Stoiker, Harsdörfer und der Zeitgenosse Herders, Adelung, wollten), sondern einer geistigen Tätigkeit: „... als ob der Affe ..., die Amsel, die die Schälle so gut nachäffen kann, eine Sprache erfunden hätte!" ruft Herder aus. Sprache ist „eine Äußerung, ein Ausdruck und Organ des Verstandes". Damit vertritt Herder den gerade für die heutigen Sprachauffassungen so bezeichnenden Parallelismus zwischen Sprache und Gedanken, zwischen Wortkörper und Begriff.

Wenn die Humanisten die leben- und kulturgestaltende Kraft der Vergangenheit und eines fremden Volkstums in einem neuen Lebensgefühl erfahren hatten, von dem auch die Jahrhunderte nach ihnen eine wenn auch ins Antiquarische abgeblaßte Nachwirkung zeigten, so wurde sie nun von Herder in die Sphäre des Bewußtseins gehoben. Er verkündete – und die Romantiker folgten ihm darin – die Einfühlung in den Geist früherer Zeitstufen und anderer Völker als Bildungs- und Forschungsprinzip. Die damit eingeleitete geistige Bewegung ist ungleich umfassender als die humanistische: sie wendet sich nicht nur zu einer neu gesehenen griechischen Antike zurück, sondern zur gleichen Zeit zu dem inzwischen verzeichneten und fraglich gewordenen christlich-germanischen Mittelalter. Sie beschränkt sich auch nicht nur auf die Völker des Mittelmeerraums, sondern entdeckt neue, weite Räume in Osteuropa, im Orient, in der Neuen Welt. Nicht bloß das nationale Selbstbewußtsein führt sie (wie einst die Humanisten und später die Gelehrten des Barocks und der Aufklärung) auch zu der Vergangenheit und zu den Leistungen des eigenen Volkes, sondern das Bestreben, dessen Geist näherzukommen, der nach ihrer Meinung zu allen Zeiten derselbe war, der Wille, die aus ihm entstandenen Werke der Hoch- und Grund-(Volks-)kultur wieder lebendig und dem eigenen Leben und der eigenen Kultur nutzbar zu machen.

Für Herder ist auch die Sprache wie der Mythus, wie Sagen, Märchen und Volkslieder Ausdruck des „Geistes des Volkes", der „Seele eines Volkes", des „Nationalcharakters". Darum wendet er sich auch den westslawischen und der madjarischen Sprache zu, die dem Untergang geweiht zu sein schienen und die er wiederentdeckt und neu belebt. Er stellt damit den Wert der Muttersprache in ein neues Licht und eröffnet zugleich den Weg für die Würdigung des Seins, der Struktur einer Sprache ohne Rücksicht auf ihre geschichtliche Entwicklung und auf andere Sprachen. Zugleich erkennt er aber die Sprache auch als etwas geschichtlich Gewordenes. Er sieht im Gegensatz zur Aufklärung, der die eigene Sprache als die vollkommenste erschien, in ihrer Entwicklung einen Abstieg und verkündet den Wert der älteren Sprachstufen als der ursprünglicheren. Je ursprünglicher eine Sprache ist, desto weniger ist sie logisch, desto mehr ist sie von Phantasie und Leidenschaft erfüllt: auf ein jugendlich-poetisches Alter der Sprache folgt ein männliches, das der schönen Prosa, und ein greisenhaft-philosophisches.

Herder ist auch auf dem Gebiet der Sprachbetrachtung der große Anreger geworden. Die Anschauungen der Romantik berühren sich stark mit den seinen und mit denen Hamanns. Noch heute wesentlich ist die Unterscheidung der älteren Romantiker zwischen der *äußeren* und der *inneren* Sprache; jene ist nur die Hülle, Ausdruck des inneren Wortes, Offenbarung des Geistes; Geist und Sprache, Gedanke und Wort sind eins. Auch für die Romantiker ist Sprache geistige Tätigkeit, Schöpfung. Sie ist aber noch mehr: sie verbindet den Menschen mit Gott, sie wurzelt im Religiösen, sie trägt metaphysischen Charakter.

Die spätere Romantik wandte sich mehr den wirklichen Sprachen zu, die im Sinne Herders als Ausdruck des Volksgeists aufgefaßt wurden. Von ihnen ausgehend, galt aber ihr Suchen auch der mythischen Ursprache. „Ein Dienst und eine Mythe war in uralter Zeit, es war eine Kirche und auch ein Staat und eine

Sprache“ (Görres). Der mythischen Urreligion und Urkultur entspricht eine Ursprache.

Von diesen Anschauungen ist Jacob Grimm stark berührt. Auch ihm ist zeitlebens die Sprache wie Sage und Mythus Gefäß des Volksgeists. Aber nicht die Frage nach dem organischen Ursprung der Sprache, nicht das Verhältnis von Geist und Sprache steht später, wie wir sehen werden, im Vordergrund seiner gelehrten Tätigkeit, sondern die Probleme der geschichtlichen Entwicklung der Sprache nach Lauten, Formen und Wörtern.

Gleichzeitig erhebt sich die sprachphilosophische Betrachtungsweise zu einem Gipfel und vermählt sich mit den Methoden der neuen vergleichenden und geschichtlichen Sprachwissenschaft. In der Einleitung zu einer Untersuchung über die Kawisprache auf der Insel Java legt Wilhelm von Humboldt 1836 seine Hauptgedanken „über die Verschiedenheit des menschlichen Sprachbaues und ihren Einfluß auf die geistige Entwicklung des Menschengeschlechts“ nieder. Humboldts Auffassung von der Sprache zeigt deutlich einen klassischen Grundzug. Wie Goethe die Urpflanze, so will er den Typus der Sprache finden; er will ihn aus der Gesamtheit aller Sprachen gewinnen. Das Wachstum der Sprachen bestätigt ihm die Entwicklung der Menschheit zu dem vollendeten Typus hin. Aber ebenso stark steht Humboldt unter dem Einfluß der Anschauungen Herders und der Romantik. Die Entstehung der Sprache bleibt letzten Endes ein Geheimnis. Humboldt glaubt wie Herder an den unmittelbar menschlichen Ursprung der Sprache; sie entsteht für ihn aus den Tiefen des menschlichen Wesens, aus körperlichen, seelischen und geistigen Kräften. Dieser Schöpfungsvorgang wiederholt sich, solange es Menschen gibt.

Für Humboldt ist die Sprache wie für die Romantiker ein Organismus, dessen Werden, Wachsen und Welken er zu erfassen sucht. Sie ist ein Gewebe, in dem jeder Teil mit dem anderen und alle Teile mit dem Ganzen in Zusammenhang stehen. So gibt es für Humboldt wie für Herder nicht nur eine historische Sprachbetrachtung, sondern auch eine beschreibende, auf die Struktur der Sprache gerichtete. Zugleich ist die Sprache in ihren Beziehungen zu dem Ganzen des geistigen Lebens zu betrachten.

Humboldt führt Herders Auffassung von der Parallelität zwischen Gedanke und Sprache weiter, wenn er in der Sprache das bildende Organ des Gedankens sieht. Begriff und Wort sind unauflöslich miteinander verknüpft. Die Artikulation, die Lautbildung, beruht auf der Gewalt des Geistes über die Sprechwerkzeuge. Der rein geistige Teil der Sprache, die „innere Sprachform" (womit Humboldt an eine romantische Auffassung anknüpft), ist also das Wesentliche, nicht der äußere Sprachleib, der auf den Lauten beruht. Wie für Aristoteles ist ihm dabei die Form *(eidos)* das, was das Ding zu dem macht, was es ist, also das Gestaltende. Der innere Sprachsinn äußert sich in den Lauten (er glaubt dabei wie Jacob Grimm mit Plato an deren symbolischen Charakter), in den grammatischen Formen, in der Wortbildung, im Satzgefüge. Je inniger die Durchdringung von Begriff und Wort, desto vollkommener die Sprache. Doch ist jede, auch die rohe Sprache der Wilden, ehrwürdig, da sie ein Abbild der ursprünglichen Anlage zum Sprechen ist.

Sprache ist Tätigkeit und Werk, *enérgeia* und *érgon* zugleich. Sie ist für Humboldt ganz im Sinne Herders und der Romantik die sich ewig wiederholende Tätigkeit des menschlichen Geistes, den Laut, das Wort zum Träger des Gedankens zu machen, und sie lebt auch als Werk außerhalb des Geistes. Zugleich aber meint *enérgeia* offenbar auch die Wirkung, die von der Sprache auf alle Lebensbereiche auszugehen vermag.

Ähnlich wie für Herder und Jacob Grimm durchläuft für Humboldt die Sprache eine Entwicklung von einer sinnlich-anschaulichen zu einer geistig-abstrakten Stufe, wobei sie an Wohllaut und an Reichtum der Formen verliert; die Volkssprache (ebenfalls eine romantische Auffassung) bewahrt gegenüber der Bildungssprache größere Anschaulichkeit, Fülle und Stärke. Als Jünger Herders sahen Humboldt und die Romantiker in dieser Entwicklung der Sprache eine Erschlaffung ihrer bildenden Kraft – eine pessimistische Auffassung also; sie entspricht der romantischen Anschauung von der kulturellen Entwicklung überhaupt, die im Gegensatz zu dem Optimismus der Aufklärung steht.

Die Sprache als solche ist ein Ausfluß, eine Emanation des Geistes, ein Geschenk des Geschicks. Ihre Erscheinungsformen, die Einzelsprachen, aber sind abhängig von den Völkern, denen sie angehören. Wie Herder und Jacob Grimm, so ist auch Humboldt überzeugt von einer ständigen Wechselwirkung zwischen Sprache und

Volkscharakter, der nach ihm auf einer Gleichheit der Naturanlage beruht. Die Völker sind ihm in erster Linie Sprachgemeinschaften. Ihre Sprache „ist gleichsam die äußerliche Erscheinung" ihres Geistes. Hier bewegt sich Humboldt ganz in den Anschauungen der Romantiker.

Aber Humboldt weiß wie die deutsche Klassik und Romantik, daß das Volk ein Glied der Menschheit ist. Wohl trennen die Sprachen die Völker, aber sie sind zugleich Ausdruck der einen Sprache, welche die ganze Menschheit verbindet.

Humboldts sprachphilosophische Auffassungen finden keine eigentliche Nachfolge; die geistige Entwicklung des Jahrhunderts ist ihnen nicht günstig. Die Zeit des philosophischen Idealismus wird durch den Positivismus und Materialismus abgelöst, die Philosophie vielfach nur als Psychologie geschätzt. So erfahren die Sprachanschauungen Humboldts einen Umschlag ins Naturwissenschaftliche und Psychologische. Der Indogermanist August Schleicher faßte um die Mitte des Jahrhunderts die Sprache nicht mehr als geistigen, sondern als reinen Naturorganismus auf. Sie gehört ihm in den Bereich der Natur, nicht der freien geistigen Tätigkeit. Sie wird bedingt durch Besonderheiten des Gehirns und der Sprachorgane; sie folgt bestimmten Gesetzen ebenso ausnahmslos wie die Natur. Eine Erklärung für die vielen Ausnahmen von diesen Gesetzen gab er allerdings nicht; er übersah vor allem, daß die sprachlichen Veränderungen an die Menschen und an die Zeit gebunden sind. Schleichers Lehre, die mit den Anschauungen Hegels und Darwins zusammenhängt, wirkt stark auf die Sprachwissenschaft seiner Zeit.

Sprachpsychologie

Auf der anderen Seite steht das Problem des Sprachursprungs im Mittelpunkt besonders der psychologisch gerichteten Forschung. Die Überzeugung Herders und Humboldts, daß die Sprache eine Notwendigkeit der menschlichen Natur darstelle und untrennbar mit dem Gedanken verbunden sei, das *Nescio*, mit dem sich Humboldt bei der Frage nach den Einzelvorgängen des Sprachursprungs beschieden hatte, befriedigte das spätere 19. Jahrhundert nicht, das versuchte, der Natur und auch der Sprache die Geheimnisse zu entreißen. L. Geiger, C. Noiré und Darwin greifen in den 70er Jahren auf die Anschauung der Epikuräer zurück, daß die Sprache aus Naturlauten, aus Interjektionen erwachsen sei. L. Noiré baut diese Auffassung weiter aus und mißt dem Gemeinschaftsgefühl der Urmenschen eine wichtige Rolle bei der Entstehung und Befestigung der Sprachlaute zu. Doch empfand man es bald als einen erheblichen Mangel, daß man die Sprache aus so wenig bedeutenden psychischen Äußerungen hervorgehen lassen wollte, wie es die Interjektionen oder auch die Schallnachahmungen sind. A. Marty versuchte 1875 eine vermittelnde Lösung: für ihn entstand die Sprache aus gewissen unwillkürlichen Reflexen wie dem Schrei bei Schmerzempfindungen, vor allem aber aus der Absicht der Mitteilung, so aus Abwehrbewegungen, Bitt- und Drohgebärden, zu denen Schallnachahmungen traten. Lazarus und Steinthal vertraten 1856 bzw. 1871 die Meinung, daß die Sprache mit Notwendigkeit als Reflexwirkung aus den einzelnen Seelenregungen entspringe. Steinthal, der das Verdienst hat, die Sprachphilosophie Humboldts wieder bekannt gemacht zu haben, rechnet zu diesen Reflexen nicht bloß Laute, sondern auch körperliche Gebärden.

Der Psychologe Wilhelm Wundt tut um die Jahrhundertwende einen entscheidenden Schritt weiter: nicht der Laut, sondern die Bewegung der Sprachorgane, die Lautgebärde, ist die ursprüngliche Reflexbewegung. Er wendet sich gegen den Dänen Jespersen, der im Gefolge Herders und Humboldts den Ursprung der Sprache im fröhlichen Spiel, besonders im Liebeswerben sah und sie aus dem Lied hervorgehen ließ. Für Wundt ist die Gebärdensprache die Ursprache – die gesprochene Sprache ist eine Ausdrucksbewegung, bei der ein neues Organ, die Zunge, beteiligt ist –, das ist das wichtigste der Ergebnisse Wundts. Er vermutet, daß die Entstehung der Sprache zusammenhängt mit dem durch den aufgerichteten Gang des Menschen verursachten besonderen Bewegungsrhythmus. Wie bei der Sprachentwicklung des Kindes glaubt Wundt bei der Entstehung der Sprache überhaupt drei Stufen unterscheiden zu können: Schreilaute, artikulierte, sinnlose Laute und artikulierte Laute mit der Absicht der Benennung. Doch konnte es Wundt nicht gelingen, die menschliche Sprache aus den triebhaften Ausdrucksbewegungen herzuleiten.

Sprachwissenschaft

Erst seit Beginn des 19. Jahrhunderts entwickelte sich eine eigentliche Wissenschaft von der Sprache als Textkritik, als Sprachvergleichung und als Sprachgeschichte, zu der sich gegen das Jahrhundertende die Sprachgeographie gesellte. Die Entfaltung der Sprachwissenschaft spiegelt die allgemeine geistige und im besonderen die sprachphilosophische Entwicklung wider.

Textkritik

Wissenschaftliche Textkritik ist das Zeichen einer historisch eingestellten Zeit. Man pflegte sie in Indien, um die ursprüngliche Gestalt der heiligen Gesänge zu erhalten, und sie entwickelte sich bei den Griechen des Hellenismus (Kap. 2). Ihr Ziel ist die Wiederherstellung der originalen Texte und ihre Erklärung.

In Deutschland entsteht sie aus der Beschäftigung mit dem antiken Schrifttum. Ihr Begründer ist der Altphilologe Friedrich August Wolf (1759–1824). Die Entfaltung der altdeutschen Studien seit Herder machte es bald auch auf dem Gebiet des deutschen Schriftgutes nötig, der ursprünglichen Textgestalt besondere Aufmerksamkeit zu schenken. Die älteren deutschen Texte sind uns nur in Handschriften erhalten, die zumeist spätere Abschriften darstellen und nicht vom Verfasser selbst durchgesehen wurden. Da die Abschreiber die sprachliche Form oft nach eigenem Gutdünken und nach dem Geschmack ihrer Zeit änderten, besteht meist ein großer Abstand von der ursprünglichen Gestalt. Wo mehrere Fassungen desselben Werkes überliefert sind, weichen sie in der Regel erheblich voneinander ab. Durch vorsichtige Vergleichung der verschiedenen Fassungen untereinander und mit den übrigen Werken des betreffenden Dichters und seiner Zeitgenossen, zumal der im gleichen Raum beheimateten, versucht die Textkritik, der originalen Gestalt soweit als möglich nahezukommen.

Neben Jacob Grimm begründete vor allem Karl Lachmann (1793–1851) die germanistische Textkritik. Sie nimmt in der Sprachwissenschaft im 19./20. Jahrhundert eine bedeutende Stellung ein: sehr viele mittelalterlichen und frühneuhochdeutschen Literaturdenkmäler wurden neu herausgegeben. Die allgemeine positivistische Grundeinstellung war ihrer Entwicklung seit der Jahrhundertmitte sehr günstig.

Sprachvergleichung und Sprachgeschichte

Vor allem aber ist die Sprachwissenschaft des 19. Jahrhunderts historisch vorgehende Sprachvergleichung und Sprachgeschichte. Jacob Grimms Wendung zur Philologie ist bezeichnend für diese Entwicklung überhaupt. Die Sprache wird nun mehr und mehr gelöst aus ihrem Zusammenhang mit der Ganzheit des Menschen, sie wird zum Einzelgegenstand der Forschung – nicht mehr der Sprachphilosophie, sondern der Sprachvergleichung und der Sprachgeschichte. Die beschreibende, der Struktur der Sprache gewidmete Betrachtungsweise Humboldts wird erst im 20. Jahrhundert wieder aufgenommen.

Die wissenschaftliche Sprachvergleichung entwickelte sich in der zweiten Hälfte des 18. Jahrhunderts. Während Adelungs „Mithridates“ sich noch auf die Vergleichung einzelner Wörter beschränkt, hatte schon Hervás die Verwandtschaft einzelner Sprachen durch eine Vergleichung der Grammatik, des Sprachbaus nachzuweisen gesucht (Kap. 4). Der Däne Rask erforscht die Stellung des Altisländischen innerhalb der germanischen Sprachen und weist 1818 auf deren Gemeinsamkeiten mit dem Griechischen und dem Lateinischen hin. Die eigentliche Geburtsstunde der vergleichenden Sprachwissenschaft aber ist die Entdeckung des Sanskrits, die europäischen Gelehrten in der zweiten Hälfte des 18. Jahrhunderts gelang. Die Übereinstimmung dieser altindischen Sprache mit dem Griechischen, Lateinischen und Germanischen auf dem Gebiet des Wortschatzes und des Formenbaus war augenfällig. Jetzt konnte das, was von den Sprachforschern der vergangenen Jahrhunderte geahnt worden war, zur gesicherten wissenschaftlichen Erkenntnis erhoben werden: die Urverwandtschaft von Latein, Griechisch und den germanischen Sprachen. Nachdem schon andere (so der Jesuitenmissionar Cœurdoux 1767 und der Engländer William Jones 1786) auf die Übereinstimmung von Sanskrit, Griechisch und Latein hingewiesen hatten, machte Fr. Schlegel in seinem Buch „Über die Sprache und Weisheit der Indier“ 1808 die neue Einsicht einem weiteren Kreis zugänglich.

Als eigentlicher Begründer der vergleichenden Sprachwissenschaft hat jedoch der Sprachforscher Franz Bopp zu gelten, zu dessen Vorläufern im 18. Jahrhundert auch der Niederländer L. ten Kate gehört. Sein Buch über das Konjugationssystem der Sanskritsprache erschien 1816, sein Hauptwerk, die vergleichende Grammatik, 1833 bis 1852. Durch ihn wurde die Urverwandtschaft des Indischen und Persischen mit den meisten europäischen Sprachen nachgewiesen; seit Bopp spricht man von der indoeuropäischen oder indogermanischen Sprachgruppe.

Dieser Nachweis gelang vor allem auf dem neuen Weg der historischen Untersuchung der einzelnen Sprachen. Die Romantiker begründeten als Jünger Herders alle Zweige der historischen Wissenschaften, der politischen wie der Kulturgeschichtsschreibung. Die deutsche Sprachgeschichte geht auf J. Grimm zurück, der in vielem auf die Gedanken Rasks zurückgreifen konnte. In den gleichen Jahren wie Bopps Untersuchungen entstanden auch die grundlegenden sprachgeschichtlichen Werke: Jacob Grimms Grammatik der germanischen Sprachen, die er „Deutsche Grammatik“ nannte (1819–1837), und die Romanische Grammatik von Friedr. Diez (1836), der schon 1815 ein Werk des Franzosen Raynouard, eines Schülers A. W. Schlegels, vorausgegangen war.

Diese sprachgeschichtlichen Untersuchungen gelten vor allem den Lauten und der Wortbeugung. Aber auch die etymologische Wortforschung bekommt nun wissenschaftlichen Charakter: sie fragt nicht mehr nach der Ähnlichkeit der Wörter oder nach ihrem lautmalenden Charakter, sondern wird historisch betrieben, d. h., sie geht den Wortstämmen und Wortwurzeln nach. Die „Etymologischen Forschungen“ A. F. Potts (1833–1836) und das große „Deutsche Wörterbuch“ der Brüder Grimm (1852-1961) sind Zeichen dieser neuen Einstellung.

Die sprachvergleichende Methode fand dann um die Mitte des Jahrhunderts einen bedeutenden Vertreter in dem Indogermanisten August Schleicher. Seine uns schon bekannte positivistische Grundeinstellung zeigt sich in seiner besonderen Zielsetzung: nicht der Ursprache der Romantiker und auch nicht der allgemeinen Sprachvergleichung ist seine Forschertätigkeit gewidmet, sondern der erschließenden Rekonstruktion des Urindogermanischen; von ihm als der Muttersprache läßt er die Tochtersprachen in der Form eines Stammbaums hervorgehen. Die heutige Forschung steht dem zweifellos großartigen Versuch Schleichers mit Zurückhaltung gegenüber (Kap. 13).

Schleichers Anschauungen (auch der Altphilologe Georg Curtius wirkte in seinem Sinn) stießen bald auf den Widerspruch der sog. Junggrammatiker. In Deutschland gehörten zu dieser Richtung etwa die Indogermanisten Hermann Osthoff, Karl Brugmann, Berthold Delbrück und die Germanisten Eduard Sievers, Hermann Paul, Wilhelm Braune, Friedrich Kluge, Wilhelm Streitberg, Otto Behaghel, im Ausland z. B. der Norweger Sophus Bugge, der Däne Karl Verner, der Niederländer H. Kern, der Franzose Michel Bréal, der Italiener G. I. Ascoli, der Amerikaner W. D. Whitney. Die Junggrammatiker erstrebten eine Vereinigung der sprachgeschichtlichen und der sprachvergleichenden Methode. Sie betonten das Entwicklungsprinzip in der Sprachvergleichung; sie hielten wohl im allgemeinen an der Stammbaumtheorie Schleichers fest, aber sie berücksichtigten die zeitlichen Abstufungen. Doch waren auch die Junggrammatiker Anhänger einer naturhaften Auffassung der Sprachentwicklung und besonders der Wirkung von Lautgesetzen, weshalb sie später stark bekämpft wurden.

Man übersah aber dabei oft, daß sie selbst die These von der Gültigkeit der Lautgesetze nie uneingeschränkt vertreten hatten (Kap. 10). Wenn auch bei ihren Forschungen die äußere Form der Sprache, die Laute und die Wortbeugung, im Vordergrund standen, so beschäftigten sie sich doch auch mit ihrer geistigen Seite. Allerdings waren ihnen im Unterschied zu Herder und Humboldt Sprache und Gedanke, lautliche Form und Bedeutung getrennte Welten; auch darin standen sie im Gegensatz zu Humboldt, daß sie eine beschreibende Sprachwissenschaft ablehnten und nur die historische gelten ließen. Daß viele bei der Sammlung und Beschreibung sprachlicher Einzelmerkmale stehenblieben, entsprach dem positivistischen Grundzug der Wissenschaft ihrer Zeit.

Vor allem aber begannen die Junggrammatiker zu erkennen, wie stark die Sprache auf den Menschen als ihren Träger bezogen ist, und betonten die Wichtigkeit einer psychologischen Betrachtungsweise. Hatte man sich bis jetzt fast ausschließlich mit den älteren (und im Sinne Herders ehrwürdigeren) Sprachstufen beschäftigt, so berücksichtigte man jetzt auch die jüngeren Entwicklungsstufen, im besonderen die von Jacob Grimm so geschätzten Mundarten (so der Schwabe K. Bohnenberger und der Schweizer A. Bachmann). Das bedeutete eine Hinwendung zur gesprochenen Sprache und zu Fragen der Lautbildung (von Raumer, Brücke, in den Niederlanden F. C. Donders), wie sie schon in den 40er Jahren der Tübinger Sprachforscher Moriz Rapp vollzogen hatte. In Dänemark wandte sich O. Jespersen Fragen der Phonetik (Symbolphonetik) und der Syntax zu.

Über die Junggrammatiker hinaus in die Zukunft weist das geistvolle und anregende Buch des großen Germanisten Wilhelm Scherer „Zur Geschichte der deutschen Sprache" (1868). Im Sinne Humboldts und im Gegensatz zu Schleicher wird hier die Sprache als eine Erscheinung aufgefaßt, die an der Natur- wie an der Geisteswelt Anteil hat, und die mit dem Volk und mit dem Individuum zugleich in Zusammenhang steht. Scherer stellt die Frage nach den Gründen für den Sprachgebrauch einer Einzelpersönlichkeit, etwa eines Dichters, und die andere nach der ursprünglichen Bedeutung der einfachsten Elemente sämtlicher Sprachen der Erde. Mit derselben Weite der Schau, die den Literarhistoriker auszeichnet, betont Scherer die Wichtigkeit der Sprachphysiologie und der Phonetik, also der Lehre von der Lautbildung, der Sprachpsychologie und, was im Zeitalter des Positivismus besonders bedeutsam war, auch der Sprachphilosophie. Scherers Werk blieb zunächst ein Einzelgänger; erst im 20. Jahrhundert wurden seine Anregungen aufgenommen.

Sprachgeographie

Vor der Jahrhundertwende entwickelt sich eine Richtung der Sprachbetrachtung, die zunächst noch ebenso positivistisch eingestellt ist wie die junggrammatische: nicht Geschichte der Sprache ist ihr Gegenstand, sondern deren gegenwärtige räumliche Gliederung. Die von den Junggrammatikern unter grammatikalischen Gesichtspunkten begonnene Mundartforschung erlebt nun als Dialektgeographie (Kap. 27) eine besondere Blüte, nicht nur in Deutschland, wo sie vor allem von Wenker und Wrede begründet wurde, sondern besonders auch in Frankreich. Die Sprachgeographie gewann wichtige Erkenntnisse über die Vorgänge der sprachlichen Entwicklung: über Ausgleich und Sonderung auf Grund der Wirkung des Verkehrs und über Ausgleich durch Sprachmischung

(Kap. 9). Sie erst gewann ein genaues Bild der Mundartgliederung. Durch Forscher wie Th. Frings, Fr. Maurer, W. Mitzka, E. Schwarz erfolgte eine Verknüpfung der dialektgeographischen mit der kulturgeographischen und der historischen Methode.

P. Kretschmer untersuchte die Wortgeographie der deutschen „Umgangssprache", griff dabei aber weit in den Bereich der Hochsprache hinüber.

Angewandte Sprachwissenschaft

Die seit der Neuzeit nie aussetzenden Bemühungen, die deutsche Sprache in ihrer Entwicklung zu beeinflussen, wurden von der Romantik aufgenommen. Die Brüder Grimm begründeten die wissenschaftliche Sprachpflege. Jacob Grimm betrachtete die deutsche Sprache wertend und tadelte sie wegen verschiedener Besonderheiten, so wegen der Schwerfälligkeit der Wortstellung, vor allem aber auch wegen der Rechtschreibung (Kap. 26). Allerdings erwartete Jacob Grimm eine „Säuberung" der Sprache in erster Linie von der „Natur" der Sprache, von dem „Sprachgeist" selbst, während Wilhelm Grimm auch die Aufgabe sah, „eine naturgemäße Entwicklung unserer Eigentümlichkeit zu befördern". Die Brüder haben damit Wesentliches für den Weg jeglicher Sprachpflege gesagt. W. v. Humboldt erhebt dieselben Forderungen, als deren Voraussetzung er allerdings die genaue Bestimmung der Eigenart einer Sprache ansieht.

Seit 1885 widmete sich vor allem der Allgemeine Deutsche Sprachverein (heute Gesellschaft für deutsche Sprache) der Sprachpflege, die immer stärker auch wissenschaftlich unterbaut wird.

6. NEUERE SPRACHANSCHAUUNGEN

Oft treten Ideen nach ihrer ersten Verkündigung wieder zurück und werden erst ein Jahrhundert später voll wirksam. So brachte das neue Jahrhundert im Zusammenhang mit den Wandlungen der Philosophie, insbesondere mit der Erneuerung der Metaphysik, auch eine Rückwendung zur Sprachphilosophie, namentlich derjenigen Humboldts, die nun eine Weiterbildung erfuhr. Wie hundert Jahre vorher ging von ihr auch eine Erneuerung der Sprachwissenschaft aus.

Die neue sprachphilosophische Einstellung

Wenn in den 20er Jahren unseres Jahrnunderts die Frage nach dem Ursprung der Sprache erhoben wird, dann nicht vom Standpunkt der Sprachpsychologie aus wie in der zweiten Hälfte des vorangehenden, sondern aus sprachphilosophischer Schau. Sie wird etwa von Hermann Ammann, aber auch neuerdings von dem Psychologen G. Révész, im Sinne Herders und Humboldts beantwortet: Geist und Sprache bilden eine Einheit; durch beide erhebt sich der Mensch wesentlich über das Tier; ihr Ursprung ist ein gemeinsamer. Die geisteswissenschaftlich eingestellte Strukturpsychologie (Dilthey) aber, die sich nicht mehr bloß mit psychischen Einzelerscheinungen beschäftigt, sondern diese stets in ihrem Zusammenhang mit dem Ganzen verstehen will, versucht die Sprache (die *Rede*) als Teilerscheinung des gesamten psychischen Geschehens zu begreifen. L. Klages betrachtet die Sprache „als Quell der Seelenkunde" (1948).

Die Wendung zur sprachphilosophischen Betrachtung ist ein Ausdruck der Überwindung des Positivismus. „Positivismus und Idealismus in der Sprachwissenschaft" ist denn auch der Titel der ersten grundlegenden Schrift Karl Voßlers (1904). In der Sprachwissenschaft bedeutet dies die schon von Wilhelm Scherer eingeleitete Abkehr von der naturwissenschaftlichen Auffassung der Sprache und die Rückkehr zu der Anschauung Humboldts, daß die Sprache eine Funktion des menschlichen Geistes ist. Sie erscheint jetzt nicht mehr als Naturorganismus im Sinne Schleichers, sondern als geistiger Organismus, in dem die Glieder und das Ganze in ständiger Wechselbeziehung stehen. Sie wird wieder bezogen auf die Ganzheit des Menschen und der menschlichen Kultur; Sprache ist nicht nur Sprache des Einzelmenschen, sondern auch einer Sprachgemeinschaft, eines Volkes.

Greift man so deutlich auf Anschauungen Herders, Humboldts und Jacob Grimms zurück, so werden bei ihrer Weiterführung gleichzeitig die Einflüsse neuerer philosophischer Richtungen wirksam. Die von Edmund Husserl um die Jahrhundertwende begründete und besonders von Max Scheler fortgeführte Phänomenologie will von den Erscheinungen zum Wesen der Dinge vorstoßen. Sie fragt dabei allerdings nicht nach dem Wahrheitsgehalt eines Gegenstandes, sondern nach seinem Sinn. Wesensschau und Sinnerfassung kennzeichnen sie. Das Sprachzeichen ist für Husserl dreifach bedeutsam: als psychophysisches Gebilde, das etwas bedeutet und das auf einen Gegenstand bezogen ist, etwas nennt, meint. Ernst Cassirer stellt in seiner Philosophie der symbolischen Formen (1923–1929) die Sprache als weltschaffendes Prinzip des Geistes neben Mythus, Kunst und Wissenschaft.

R. Hönigswald (*Philosophie und Sprache*, 1937) wendet sich vor allem dem Problem der Gegenständlichkeit der Sprache zu; *die* Sprache „verkörpert . . . alle nur möglichen Gegenstandsbezüge". Sie ist dialektisch und dialogisch zugleich. Für Martin Heidegger nimmt die Sprache (darin berührt er sich mit Benedetto Croce) nicht die Wirklichkeit, das Sein, nachträglich auf, sondern sie schafft sie mit. Durch das Wort erst kommt das Ding zu sich selbst.

Für Humboldt war die Sprache der einzelnen Völker „ihr Geist und ihr Geist ihre Sprache". Sprache und Geist, Sprache und Volk – Sprachgeschichte als Geistesgeschichte, Sprachgeschichte als Volksgeschichte –, das sind die beiden Seiten der Humboldtschen Anschauung, die nun entfaltet werden.

Der Romanist Karl Voßler begründete jene Richtung, für die Sprachgeschichte gleichbedeutend mit Bildungsgeschichte, mit Kulturgeschichte ist. Seine Sprachphilosophie steht, wie er selbst sagt, unter dem Einfluß der Ästhetik des Italieners Benedetto Croce. Voßlers Einstellung zur Sprache ist denn auch eine vorwiegend ästhetische. Sprache ist geistiger Ausdruck; Sprachgeschichte ist Geschichte der geistigen Ausdrucksformen, „also Kunstgeschichte im weitesten Verstand des Wortes". Damit schlägt er im Sinne Humboldts die Brücke von der Sprach- zur Literaturgeschichte, die, von den Junggrammatikern getrennt, nun beide als Geistesgeschichte aufgefaßt werden, und weist der Dichtersprache einen wichtigen Platz in der Sprachgeschichte zu. Wie für Humboldt ist auch für ihn die Unterscheidung von innerer und äußerer Sprachform wesentlich, wobei er unter innerer Sprachform „die den stilistischen und grammatischen Formen innewohnenden seelischen Sprachformen", „das schöpferische Prinzip des sprechenden Geistes" versteht.

In der Germanistik hat nach W. Stammler auch H. Naumann den

Grundgedanken Voßlers vertreten, daß Sprachgeschichte Geistesgeschichte sei. Im Sinne Voßlers hat die neuere Sprachgeographie nachgewiesen, daß die Reichweite sprachlicher Bewegungen häufig von der Stärke kultureller Strahlungen bestimmt wird (Kap. 9), daß also die Erforschung der sprachlichen Gliederung zur Kulturmorphologie führt. Voßlers Anschauung trifft namentlich für den Wortschatz weitgehend zu, doch müssen besonders für die Entwicklung der Laute und der sprachlichen Formen noch andere Ursachen in Betracht gezogen werden (Kap. 8). Vor allem aber hängt das sprachliche Werden nicht nur mit der kulturellen Entwicklung zusammen, sondern mit der jeweiligen Gesamtsituation, also auch mit den religiösen, politischen, sozialen und wirtschaftlichen Gegebenheiten.

Von dem Zusammenhang von Sprache und Volk geht die andere Betrachtungsweise aus. „Die Geisteseigentümlichkeit und die Sprachgestaltung eines Volkes stehen in solcher Innigkeit der Verschmelzung ineinander, daß, wenn die eine gegeben wäre, die andere müßte vollständig aus ihr abgeleitet werden können", schrieb Humboldt. Sprache ist für ihn also nicht nur Ausdruck des Geistes, sondern auch des Volksgeistes. Was ist aber der Geist, der Charakter eines Volkes, eines Stammes, einer Gruppe überhaupt? Wenn wir heute glauben, von einem „Gruppengeist" sprechen zu können, dann gewiß nicht im Sinne einer metaphysischen Uranlage körperlicher und geistiger Art wie etwa Herder und viele Romantiker (Görres, zum Teil auch Arndt und Uhland). Wir betrachten Stämme und Völker als geschichtliche Gebilde; gemeinsame Geschichte, Kultur und Sprache sind ihre objektiven Merkmale, das Bewußtsein der Zusammengehörigkeit, der Gruppengeist, das subjektive. Staatliche, wirtschaftliche, soziale, religiöse und Bildungseinflüsse gestalten das innere Bild der Stämme und Völker in ihrer Entwicklung. Zweifellos gibt es gewisse Gemeinsamkeiten, die sich bei ihnen gebildet haben und die ständig in der Weiterentwicklung begriffen sind; sie sind keineswegs einfach als die Summe der Besonderheiten der einzelnen Gruppenangehörigen zu begreifen. Die Erkenntnis eines Volks- und eines Gruppencharakters überhaupt erscheint außerordentlich schwierig. Darum ist auch die Frage nach dem Verhältnis von Sprache und Volksart, Stammesart, Charakter der Bewohner einer Landschaft zunächst weithin noch unbeantwortet. Doch kann auch die Sprachwissenschaft ohne Zweifel zu ihrer Lösung beitragen.

Eindeutiger sind die Ergebnisse, wenn neuere Forscher, etwa Fr. Maurer, die Sprachgeschichte als Abbild der Volksgeschichte betrachten. Das alte stammliche Gefüge und vor allem die spätere territoriale Vielfalt Deutschlands, aber auch kulturelle und wirtschaftliche Entwicklungen spiegeln sich in der Mannigfaltigkeit der deutschen Mundarten. Die heutige deutsche Einheitssprache ist nicht das Ergebnis einer politischen Entwicklung (wie etwa in Frankreich und England), sondern anderer Vorgänge (Kap. 23).

Umgekehrt ist aber nach Humboldt auch die geistige Eigenart eines Volkes durch die Sprache geformt. Das Verhältnis von Muttersprache und Bildung, der Einfluß der Sprache auf das Denken, Empfinden, Werten und Handeln einer Sprachgemeinschaft bildete den Gegenstand anderer Untersuchungen, die in der Sprachgemeinschaft (oft zu ausschließlich) eine Wesensgemeinschaft erblicken wollten (Hans Freyer, Schmidt-Rohr, Leo Weisgerber, der mit besonderem Nachdruck den Gedanken der wirkenden Kraft der Sprache vertritt). Die einzelnen Begriffe erschienen ihnen dabei notwendig bestimmten sprachlichen Zeichen zugeordnet und an die besondere Struktur der Einzelsprachen gebunden. Sie faßten also die Sprache als Zeichensprache auf und bekannten sich damit zu einer neueren sprachwissenschaftlichen Richtung, deren Forschungsgegenstand die Sprachinhalte sind.

Die Wendung der Sprachwissenschaft
Beschreibende Sprachbetrachtung. Die Sprache als Sinnträgerin

Der Historismus, die geschichtliche Betrachtungsweise, bestimmt als Erbe Herders und der Romantik bis ins 20. Jahrhundert die Methode der Sprachwissenschaft wie der Geisteswissenschaften überhaupt. Die beschreibende Sprachbetrachtung, die Wilhelm von Humboldt „die Durchschauung der Sprache als eines innerlich zusammenhängenden Organismus“ genannt hatte, fand keine Nachfolge, obwohl 1884 auch der Philosoph Marty die Notwendigkeit betont hatte, beide Methoden voneinander zu trennen.

Von der Sprachwissenschaft herkommend und von der Soziologie beeinflußt, vertrat der Schweizer Ferdinand de Saussure

1906–1911 in seinen Genfer Vorlesungen die bedeutsame Scheidung zwischen historisch-dynamischer und beschreibend-statischer oder, wie er es nennt, zwischen diachronischer und synchronischer Sprachbetrachtung. Der Gegenstand der neuen beschreibenden Sprachwissenschaft Saussures ist nicht die Sprache in ihrer Entwicklung oder als Gewordenes; was er erstrebt, ist eine „reine Sprachwissenschaft“, die nicht nach der Herkunft der Einzelformen fragt, sondern nur nach deren gegenseitigem Verhältnis.

Seine Trennung von Sprechen oder menschlicher *Rede (langage, parole)* und *Sprache (langue)* nimmt zum Teil die Humboldtsche Bestimmung der Sprache als *enérgeia* und *érgon* auf. Die Rede ist nach Saussure ein individueller Akt, die Sprache ein soziales Gebilde. Sie ist „ein System von Zeichen, die Ideen ausdrücken“; die Zeichen (Wörter) vereinigen einen Gedanken mit einem akustischen Bild. Jedes Zeichen besitzt einen bestimmten Wert, eine eigene Bedeutung in der Anordnung der Sprache.

Saussures Auffassungen bieten im einzelnen der Kritik manche Angriffsfläche. So ist das Wesen der Sprache nicht voll erfaßt, wenn er sie als soziales Gebilde bezeichnet; es gibt deren ja doch viele andere. Die Sprache ist zweifellos auch nicht nur Ausdrucksträgerin, nicht nur Werkzeug der Mitteilung; er vernachlässigt die lautliche und die ästhetische Seite der Sprache. Auch hat Saussure keine praktischen Wege zur Verwirklichung der von ihm verkündeten Methode gezeigt. Aber er hat die weitere Entwicklung der Sprachwissenschaft aufs stärkste beeinflußt. Walther von Wartburg, Romanist wie Saussure, hat dessen Gedanken vor allem in zwei Punkten weitergeführt. Auch für ihn ist die Sprache ein System von Zeichen; aber System ist ihm nicht nur eine Anordnung, in der sich die Zeichen gegenseitig abgrenzen, sondern wie für Humboldt eine einheitliche Struktur. Außerdem vertritt Wartburg den vermittelnden Standpunkt, daß beschreibende und geschichtliche Sprachbetrachtung ineinanderzugreifen haben.

Durch Saussures Anschauungen wird das Schwergewicht der sprachwissenschaftlichen Forschung auf die Sprachinhalte verlagert, wenn man will, auf die Bedeutung. (Beides meint nicht das gleiche: nach einer früheren Auffassung wird der Wortinhalt durch die lautliche Wortform „bedeutet“ – beide sind also voneinander geschieden –, nach einer jüngeren ist er selbst ein Bestandteil des Wortes, d. h. beide bilden zusammen das Wort.) Auch früher war man schon dem Problem der Bedeutung nachgegangen: das Wörterbuch der Brüder Grimm und verschiedene altdeutsche und etymologische Wörterbücher (so das von Kluge) zeigen das. Aber jetzt steht die Frage nach den Ursachen und den einzelnen Vorgängen des Bedeutungswandels im Vordergrund, und man untersucht sie nicht an einzelnen Wörtern, sondern an ganzen Gruppen inhaltlich zusammengehörender Ausdrücke. Auf dem Gebiet der Germanistik wandte sich vor allem Jost Trier den Sprachinhalten zu. Auch für ihn hat die Sprache Zeichencharakter. Auch er sieht sie als Gefüge und will dem Sein und dem Werden der Sprache gerecht werden. Seine Forschung gilt dem „sprachlichen Feld". Es ist für ihn wie schon vorher für Gunther Ipsen eigentlich ein Begriffsfeld: die Gesamtheit aller zum gleichen Sinnbezirk gehörenden Wörter; im Unterschied zur Sachgruppe fügt es sich nach der Sehweise, nach einer Ordnung der Sprache (nicht der Rede). Eine völlig geschlossene „Ausfelderung" der Sprache gibt es allerdings nicht, wie auch die Grenzen der Felder schon infolge der ständigen inhaltlichen Verschiebungen fließend sind. Trier untersuchte etwa den deutschen Wortschatz im Sinnbereich des Verstandes. In mittelhochdeutscher Zeit gehörten zu diesem Wortfeld etwa *wīse*, *witzic*, *sinnic*, *bescheiden*, *künstic*, *listic*, *kündic*, *geschīde*, *karc*, *kluoc* usw. Es ergab sich, daß keines der entsprechenden neuhochdeutschen Wörter dem Sinngehalt nach diese Ausdrücke fortsetzte und daß neben sie andere, neuere aus demselben Bereich traten wie *begabt*, *gerissen*, *intelligent*, *schlau* usw. Trier beschritt damit einen aussichtsreichen Weg, dem Wesen der Menschen früherer Epochen näherzukommen, zu einer „historischen Anthropologie" zu gelangen. Er vereinigte dabei die beiden von Saussure geschiedenen Betrachtungsweisen und ging horizontal und vertikal zugleich vor.

Andere Forscher, welche die Sprache als Sinnträgerin betrachten (so Porzig, Cassirer, Ipsen, Weisgerber) nahmen den Begriff der inneren Sprachform im Sinne Humboldts wieder auf. Vor allem sucht Leo Weisgerber das Weltbild der Einzelsprachen zu erfassen; freilich ist es eine Frage, ob sich die einzelnen Sehweisen einer Sprache zu einer wirklichen Weltansicht zusammenschließen.

Die Lautform der Sprache

Saussures Gedanke einer rein beschreibenden Sprachwissenschaft ist auch die Grundlage für eine neue Betrachtung der lautlichen Seite der Sprache, wie sie der Slawist Nikolaus Trubetzkoi ausbaute, der Phonologie; manche ihrer Grundgedanken wie die der strukturellen Sprachbetrachtung überhaupt finden sich auch schon bei von der Gabelentz. Die Phonologie geht nicht wie die herkömmliche Lehre von der Lautbildung, die Phonetik, von den Elementen der Rede, von den Einzellauten aus, sondern vom Satz. Sie betrachtet die Einzellaute in ihren Beziehungen zu den anderen Lauten, zum Ganzen der Lautsprache, der *Lautung*. Die Lautung ist bei den einzelnen Sprachen sehr verschieden: sie baut sich zum Beispiel bei manchen auf einer großen Zahl von Mitlauten auf. Neben das Saussuresche System der Zeichen (Wörter) tritt nun ein solches der Laute. Wie ein Wandel im Zeichensystem meist andere Veränderungen nach sich zieht, so auch (wie man schon früher erkannt hatte) ein Lautwandel. So stehen etwa die Einzelvorgänge bei den Lautverschiebungen, wie sich zeigen wird, in engstem Zusammenhang miteinander. Jede sprachliche Veränderung muß teleologisch betrachtet werden, besitzt Zweckmäßigkeit oder doch Zielstrebigkeit (Anlage-, nicht Absichtsteleologie). Vor allem aber sind für Trubetzkoi die Laute nicht wie für Saussure nur die Mittel, um die Wörter voneinander zu unterscheiden; es besteht ein unlösbarer Zusammenhang zwischen Laut (Phonem) und Sprachinhalt.

Während die Laute individuell verschieden sind, sind die Lautvorstellungen überindividuell, bei den Mitgliedern einer Sprachgemeinschaft dieselben; die Laute gehören der *Rede* an, die Lautvorstellungen der *Sprache*, die durch sie gekennzeichnet wird. Die Phonologie (die strukturelle Methode) untersucht die Lautvorstellungen der Sprachen, die einen Bedeutungsunterschied bewirken, also die Merkmale der Laute im Satz, die eine Bedeutungsabstufung verursachen können: vgl. *weg* – *Weg* (spr. *węk* – *Wēg*); engl. *build* – *built (bild, bilt)* bauen, baute; frz. *poisson* Fisch, *boisson* Getränk, *poison* Gift. Von der Phonologie ist eine Erneuerung der Lautlehre ausgegangen im Sinne einer Lösung aus der engen naturwissenschaftlich-physiologischen Auffassung der Einzellaute und einer Hinwendung zur Sprache als einem lautlich-geistigen Gebilde.

Auch Gunther Ipsen geht bei der Betrachtung der äußeren Sprachform den Weg vom Ganzen zum Teil, nicht wie die frühere Anschauung den umgekehrten. Von hier aus ergibt sich seine Stellungnahme zu der alten Frage der Lautsymbolik, wie sie uns schon bei Plato, in der Sprachauffassung des Barock und bei Jacob Grimm und Humboldt entgegentrat. Ipsen hält dabei mit Recht den Ausgangspunkt vom einzelnen Laut für falsch und fordert dafür, daß man von der Einheit des Worts, des Ausspruchs, des Satzes als dem konkreten Ganzen der Sprachform ausgehe. Das ist auch seine Forderung an die schon früher von O. Dittrich begründete Sprachphysiognomik. Sie betrachtet die Sprache als ausdrucksmäßige Erfassung der Wirklichkeit; der äußere Sprachleib gilt ihr ebenso als physiognomischer Ausdruck wie die Gebärde. Der Mensch hat (um mit Humboldt zu sprechen) den Trieb, „alles, was die Seele empfindet, mit dem Laut zu verknüpfen". Heinz Werner hat in seiner Sprachphysiognomik die Forderung Ipsens zu erfüllen versucht. Doch zeigt es sich, daß es auch beim Wort nicht möglich ist, in jedem Einzellaut einen Sinnbezug zur Bedeutung zu finden. Nur selten sind alle Laute eines Wortes lautbedeutend, meist ist es nur der eine oder andere (vgl. lautmalende Urschöpfungen wie *Kiebitz*, *klatschen*, Kap. 8). Sehr fruchtbar wird die (bewußt oder unbewußt angewandte) Lautsymbolik in der Dichtersprache; man denke nur etwa an das bekannte Beispiel von Liliencrons „Die Musik kommt" oder an Wortverbindungen wie *helles Klirren*, *flimmernde Birken*, *rollender Donner*, *dumpfes Summen.*

Das Problem der Ursprache

Nachdem die Versuche der Romantik, die mythische Ursprache zu finden, nicht zum Ziel geführt hatten, hatte man sich auf die Untersuchung einzelner „Sprachfamilien" – der indoeuropäischen, der semitischen – beschränkt. Jetzt nimmt man die Frage nach einem Urtyp sämtlicher Sprachen von einer viel breiteren Grundlage aus neu in Angriff. Man kann dabei auch zurückgreifen auf die Studien von Orientalisten wie Friedrich Delitzsch und Hermann Möller, die schon in der zweiten Hälfte des letzten Jahrhunderts auf die Wurzelverwandtschaft der indoeuropäischen und der semitischen Sprachen hingewiesen hatten. Der Italiener Alfredo Trombetti erweiterte nach der Jahrhundertwende das Gebiet der Untersuchung auf asiatische, afrikanische und ozeanische Sprachen und bejahte die Frage nach dem einheitlichen Ursprung der menschlichen Sprachen. Neuerdings ist es vor allem Arnold Wadler, der sich von der Schweiz aus, wenngleich nicht immer in geschickter Form, für die Urgemeinschaft der Sprachen einsetzte. Hier liegt ohne Zweifel eine drängende Aufgabe der vergleichenden Sprachwissenschaft, für die sich etwa auch der Niederländer van Ginneken einsetzte.

Morphologische Sprachbetrachtung

So wie neuerdings die morphologische Auffassung in der Naturwissenschaft wie in der Geisteswissenschaft bedeutsam geworden ist, tritt uns auch in der Sprachwissenschaft die (vor allem von H. Brinkmann verkündete) morphologische Betrachtungsweise entgegen. Humboldt hat sie vor 100 Jahren begründet, und sie nimmt auch Gedanken Saussures und seiner deutschen Nachfolger auf. Sie begreift die Sprache als Gestalt, als *morphḗ* im Sinne Goethes, also als ein organisches Gebilde, bei dem eine innige Wechselbeziehung der Teile (der Glieder) untereinander und mit dem Ganzen besteht; sie sind durch einander und vom Ganzen her bestimmt. Aber die Gestaltlehre Goethes meint ja noch anderes: ständige Entwicklung des Organismus auf ein wirkendes Zielbild (Entelechie) hin. Goethe nimmt also in seiner Gestaltlehre, die er ursprünglich auf Pflanzen und Tiere, dann aber auch auf geistige Gebilde anwandte, die „pflanzentümliche" Schau Herders auf.

Statt von einer morphologischen, könnten wir auch von einer strukturhaften, ganzheitlichen Betrachtungsweise der Sprache reden. Sie muß gerichtet sein auf den Zusammenhang der Laute unter sich (im Wortkörper und im Satz), auf den Zusammenhang der Wörter im Satzgefüge, aber auch auf das Verhältnis von Laut, Wortkörper, Satzgefüge einerseits und Sinngehalt („Bedeutung") andererseits. Das berührt sich mit dem, was Humboldt unter dem „grammatischen Bau der Sprachen" verstand. Man wird auch erwarten, daß eine ganzheitliche Sprachbetrachtung die beiden Methoden Saussures, die beschreibend-statische und die historisch-dynamische, vereinigt, daß sie sich also der Sprache auch unter dem Gesichtspunkt der geschichtlichen Entwicklung nähert.

Vor allem erhebt sich auch die Frage nach der teleologischen Bestimmtheit der Sprache: Ist die sprachliche Entwicklung auf ein Zielbild gerichtet? Man wird sie in einem gewissen Sinn bejahen dürfen, und man nähert sich damit der Auffassung Humboldts. So zeigt etwa die Entwicklung der abendländischen wie auch anderer Sprachen deutlich die allgemeine Richtung vom synthetischen, zusammengesetzten, zum analytischen, umschreibenden Bau. Während bei den synthetischen Sprachen, so etwa beim Latein, beim Griechischen und beim Gotischen, der Stamm und die (ursprünglich selbständigen) Endungen der Wortbeugung, welche die Stellung im Satz bezeichnen, zu einer Einheit verschmolzen sind, drücken die analytischen Sprachen das Verhältnis eines Wortes zu den anderen Satzgliedern durch mehrere Wörter aus. Das Gotische etwa kennt noch eine synthetische Leideform (*nimada* ich werde genommen); im Althochdeutschen muß diese schon durch Umschreibung mit *sein* oder *werden* gebildet werden (Kap. 14, 20). Doch gibt es auch eine entgegengesetzte Tendenz (Kap. 11, 26).

Noch ein anderes darf nicht übersehen werden: So wichtig Saussures Wort: „Die Sprachwissenschaft hat als einzigen Gegenstand die Sprache in sich und für sich betrachtet“ vom Standpunkt der Methode aus sein kann – das Werden der Sprache läßt sich nicht vollständig von der Entwicklung ihrer Träger lösen; es ist im einzelnen weithin bedingt durch psychologische Kräfte, geschichtliche Schicksale und durch die allgemeine kulturelle Entwicklung. So muß die Sprache stets auch gesehen werden im Zusammenhang mit dem Ganzen der übrigen Tätigkeiten des Menschen. Die Sprache ist auch Lebensäußerung einer Epoche, einer Gemeinschaft, ist ein Kulturgut, und sicher ist Humboldts Satz einzuschränken: „Das Wirken der Zeit und logisch absichtliches Ordnen . . . bringen überhaupt selten in die Sprache hinein, was nicht schon von selbst in ihr liegt.“

Soziologische Sprachauffassung

Entsprechend der wachsenden Bedeutung der soziologischen Methode schiebt sich heute auch eine soziologische Betrachtungsweise der Sprache in den Vordergrund; sie ist etwa erfolgreich durch Meillet und durch van Ginneken vertreten worden. Sie untersucht die Sprache und die Sprachen als soziale Erscheinungen, als Ausdrucksformen menschlicher Gruppen. Die Sprache erscheint als Lebensäußerung der Gruppe, die in einem Wechselverhältnis zu deren Sonderart, Lebensart und Sonderbewußtsein steht. Im besonderen gilt die Aufmerksamkeit der sprachsoziologischen Methode den sprachlichen Schichten und Gruppensprachen und ihrem gegenseitigen Verhältnis, in der Gegenwart wie in der Geschichte. Sie muß sich verbinden mit einer gruppenpsychologischen Betrachtung, welche die sprachliche Entfaltung auch als Entwicklung des Sprachempfindens, der inneren Einstellung zu der jeweiligen Sprachsituation auffaßt. Hier kommen solche Auffassungen in der Form einer personalistisch gefaßten Soziologie zur Geltung.

Zur gegenwärtigen Lage der Sprachwissenschaft

Die Sprache steht heute sehr stark im Blickfeld der Forschung, der Philosophie (namentlich der Logik und Logistik), der Psychologie, der Soziologie und der angewandten Mathematik. In der gegenwärtigen Sprachwissenschaft stehen zahlreiche Richtungen einander gegenüber, zwischen denen eine Verständigung schwer, ja oft fast unmöglich ist.

Einmal wirkt eine diachronisch-philologisch geprägte Einstellung weiter, die von der vorwiegend der äußeren Sprachgestalt geltenden Arbeit der Junggrammatiker her bestimmt ist und besonders im deutschen Sprachgebiet und in Italien vertreten wird. Weiterer Ausbau der historischen Grammatik, der etymologischen Forschung und der Textphilologie sind ihre Hauptziele, wobei sie eng mit Geschichte und Vorgeschichte verknüpft ist, sich aber auch stärker der Gegenwartssprache als historisch zu begreifender Erscheinung zuwendet. Von ihr ist auch die Mundartforschung stark berührt (vgl. Kap. 27), die synchronisch und diachronisch arbeitet und sich auch sprachsoziologisch im Sinne einer sprachlichen Schichtenforschung orientiert, die namentlich die sog. Umgangssprache einbegreift. Der Untersuchung der landschaftsprachlichen Lautung (Artikulationsart, Lautcharakter, Intonation usw.) widmet sich die Phonometrie (Zwirner). Die Mundartforschung wird aber auch zum Teil von der Phonologie wie von der sprachinhaltlichen Einstellung beeinflußt.

Die letztere, von Humboldts Verknüpfung von Sprache und

Geist und von Saussures Auffassung der Sprache als eines Zeichensystems ausgehende Richtung hat besonders im deutschen Sprachraum ihre zum Teil schon oben genannten Vertreter. (In den USA berührt sich mit ihr die Auffassung B. L. Whorfs, daß jede Sprache ihr eigenes Bild von der Wirklichkeit habe.) Sie begreift Wörter und Satzpläne von der inhaltlichen Seite her und ist zunächst synchronisch eingestellt und stark soziologisch gerichtet; sie sucht neuerdings aber auch stärker die Verbindung mit der auf die äußere Sprachgestalt gerichteten Betrachtungsweise. Sie will geistige Leistung und Wirkung der Sprache in der Sprachgemeinschaft dartun (namentlich L. Weisgerber).

Von Saussure und von Trubetzkois phonologischer Lehre gehen Forscher in Skandinavien (L. Hjelmslev), in Frankreich (J. Fourquet), in den Niederlanden, in Nordamerika (Fries) und im slawischen Raum aus, wobei sie oft in einer engen Verbindung mit Mathematik und Logistik stehen. Ziel dieser unter dem Namen Strukturalismus bekannt gewordenen Richtung ist, die Sprache als geschlossenes System zu erweisen, wobei in der Regel der Gesichtspunkt der *meaning* ausgeschaltet bleibt. Dabei ist das Vorgehen in der Regel synchronisch. Zur Durchsetzung der Phonologie und damit auch des Strukturalismus in den USA trug viel die Autorität E. Sapirs bei, der Sprachwissenschaft als *social science*, als Teil der Kulturwissenschaft, betrieb. Heute stellt sich die strukturalistische Betrachtungsweise in sehr verschiedenen Formen dar, die hier nicht gekennzeichnet werden können; stark in den Vordergrund getreten ist die Richtung Chomskys.

Im englischen Sprachraum, namentlich in den USA (Bloomfield) hat sich eine ebenfalls synchronisch eingestellte Richtung entfaltet, welche die Sprache als Verhalten im Rahmen des allgemeinen menschlichen Verhaltens betrachtet *(behaviorism)*. Ihr Ausgangspunkt ist zumindest ursprünglich empirisch. Sie bezweifelt, daß Sprachinhalte zu erfassen seien, und richtet ihr Augenmerk namentlich auf die Vorgänge in den sprechenden Partnern.

Eine vermittelnde Haltung nimmt der sowjetrussische Sprachforscher W. Admoni ein, der dem deutschen Sprachbau erhellende Studien gewidmet hat.

Im Zusammenhang mit der Entfaltung elektronischer Rechenanlagen ist die Frage der maschinellen Übersetzung in ein neues

Stadium getreten. Vertreter der angewandten Sprachwissenschaft sind bemüht, an der Lösung der sehr schwierigen Probleme durch Strukturuntersuchungen mitzuwirken. Zugleich ergeben sich aus der Benützung von Rechenanlagen wichtige Hilfen für manche Gebiete der sprachwissenschaftlichen Forschung (so besonders für die Lexikographie und die Untersuchungen im Bereich der Wortbildung und der Flexion). – Die angewandte Sprachwissenschaft hat neuerdings auch Verbindung zu anderen Fachgebieten wie etwa der Medizin (Neurologie) aufgenommen.

Sprachbetrachtung ist zu allen Zeiten Ausfluß des Zeitbewußtseins, Spiegelung des Lebensgefühls und allgemeiner geistiger Strömungen. Das zeigen die Wandlungen der Auffassungen in der Sprachphilosophie, welche die Frage nach dem Wesen und dem Ursprung der Sprache stellt, ebenso wie die der neueren sprachpsychologischen Einstellung, die sich gleichfalls dem Ursprungsproblem zuwendet und die Sprache, näherhin die *Rede* zugleich in das Ganze der psychischen Tätigkeiten des Menschen hineinzustellen versucht. Das wird aber auch deutlich aus der Entwicklung der Sprachwissenschaft im engeren Sinn, die sich mit dem Werden und der Struktur der Einzelsprachen beschäftigt, dabei aber auch immer wieder den Problemen der Sprache begegnet und sich mit der Sprachphilosophie und der Sprachpsychologie aufs engste berührt. Die Sprachwissenschaft ist ein Teil der Geistes- und Kulturwissenschaften; andererseits steht sie aber auch in der Nähe der Naturwissenschaften, da sie auch die Lehre von der Bildung der Laute umfaßt.

II. DER SPRACHLICHE WANDEL UND SEINE URSACHEN

7. SPRACHWANDEL ALS INDIVIDUELLER UND SOZIALER VORGANG

Die Sprache ist eine dynamische Erscheinung, sie ist ständiger Veränderung unterworfen. Nicht nur die Laute und Lautgruppen, die Formen der Wortbeugung und Wortbildung und der Wortschatz wandeln sich, nicht nur der Sprachkörper ist in ständiger Veränderung, sondern auch die Sprachinhalte, die Vorstellungen und Begriffe. Auch die Entwicklung der deutschen Sprache zeigt ein ständiges Stirb und Werde. Erst die neuere Erforschung der lebenden Sprachen hat tiefere Einsichten in die Ursachen der sprachlichen Veränderungen gestattet, wenngleich ihre Wirkung und ihr Zusammenwirken noch keineswegs vollständig aufgehellt sind. Wir nennen die Änderungen der Sprache auch Sprachwandel. Wandel meint eigentlich eine kontinuierliche Entwicklung, einen Vorgang, bei dem sich ein und dieselbe Sache verändert. Doch pflegen wir den Ausdruck auch für jene sprachlichen Veränderungen zu gebrauchen, bei denen eine Erscheinung durch eine andere, von außen kommende verdrängt wird (Substitution). So werden etwa in unseren Tagen im Süden Württembergs und des bayrischen Schwabens die alemannischen Längen *ī*, *ū* durch die schwäbischen Zwielaute *ei*, *ou* zurückgedrängt *(īs, hūs – eis, hous)*, werden immer wieder die Inhalte von Wörtern durch andere ergänzt oder ersetzt (vgl. Kap. 26).

Der Sprachwandel vollzieht sich zunächst in der Rede einzelner, aber er betrifft die Sprache als soziales, kulturelles Gebilde; er hat wie jeder Kulturwandel eine individuelle und eine soziale Seite. Erst wenn sich eine individuelle Neuerung in der Sprache einer Sprachgemeinschaft durchgesetzt hat, ist er mehr als Episode, ist er Sprachwandel im vollen Sinne des Wortes, nicht nur persönliche Spracheigentümlichkeit; er kann dann immer noch von vorübergehender Dauer sein, Sprachmode bleiben, oder aber zur festen Sprachsitte werden.

Wie jedem Kulturwandel, so wirkt auch dem Sprachwandel die Beharrungskraft als „Grundkraft der Gesellschaft“ (Vierkandt) entgegen (Macht der Übung und Gewohnheit, Selbstbewußtsein der einzelnen und der Gruppen; Gesichtspunkte der Zweckmäßigkeit, logische, ethische, ästhetische Motive usw.); sie will den bestehenden Zustand erhalten. Jeder Wandel hat drei Phasen, bei der jeweils führenden Einzelpersönlichkeiten innerhalb der Gruppe eine entscheidende Rolle zukommt: Vorbereitung, Schöpfung und Ausbreitung.

Wir unterscheiden darum (mit Havers) die eigentlichen Triebkräfte, die beim sprachlichen Wandel wirksam sind, und die Bedingungen, unter denen er sich ausbreitet.

8. ENTSTEHUNGSURSACHEN

Innermenschliche Ursachen

Die eigentlichen Triebkräfte des Sprachwandels liegen teils im Träger der Sprache, im Menschen, teils in der Sprache selbst. Gemäß dem umfassenden Charakter der Sprache (Kap. 1) sind die innermenschlichen Ursachen physiologischer, psychischer und geistiger Art.

Besondere Bedeutung kommt unter den physiologischen Bedingungen dem Verhalten der Sprechwerkzeuge zu. Die Bauart der Sprachorgane ist bei den einzelnen Menschen verschieden, doch sind (erworbene, nicht angeborene) landschaftliche Gemeinsamkeiten in der Artikulationsart unverkennbar. Jede Mundart, jede Sprache hat gewisse Eigentümlichkeiten der Organeinstellung und der Mundlage bei der Lautbildung. So klingt etwa die deutsche Einheitssprache im Munde eines Bayern oder Schlesiers anders, als wenn sie von einem Rheinländer gesprochen wird. Die rheinischen stimmhaften *b*, *d*, *g*, *s* z. B. sind dem Süddeutschen fremd, der für *b*, *d*, *g* nur „linde“ Aussprache ohne Stimmhaftigkeit und das stimmhafte *s* vielfach überhaupt nicht kennt. Hier liegen wichtige Ursachen für die Entstehung des Sprachwandels, wenngleich die Frage noch eingehender Untersuchung bedarf.

Greifbar wird die Wirkung der Sprechwerkzeuge vor allem beim sog. *bedingten*, *kombinatorischen* Lautwandel, der durch benachbarte Laute verursacht wird. Beim Umlaut etwa bewirkt das *i* oder *j* einer folgenden Silbe eine Palatalisierung (zu *palatum* Gaumen; ahd. *gast-gesti* Gast-Gäste); *unbedingter* oder *spontaner* Lautwandel wird dagegen nicht durch Nachbarlaute hervorgerufen. Auch die Betonungsverhältnisse spielen, wie sich zeigen wird, beim sprachlichen Wandel eine große Rolle.

Unter den psychologischen Ursachen steht an erster Stelle der „Trieb zur Vereinfachung" (Jespersen). Er beruht auf dem Hang zur Bequemlichkeit, der sich in Angleichungen, Auslassungen und Einfügungen äußert: Kohlen(mangel)ferien; mhd. *zimber*, nhd. *Zimmer;* ahd. *calctura/kelktra*, nhd. *Kelter;* ahd./mhd. *sinvluot* (zu *sin* immerwährend), daneben aber auch mit Gleitlaut *sintvluot*. Auch die Entrundung der *ö*- und *ü*-Laute, z. B. im Schwäbischen *(Kerble, Schirzle)*, erklärt sich z.T. aus sprachökonomischen Gründen.

Der Hang zur Bequemlichkeit ist aber auch eine Wurzel der sog. volksetymologischen Umbildungen. Sie knüpfen Fremdes an Bekanntes an. Das eben erwähnte Wort, ahd./mhd. *sinvluot*, *sintvluot* = anhaltende Flut, wird zu nhd. *Sündflut*. Die Verknüpfung geschieht auf unbewußtem, assoziativem Weg, wobei auch die Phantasie stark mitwirkt. Ebenso sind Phantasie und Gefühl wirksam bei Wortkreuzungen: aus dem französischen Ausdruck *marais* und dem deutschen Wort *Moor* ergab sich *Morast*. Sie sind aber auch am Werk, wenn für gefühlsbetonte Dinge, Zustände oder Vorkommnisse sinnverwandte Wörter entstehen. So finden sich in der Umgangssprache etwa nebeneinander *schlagen*, *hauen*, *verdreschen*, *vermöbeln*, *verklopfen*, *durchwichsen*, *versohlen* usw. Vor allem wirkt Gefühlsbetonung auch auf die Lautform: *Das ist schön!* erscheint mit Verstärkung des Gefühlsgehaltes als *Das ist schöön!* Der Satz: *Das ist entsétzlich!* kann durch Veränderung der Betonung (Nebenakzent auf der ersten Silbe) und des musikalischen Akzents (Erhöhung des Tons) in seinem Nachdruck gesteigert werden: *Das ist èntsétzlich!*

Von entscheidender Wichtigkeit ist, wie schon die Junggrammatiker erkannten, die Wirkung der Analogie, der Ähnlichkeit. Voßler erschien – sicher zu Unrecht – sogar alles sprachliche Werden als Wirkung der Analogie. Analogiebildungen sind ein Ausfluß des Einfügungs- oder Einordnungstriebs. So hat etwa die ursprünglich sächliche Pluralendung *-er* ihren Geltungsbereich mehr und mehr ausgedehnt (*Männer* usw.; Kap. 25); das gilt auch, wie wir sehen werden, für den Umlaut. So wirkt die Analogie also keineswegs etwa bloß, wenn eine Regelmäßigkeit durchbrochen wird; sie ist ein wesentliches Mittel der Systematisierung (die aber nie voll erreicht wird) und damit der Sprachbildung überhaupt.

Der Nachahmungstrieb ist ständig wirksam bei der sog. „Urschöpfung" von Wörtern, die Schall oder Bewegung nachahmen (*Kuckuck*, *Uhu*, *knarren*, *lispeln*, *wispern;* Lockrufe aller Art) oder Silben verdoppeln (Reduplikationen der Kindersprache wie *Papa*, *Mama*, *Bonbon*).

Auch das Streben nach Verdeutlichung führt zu sprachlichem Wandel. Es wirkte mit bei der Entstehung des Geschlechtsworts im Frühdeutschen (Kap. 20) wie bei der Bildung von Zusammensetzungen wie *Walfisch*, *Elentier*, *Maultier*, *Renntier*, *Hirschkäfer*, *Schmeißfliege*, *Windhund* (statt *Wal* usw.).

Oft übersehen wurde die Wirkung des Spieltriebs. Er ist nicht nur in der Kindersprache von Bedeutung (vgl. etwa *Lirum*, *larum Löffelstiel*), sondern auch in der Sprache der Erwachsenen. Es sei nur erinnert an Kehrreime (*Juchheidi*, *Juvivallera*), an Wortbildungen wie *Kladderadatsch*, *Hokuspokus*, *schwadronieren*, *scharwenzen* (ursprünglich *schwänzen*).

Auch Rücksicht auf den Wohlklang spielt eine Rolle. So setzt man aus euphonischen Gründen *Tages*, *Tage* oder *Tags*, *Tag*.

Alle diese psychologischen Ursachen wirken eng zusammen und sind oft nicht ohne weiteres zu entflechten. In der Regel ist ihre Wirkung unbewußter Art.

Auch die geistigen Ursachen des Sprachwandels wirken weitgehend unbewußt. Sie beeinflussen weniger den Wandel der Laute und der Wortbeugung als den der Wort- und Satzbildung und des Wortschatzes, zumal der „Bedeutung". Bedeutungswandel ist in Wirklichkeit Begriffswandel. Wenn etwa das Wort *Magd* im Mittelalter außer *Dienerin* vor allem *Jungfrau* bedeutete und später auf die erste Bedeutung eingeschränkt ist, so hat sich der Begriff gewandelt. Meist tritt mit der fortschreitenden Verfeinerung und Differenzierung der Begriffe eine Verengung der Bedeutung ein. So meint *Zimmer* ursprünglich Bauholz (vgl. *Zimmermann*, *zimmern*), dann das Gezimmerte, schließlich den abgegrenzten Teil des Hausinnern. Ebenso ist es bei Wörtern wie *Tugend*, *weise*,

Kunst, *Meister*, *Minne* (Kap. 22). Aber auch Sinnerweiterung kommt vor, vgl. *Geselle*, *Gefährte* (der im gleichen Saal, auf der gleichen Fahrt, Reise ist). Bedeutungsänderungen wertender Art sind nicht selten: *Aas* meint ursprünglich Speise, *Dirne* Jungfrau, umgekehrt *Marschall* Pferdeknecht, *Minister* Diener. Dazu treten Verschiebungen der Bedeutung: *Orden* bezeichnet ursprünglich die Ordnung einer Gesellschaft, dann diese selbst, *scheel* schielend, *bange* beengt. Besonders häufig sind Bedeutungsübertragungen. Gegenstände werden nach Körperteilen benannt und umgekehrt, vgl. *Fuß* des Stuhls, Tisches, Schranks, der Bank, der Lampe, des Bergs, andererseits *Trommelfell*. Übergang von einem Sinnesbereich in einen andern liegt etwa vor in *süße Klänge*, *helle Töne*, von der räumlichen zur zeitlichen Kategorie in *Zeitpunkt*, *Zeitraum*. Die Wörter beziehen sich anfänglich auf Sinnlich-Konkretes; viele sind später auf Geistig-Abstraktes übertragen worden, so z. B. *Begriff* (von *be-greifen*), *Einfall*, *erfahren* (= er-wandern), *grübeln* (zu graben, Grube). Oft hängt mit der Veränderung des Begriffs ein Bezeichnungswandel zusammen: so meint mhd. *ane* Vatersvater, das jüngere Wort *Großvater* Vater von Vater und Mutter.

Fortschreitend wird die Sprache mit neuen Inhalten angefüllt, die ihr aus den verschiedenen Bezirken der Kultur zufließen: Bedeutungswandel beruht weithin auf religiösem, kulturellem, politischem und wirtschaftlich-sozialem Wandel (Kap. 6). So haben unter dem Einfluß des Christentums viele Wörter einen christlichen Sinn angenommen (Kap. 20), z. B. *Auferstehung*, *Beicht* (ursprünglich jedes Bekenntnis; zu ahd. *jëhan* sagen, das auch in *Gicht* = die angesprochene Krankheit weiterlebt), *Seele*. Im praktischen Bereich kommt z. B. *Knopf* von knüpfen; das Wort blieb, obwohl die Kleider nicht mehr mit Nesteln geknüpft werden; *Eisenbahn* meint von Hause aus eiserne Bahn, eiserner Weg. Eine besondere Frage ist, inwieweit neben dem Zeitgeist auch der „Geist" einer Gruppe, einer Ortsgemeinschaft, einer Landschaft, eines Stammes, eines Volkes, die sprachliche Entwicklung bestimmt. Abgesehen von der Schwierigkeit, die Eigenart von solchen Gruppen überhaupt zu erfassen, ist auch ihr Einfluß auf die Veränderung der Laute und Formen wesentlich geringer als etwa auf den Bedeutungswandel.

Aber auch die Wortkörper wandeln sich: sie verklingen, und vor allem entstehen unablässig neue. Oft stirbt ein Wort, weil die bezeichnete Sache in Abgang kommt, vgl. etwa das höfische Wort *Schwertleite* (Schwertnahme) des Hochmittelalters, das frühneuhochdeutsche Lehnwort *Scholar* (fahrender Student), *Schwefelholz* usw. Wörter können auch verklingen, weil sie lautlich mit anderen, nicht sinnverwandten, zusammengefallen sind *(Homonyme)* oder weil andere mit gleicher oder ähnlicher Bedeutung daneben stehen *(Synonyme)*. So ist das Wort *Drossel* für Kehle neben dem Vogelnamen *Drossel* untergegangen; es lebt noch weiter in *erdrosseln*, *König Drosselbart*. Auch verschwand ahd. *frō* Herr (dazu *frouwa* Frau, *Fronleichnam*, *fronen*, *frönen*) neben der Lehnbildung *hēriro* (der Hehrere) > *hērro* Herr (lat. *senior*). Seit dem 18. Jahrhundert werden verklungene Wörter gelegentlich wieder belebt, vgl. *Aar*, *Ahn* usw. (Kap. 25); vor allem leben viele in Eigennamen weiter, vgl. *Fronleichnam* (= Leib des Herrn), *Berthold/Berchthold* zu ahd. *bërht* glänzend, *Staufen* zu ahd. *stouf* Becher ohne Fuß.

Neue Wörter werden gebildet durch Neuschöpfung von Wortstämmen (seit langem nur noch in onomatopoetischen Bildungen wie *knistern*, *flüstern*, *schnurren*), durch Ableitungen mit Hilfe von Veränderungen des Stammes (vgl. *Satz* zu *setzen*, *Fluß*, *Floß*, *flott* zu *fließen*, *drängen* zu *dringen*) und namentlich von Vor- und Nachsilben *(Unwetter*, *Freundschaft)* und durch Zusammensetzung *(Rathaus*, *Tageslauf)*. Dazu treten häufig Übernahmen aus anderen Sprachschichten, Sondersprachen und besonders aus Fremdsprachen sowie Überführungen einer Wortart in eine andere (Konversion). Auch Veränderungen der Wortkörper stehen in engster Beziehung zum Wandel der kulturellen, politischen und wirtschaftlich-sozialen Situation (neue Sachen – neue Wörter).

Diese Veränderungen des Wortschatzes vollziehen sich zunächst und zumeist im Bezirk des Unbewußten. Beabsichtigte Einflußnahme ist dagegen bei der Neuschöpfung von Wörtern wirksam. Teils bewußter, teils unbewußter Art sind die Neubildungen der Dichtersprache. Daneben stehen bewußte, künstliche Wortschöpfungen, wie sie etwa zur Bezeichnung von Waren, namentlich von Heilmitteln, üblich sind *(Nomotta* für mottensichere Wolle, *Dormosan)*; auch die mehr und mehr um sich greifenden abgekürzten Bezeichnungen der Firmen und amtlichen Stellen mag man hier anführen. Während die Benennungen der ersten Art noch eine Beziehung zum Inhalt erkennen lassen, sind diese Abkürzungen in der Regel ohne Erklärung nicht verständlich (vgl. *Omira* Oberland Milchverwertung G.m.b.H. Ravensburg, *Zas* Zentrale für den Aufbau der Stadt Stuttgart). Auch Neubedeutungen von Wörtern gehen vielfach auf bewußte Einwirkung zurück. Bei ihnen wie bei Neuprägungen kommt heute der Technik, der Wirtschaft, der Reklame und der Politik eine besondere Wichtigkeit zu.

Seit etwa zweihundert Jahren, seit den Tagen Bodmers, des Sturms und Drangs und der Romantiker, greift man zur Bereicherung des neuhochdeutschen Wortschatzes auch bewußt auf alte Sprachstufen zurück (s. oben).

Bewußte Sprachregelung durch eine Oberschicht richtet sich in der Regel – außer beim Wortschatz – weniger auf die Einführung von Neuerungen, als auf die verpflichtende Festlegung von Erscheinungen, die sich in der Sprache entwickelt haben (Kap. 9).

Innersprachliche Kräfte

Die Sprache als Schöpfung, als *érgon*, ist ein Besitz, der sich durch die Zeiten vererbt. Was ihre Schöpfer, was die vergangenen Geschlechter in sie hineinlegten, wie sie sie formten, das alles wirkt weiter in bestimmter Richtung. So entwickelt sich das Deutsche wie alle europäischen Vollsprachen ständig weiter in der Richtung des analytischen Baus der Wortbeugungsformen; andererseits ist seit Jahrhunderten eine Tendenz zur Wortzusammensetzung wirksam. Dabei ist allerdings immer die Frage, wieweit innersprachliche Kräfte wirksam sind, und wieweit die Ursachen der Veränderungen im Menschen selbst liegen.

Eine wesentliche Triebkraft des Lautwandels ist in den Betonungsverhältnissen zu suchen. Wir unterscheiden ja den dynamischen (expiratorischen) oder Druckakzent, der die Verstärkung (die Betonung) eines Lautes, einer Silbe, eines Wortes verursacht, und den musikalischen oder Tonakzent, der die Tonhöhe bewirkt. Mit dem musikalischen Akzent kann man z. B. die Entstehung von Zwielauten aus einfachen Selbstlauten in Zusammenhang bringen, ebenso die Verdumpfung, die der *a*-Laut im Deutschen (wie in indoeuropäischen Sprachen überhaupt) vielfach erfährt: ahd. *fana*, später *fona* von; mhd. *māne* > nhd. *Mond;* schriftsprachlich *Jahr*, mundartlich vielfach *Johr* (teils mit offenem, teils mit geschlossenem *o*). Auch in anderen Sprachen, so im Englischen, hat man solche lautliche Wandlungen durch Veränderung der Tonhöhe beobachtet.

Deutlicher ist die Wirkung des Druckakzents. Er bewirkt nicht so sehr Veränderungen des Charakters der Laute, als ihrer Zeitdauer, also Längung und Kürzung. Die frühdeutschen vollen Endungsvokale erscheinen im Nebenton schon im Mittelhochdeutschen mit wenigen Ausnahmen geschwächt als *-e*, wenn sie nicht überhaupt abgefallen sind (ahd. *hirti* > mhd. *hirte* > nhd. *Hirte;* ahd. *hano* > mhd. *hane* > nhd. *Hahn*). Die Entwicklung des Wortes *Hahn* zeigt außerdem noch die längende Wirkung des Druckakzents: auf dem Weg zum Neuhochdeutschen wurden unter bestimmten Bedingungen die Kurzvokale gedehnt (mhd. *siben* > nhd. *sieben* usw.; Kap. 23). Auch die allmähliche Abschleifung der Wortbeugungsformen seit frühdeutscher Zeit (Kap. 21) sind eine Wirkung des dynamischen Akzents, und die Konsonantendehnung (vgl. westgermanische Konsonantenverdopplung, Kap. 16) wird ebenfalls damit zusammenhängen.

9. AUSBREITUNGSBEDINGUNGEN

Die Kräfte. die bei der Ausbreitung sprachlichen Wandels wirksam sind, liegen teilweise wieder im Menschen selbst, teils außerhalb des Menschen. Sie sind psychologisch-soziologischer und geschichtlich geographischer Art.

Psychologisch-soziologische Bedingungen

Sprachliche Neuerungen entstehen bei einzelnen innerhalb einer Gruppe; sie breiten sich aus, indem sie nachgeahmt werden. Der Nachahmungstrieb ist die wichtigste psychologische Triebkraft bei der Verbreitung sprachlicher Wandlungen. Man ahmt nicht alle Menschen nach, sondern vor allem die, die man als über sich stehend empfindet, deren Verhalten man als richtungweisend ansieht. Damit tritt zu dem psychologischen ein soziologischer Umstand.

Die höhere Stellung ist einmal gegeben durch das Alter. Die kulturellen Güter, auch die sprachlichen, werden von den Älteren an die Jüngeren weitergegeben. Diese verändern sie, bilden sie weiter. Das nicht mehr verstandene mhd. *spildec* verschwenderisch z. B. lehnte man später an *Spiel* an und machte daraus *kostspielig* (1729); aus mhd. *hintber* (Hinde-, Hirschkuhbeere) wurde *himper*, *Himbeere*.

Aber auch die höhere soziale Stellung ist von Bedeutung. Die Grundschicht richtet sich weithin nach der Mittel- oder Oberschicht, auch in sprachlicher Hinsicht. So übernimmt auch die Volkssprache ständig Gut von der Einheitssprache, näherhin von der Umgangs- und Alltagssprache der Oberschicht (Kap. 25). Im Schwäbischen hat der schriftsprachliche Ausdruck *Schirm* heute die älteren, ursprünglich ebenfalls der Oberschicht entstammenden Bezeichnungen *Regendach*, *Regentuch*, *Schattenflügel*, *Parasol*, *Paraplü* weithin verdrängt. In der Stuttgarter Stadtsprache wich in neuerer Zeit das überkommene *oi* für *ei* (*broit* breit, *hoiß* heiß) dem *ai* der Verkehrssprache, und man sagt heute *brait*, *haiß*. Umgekehrt beeinflußt auch die Mundart ständig die Hochsprache, die Grundkultur die Hochkultur. Aus dem Bairisch-Österreichischen drang z. B. im 19. Jahrhundert *Fasching*, aus dem Wienerischen *Gigerl* (Hahn) in die Einheitssprache ein (Kap. 26). Vor allem ist bei dieser Wechselwirkung aber das Vorbild der Oberschicht entscheidend. Daher die wichtige Rolle von Dichtersprache, Amtsdeutsch, Predigtsprache, Schule, Zeitung, Buch, Bühne, Rundfunk und Sprechfilm für die sprachliche Entwicklung. Einzelpersönlichkeiten können einen besonderen Einfluß auf das sprachliche Werden ausüben: Dichter und andere sprachschöpferische Menschen, Grammatiker und Sprachforscher.

Was ahmt man nach? Nicht alles. Man ahmt nach, was durch die Entwicklung der Sprache angebahnt ist, was der besonderen landschaftlichen Art der Lautbildung entgegenkommt, was dem Zeitgeist, dem Gruppengeist entspricht. Nicht alle individuellen sprachlichen Neuerungen werden Gemeingut. Unbequeme, schwer sprechbare Neuerungen setzen sich weniger leicht durch. Was zum Zeitgeist nicht mehr paßt, geht zum Teil wieder verloren. So sind viele Ausdrücke der Barocksprache, z. B. *Tageleuchter* für Fenster, *Gesichtserker* für Nase, wieder verschwunden. Besonders rasch pflegen Sonderwörter von Kriegs- und Nachkriegszeiten mit der Sache unterzugehen (vgl. *Brot-, Fleischmarke, Urlauberzug*).

Vieles von dem, was hier vom sprachlichen Verhalten der Einzelmenschen gesagt wurde, gilt auch für die menschlichen Gruppen. Auch bei ihnen ist stets das Streben, das Eigene beharrend zu bewahren, in Spannung mit dem Trieb, von anderen Neues zu übernehmen, und das Gruppenselbstbewußtsein spielt dabei dieselbe Rolle wie das der einzelnen. Besonders in unseren Tagen ist das Unterlegenheitsgefühl der Mundartsprecher ein wesentlicher Grund für das rasche Zurücktreten mundartlicher Besonderheiten (Kap. 27). Dazu tritt die Wirkung der Gruppensonderart, der gesamten Lebensart einer Gruppe, von der die Sprache nur einen Teil ausmacht. Auch der Gruppencharakter ist von Bedeutung (es gibt z. B. beharrendere und weniger beharrende Gruppen), doch müssen wir angesichts der Schwierigkeiten, ihn zu erfassen (s. o.), von ihm im allgemeinen zunächst absehen.

Besonders wichtig ist die bewußte, bis zur Sprachregelung gehende Beeinflussung der Sprache durch die Oberschicht. Sie ist der Ausdruck einer bestimmten Stufe der geistig-kulturellen (unter Umständen auch der politischen) Entwicklung eines Volkes und kann entscheidend werden für das sprachliche Werden. Die Formung der Hochsprache ist eine Angelegenheit der Oberschicht, aber unter Umständen auch die Wahl des gemeinsprachlichen Typs: so haben sich etwa die Niederlande auf dem Weg über die Oberschicht für eine eigene Schriftsprache entschieden. Die Regelung der Sprache bezieht sich auf Wortformen und Satzbau, auf Rechtschreibung und Zeichensetzung, aber auch auf die Aussprache. Solche Festlegungen sind zumeist keine eigentliche Neuerungen, sondern machen nur allgemein verbindlich, was schon durch die Entwicklung vorbereitet war.

Geschichtliche, geographische und wirtschaftliche Bedingungen

Von ganz anderer Art ist eine zweite Gruppe von Ausbreitungsbedingungen des sprachlichen Wandels. Es sind Vorgänge bei der Besiedlung und Wirkungen des Verkehrs. Sie werden besonders deutlich bei der Untersuchung der lebenden Mundarten.

Besiedlung

Die Besiedlung eines Raumes geht auf verschiedene Weise vor sich. Verschiedensprachige Siedlergruppen können auf einer Grenze zusammentreffen, die sie beide anerkennen. Diese Scheide ist oft eine natürliche Grenze (Fluß, Gebirge, Wald, Moor). Damit entsteht auch eine sprachliche Schranke; sie hat allerdings keine unbedingt trennende Wirkung, da ein gewisser Verkehr zwischen den beiden Gruppen herrscht.

Es ist aber auch möglich, daß sich verschiedensprachige Gruppen untereinander oder mit einer schon im Raum ansässigen Bevölkerung vermischen. Die Folge ist eine Vermengung der kulturellen Güter, auch der Sprache. Bei der deutschen Ostkolonisation des Mittelalters und bei der Besiedlung der deutschen Sprachinseln im Osten und Südosten Europas im 13. und dann wieder im 18. Jahrhundert mischen sich Teile verschiedener deutscher Stämme, und auch die Sprache ist ein Ergebnis der Durchdringung ihrer Mundarten. Diese führt häufig zur Bildung einer Ausgleichs- oder Durchschnittssprache, zu der die einzelnen Siedlermundarten beitragen. Es kann sich aber auch die Sprache eines Teils der Siedler durchsetzen – einer zahlenmäßigen Mehrheit, einer kulturell höher stehenden Gruppe oder aber (und das trifft besonders für die neuere Zeit zu) derjenigen, deren Mundart einer allgemein anerkannten Einheitssprache am nächsten steht. Hier offenbart sich die besondere Einstellung der Grundschicht zu den Erscheinungen der Hochkultur, die nachgeahmt werden.

Bei der Kolonisation entstand (Th. Frings, E. Schwarz, L. E. Schmitt) eine koloniale Durchschnittssprache, die zur Grundlage der neuhochdeutschen Einheitssprache werden sollte. Das Beispiel des Englischen zeigt die starke Wirkung einer zahlenmäßig dünnen, aber kulturell überlegenen normannischen Herrenschicht (als des Superstrats) auf die sprachliche Entwicklung, bei der sich das Normannisch-Französische und die Sprache der unterworfenen Angelsachsen (als des Substrats) eng miteinander verbinden. Umgekehrt setzte sich vorher in Frankreich die Sprache der unterworfenen Galloromanen auf dem Weg über die Kirche und die römische Beamtenschicht durch gegenüber dem Fränkischen der kulturell weniger entwickelten Masse der germanischen Eroberer und Siedler, die vom 7. bis 10. Jahrhundert romanisiert wurden.

Bei der Entstehung einer im wesentlichen pfälzischen Verkehrssprache bei den im 18. Jahrhundert in Südosteuropa angesiedelten Donauschwaben war es neben der großen Zahl der Pfälzer Siedler von entscheidender Bedeutung, daß das Pfälzische gegenüber den oberdeutschen Mundarten (Schwäbisch-Alemannisch, Bairisch) in vielem als die schriftnähere, „feinere“ Mundart empfunden wurde.

Verkehr

Besondere Bedeutung für die Ausbreitung sprachlicher Neuerungen hat der Verkehr. Es gibt Verkehrsstraßen und Verkehrsgrenzen. Der Fernverkehr bewirkt sprachliche Strahlungen, Sprachbewegungen. Die Wirkungen südlicher, hochdeutscher Strahlungen zeigt besonders deutlich das heutige Bild des rheinischen Sprachgebiets (Kap. 27). So war im rheinischen Raum die Stadt Köln als Mittelpunkt weitreichender Handelsverbindungen und kultureller Beziehungen das Ziel oberdeutscher sprachlicher Strahlungen, die sich von dort aus über das Kölner Territorium und die Nachbargebiete ausbreiteten. Auf diese Weise wurde die hochdeutsche Form *ich* gegenüber der niederdeutschen *ik* unter dem Einfluß Kölns bis weit nach Norden, bis vor Essen, vorgetragen (Karten 4 und 14). Heute kommt den wirtschaftlichen Einflüssen eine besonders große Bedeutung zu.

Daß auch rein kulturelle Beeinflussung ohne wirtschaftliche und politische Abhängigkeit zu sprachlichen Veränderungen führen kann, hat Th. Frings am Beispiel des deutschen Niederrheins dargetan, der in der frühen Neuzeit, besonders zur Zeit der Hochblüte der Niederlande im 17. Jahrhundert, unter niederländischen kulturellen Einfluß gerät. Daher dort die *ü*-Aussprache von *u*, z. B. in *Hüs* Haus, *Müs* (statt niederdeutsch *Mūs*) Maus, *üt* aus, und die Verkleinerungssilbe *-tje* und *-(s)ke* (*beetje* bißchen, *Stöckske* Stückchen). Politische und kulturelle Kräfte sind – zusammen oder getrennt – auch die Ursache, wenn sprachliche Beeinflussung über die Volksgrenzen hinweg wirksam ist. Sie ist, wie wir sehen werden, besonders häufig im Bereich des Wortschatzes.

Man hat sich die verbindende Wirkung des Verkehrs verschieden vorgestellt. Die alte Auffassung A. Schleichers (1861), daß sich aus einer „Muttersprache“ (A) als Folge einer Unterbrechung der Verkehrsbeziehungen Tochtersprachen (A I, A II, A III) durch Teilung selbständig entwickeln („Stammbaumtheorie"), kann nur für den Fall gelten, daß die neuen Verkehrseinheiten räumlich voneinander getrennt sind (Skizze 1), nicht bei weiterdauernder Nachbarschaft (Skizze 2).

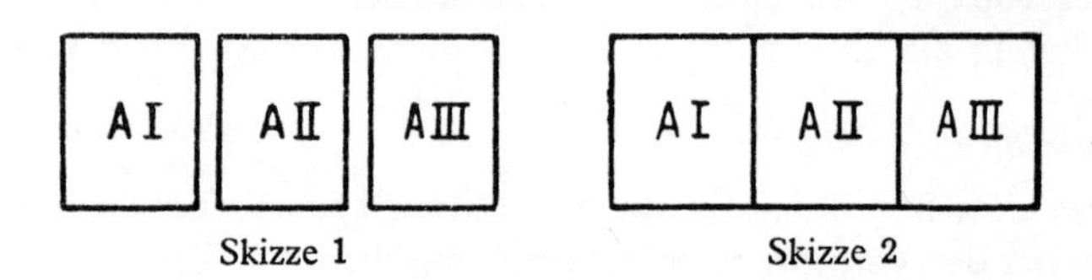

Skizze 1 Skizze 2

Bei räumlicher Berührung gibt es keine unbeeinflußte Entwicklung. Joh. Schmidt nahm daher in seiner „Wellentheorie" (1872) an, daß sich sprachliche Veränderungen von einem Mittelpunkt aus wie eine durch einen ins Wasser geworfenen Stein verursachte Welle nach allen Seiten gleichmäßig ausbreiten (Skizze 3).

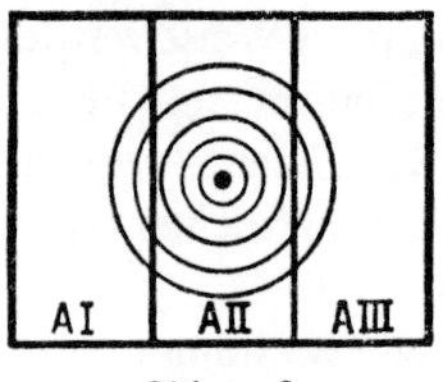

Skizze 3

Auch diese Auffassung trifft nur zum Teil zu. Neben der wellenförmigen Ausbreitung haben wir mit einem Springen sprachlicher Neuerungen von einem Mittelpunkt (z. B. Hauptstadt) zum nächsten, meist untergeordneten Verkehrsmittelpunkt (etwa Kreisstadt) zu rechnen, von dem aus sie dann wieder in die Umgebung ausgestrahlt werden (Skizze 4).

In Württemberg sind etwa heute unter dem Einfluß von Stuttgart die Stadtsprachen von Ravensburg, Tettnang, Wangen, Friedrichshafen schwäbische Inseln inmitten niederalemannischen Gebiets (man spricht dort schwäbisch *əi*, *əu* statt der alemannischen *ī*, *ū*: *əis*, *həus* statt *īs*, *hūs*), während in den Städten Crailsheim und Hall heute die ursprünglich ostfränkische Mundart im Gegensatz zu der Umgebung ebenfalls durch ein Schwäbisch umgangssprachlichen Charakters verdrängt wird. Bairische Eigentümlichkeiten dringen von München, zum Teil auf dem Weg über Augsburg, in die Stadtsprachen der Kreisstädte des bayerischen Schwabens ein.

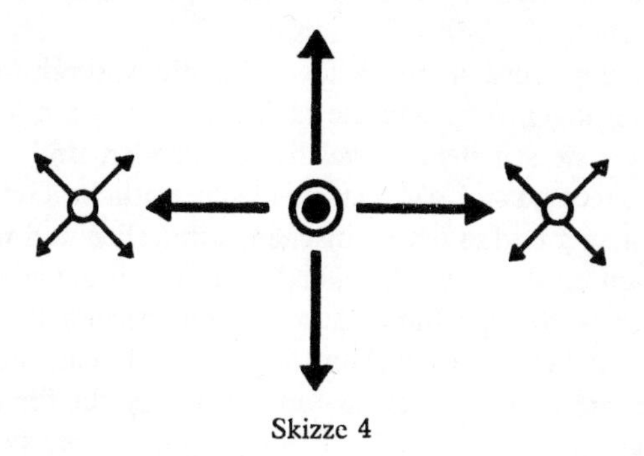

Skizze 4

Man darf sich allerdings die verbindende Kraft des Verkehrs nicht zu allen Zeiten gleich stark vorstellen. Sie ist in früheren Zeiten, als die Verkehrsbeziehungen weniger entwickelt waren, als auch die Wirkung des geschriebenen Worts für die Ausbreitung sprachlicher Wandlungen noch weit geringer war oder überhaupt in Wegfall kam, als es noch keine einheitssprachlichen Bildungen gab, wesentlich schwächer als später, zumal in unserer Zeit eines so ungeheuer gesteigerten Verkehrs und eines so stark ausgebauten Nachrichtenwesens.

Grenzen des Verkehrs können zu Kultur- und Sprachscheiden werden. Als solche sind die natürlichen Grenzen recht bedeutsam. Große Flüsse wie Rhein, Donau sind aber nur zum Teil Sprachschranken. Von Wichtigkeit sind Wasserscheiden, große Wälder wie etwa der Hagenauer Forst, Moore, steile Bergzüge und gelegentlich tief eingeschnittene und daher verkehrshindernde Täler, besonders im Hochgebirge. Meist aber wirken natürliche Grenzen in Verbindung mit politischen Grenzen, die sich ja häufig an sie anlehnen.

Wichtig für die Grenzen der kleinen Mundartbezirke sind kirchliche Unterteilungen wie Pfarreien und Dekanate. Für die Bereiche der Großmundarten sind besonders die Grenzen der alten Bistümer bedeutsam geworden, nicht nur im Hinblick auf den kirchlichen Wortschatz (Kap. 20); sie setzen, wenigstens im Süden, zum Teil die Grenzen der Stämme und Stammesherzogtümer fort. Seit der Reformation beeinflussen die konfessionellen Grenzen die sprachliche Entwicklung in starkem Maße. Sie sind oder waren in der Regel zugleich politische Grenzen.

Unter diesen wurden entscheidend für die Ausbreitung sprachlicher Neuerungen vor allem die zahlreichen jüngeren Territorialgrenzen, wie sie seit dem Mittelalter entstanden sind (nach 1648 gab es in Deutschland 571 verschiedene staatliche Gebilde!). In der Abgrenzung und in der politischen, kulturellen und wirtschaftlichen Strahlungskraft der Territorien dürfen wir die wesentlichste Ursache für die heutige, bunte räumliche Gliederung der deutschen Sprache erblicken; ihre Wirkung ist auch am sichersten faßbar. So sind im Schwäbischen die *ai-* und *au-*Laute, die für ältere und gemeindeutsche lange *ē-* und *ō-*Laute gesprochen werden (*Schnai* Schnee, *raut* rot usw.) altwürttembergische Neuerungen, die durch den politisch-kulturellen Einfluß Altwürttembergs auch über dessen Grenzen hinausgetragen wurden. Der Einfluß des alten Kölner Territoriums wird sichtbar, wenn rund um Köln die Kölner Aussprache *Wing*, *Weng* für Wein, *Pongk* für Pfund herrscht. Vor allem haben Territorien (auch Köln) entscheidend mitgewirkt bei dem Werden der Grenzen der hochdeutschen Lautverschiebung (Kap. 20, 27). Die territoriale Aufspaltung hatte eine weitgehende Aufgliederung der Großmundartgebiete, besonders im Südwesten Deutschlands, zur Folge. Andererseits zeigt die bairische Mundart in Bayern, das seinen ursprünglichen Bestand im wesentlichen durch die Jahrhunderte bewahren konnte, eine sehr gleichmäßige Gestalt ohne wesentliche räumliche Gliederung.

Man glaubte oft, eine Nachwirkung älterer politischer Schranken ablehnen zu müssen. Ob der Einfluß der ehemaligen Gaugrenzen noch feststellbar ist, ist allerdings zweifelhaft; wir sind über deren Verlauf auch nur sehr unsicher unterrichtet. Anders ist es mit den alten Stammesgrenzen. Die Neustämme östlich der Elbe und Saale, die sich 1100–1500 aus Siedlern der westlichen Altstämme bildeten, haben in diesem Zusammenhang nicht die gleiche Bedeutung; die Grenzen der Altstämme aber (Karte 3) leben, oft gestützt durch Bistumsgrenzen, häufig in den Grenzen der Stammesherzogtümer, später vielfach auch in Territorialgrenzen weiter, und ihr Verlauf schimmert, zum Teil ohne Stützung durch spätere Grenzen, in der heutigen räumlichen Mundartgliederung noch durch. So lassen die Grenzen zwischem dem Schwäbischen und Ostfränkischen im nordöstlichen Württemberg, zwischen dem Schwäbischen, Ostfränkischen und Bairischen am Hahnenkamm, zwischen dem Alemannischen und Fränkischen am Nordrand des Elsasses (mit der alten *p/pf*-Linie) ebenso wie westlich Baden-Baden, aber auch zum Teil zwischen dem West- und Ostmitteldeutschen in Hessen und zwischen dem Hoch- und Niederdeutschen deutlich den Verlauf der alten Stammesgrenzen erkennen. Auch da, wo sprachliche Grenzen in den Randzonen der Großmundartgebiete heute nicht mehr den Stammesgrenzen, sondern jüngeren Territorialgrenzen zu folgen scheinen, ergibt sich oft, zumindest im Süden, daß die Verschiebung nur eine geringe ist, und daß also auch hier von einem Weiterwirken der alten Stammesgrenzen gesprochen werden kann.

Aber das Stammesgefüge des deutschen Volkes entwickelte sich ja im Mittelalter und in der Neuzeit weiter. Durch Teilung und Mischung der historischen Stämme entstanden neue stammliche Gebilde, binnendeutsche wie etwa das bayerische Schwaben oder das Ruhrgebiet, und außendeutsche „Streustämme", wie z. B. die Siebenbürger Sachsen, die Baltendeutschen oder die Donauschwaben. Auch den Einfluß dieser stammlichen Neubildungen (von manchen als „Schläge" bezeichnet), zumal der binnendeutschen, auf das sprachliche Werden und auf die sprachlichen Grenzen muß die Forschung in Rechnung stellen.

In unseren Tagen werden für die Entstehung von Mundartbereichen die Grenzen der Wirtschaftsgebiete immer bedeutsamer, so etwa die der Berliner, Wiener, Frankfurter, Stuttgarter Wirtschaftsbezirke, aber auch die kleinerer Bereiche.

Manche Sprachgrenzen entziehen sich der Erklärung durch die Größen Siedlung und Verkehr (sog. „unmotivierte Sprachgrenzen"). Hier kann oft die psychologisch-soziologische Betrachtung die Lösung bringen; diese muß sich überhaupt immer mit der verkehrsgeographischen verbinden, die Mundartforschung eng mit dem Menschen und den menschlichen Gruppen verknüpft bleiben. Im übrigen ist es auch immer möglich, daß Gleiches unabhängig voneinander an verschiedenen Stellen entstand (Polygenese).

10. GESETZMÄSSIGER SPRACHWANDEL?

Man hat die Frage gestellt, ob sich sprachlicher Wandel gesetzmäßig oder regellos vollziehe. Die Junggrammatiker hatten das Lautgesetz auf den Schild gehoben, und Brugmann hatte es so formuliert: „Aller Lautwandel, soweit er mechanisch vor sich geht, vollzieht sich nach ausnahmslosen Gesetzen . . ., und alle Wörter, in denen der der Lautbewegung unterworfene Laut unter gleichen Verhältnissen erscheint, werden ohne Ausnahme von der Veränderung ergriffen.“ Brugmanns These trifft demnach, was oft übersehen wurde, nur den Lautwandel, soweit er mechanisch, d. h. rein physiologisch, vor sich geht, also nicht den psychologisch und geistig bedingten. Die Wirkung der Analogie hatten auch die Junggrammatiker stets im Auge.

Zweifellos gibt es rein mechanisch-physiologischen Lautwandel (etwa die Verdumpfung der *a*-Laute; Kap. 8), und in den älteren Sprachstufen sind viele lautliche Veränderungen allgemein bei allen Beispielen mit dem betreffenden Laut durchgeführt. Die neueren Sprachen, vor allem auch die Mundarten, bieten dagegen ein anderes Bild. Hier verhält sich der gleiche Laut unter den gleichen Bedingungen oft verschieden. So zeigt etwa der schwäbische Zwielaut *əi* gegenüber alemannischem *ī* in verschiedenen Beispielen (so in *schreiben*, *Eis*) voneinander abweichende Grenzen, die allerdings nahe zueinander verlaufen. Es wäre aber falsch, deshalb von einer völligen Regellosigkeit des Lautwandels zu sprechen. Die Sprache – oder der Sprecher – hat das Bestreben, das Verhalten der gleichen Laute in verschiedenen Wörtern aneinander anzugleichen. E. Gamillscheg und Fr. Maurer haben darauf hingewiesen, daß sich Wörter mit gleichen Lauten zu Gruppen zusammenschließen; die Grenzen der einzelnen Wörter der Gruppe nähern sich immer mehr einander an. In den älteren Sprachstufen ist dieser Ausgleich im Gegensatz zu den jüngeren schon weitgehend oder ganz abgeschlossen.

Wenn man also auch nicht von einer absoluten Gesetzmäßigkeit des Lautwandels sprechen kann, so doch von einer gewissen, annähernden Regelmäßigkeit. Das gilt zum großen Teil auch für die Veränderungen der Wortbeugung, dagegen weniger für solche der

Wortbildung und der Satzfügung und gar nicht für den inhaltlichen Wandel. Faßt man im übrigen das „Sprachgesetz" als Sprachbrauch und den Sprachwandel als dessen Änderung auf, so erklären sich die „Ausnahmen" leicht (Debrunner deutet es als Gesetz im juristischen Sinne, d. h. als eine Norm, die sich die Gemeinschaft setzt).

Lautliche und andere Neuerungen sind im „System" meist nicht isoliert, sondern ziehen andere nach sich. Das wird besonders deutlich bei den Lautverschiebungen, bei denen die verschobenen Verschlußlaute *(b, d, g* bzw. *p, t, k)* jeweils durch Entsprechungen ersetzt werden (Kap. 14, 20), und bei Veränderungen des Wortschatzes, die andere Wörter des betreffenden Feldes zu berühren pflegen. Daß lautliche Veränderungen auch eng mit Bedeutungswandlungen zusammenhängen können, hat uns die phonologische Methode gezeigt (Kap. 6).

11. DIE RICHTUNG DER ENTWICKLUNG

Die abendländischen Sprachen entwickeln sich im ganzen immer mehr vom synthetischen zum analytischen Bau (Kap. 6). Wenn die Romantiker und Humboldt eine solche Entwicklung, die auch mit einem Verlust an Wohllaut verbunden ist (vgl. ahd. *wēwo* – nhd. *Weh*, ahd. *nëmamēs* – nhd. *wir nehmen*), nur als Abstieg werteten, so muß man auf der anderen Seite betonen, daß sich daneben die Sprache immer stärker mit geistigen Inhalten füllt, daß sie sich deutlich in der Richtung zur „geistigen Vollkommenheit" (W. Scherer) emporentwickelt. Darin liegt ohne Zweifel aber auch die Gefahr, die Herder und die Romantiker mit Recht (wenn auch zu einseitig) hervorhoben, daß die Sprache zu unanschaulich, blutleer und dürr, zu sehr vergeistigt und durch diese Entsinnlichung auch in ihrer Aufnahmefähigkeit für neue Begriffe beeinträchtigt wird.

Es ist also überhaupt fraglich, inwieweit man die sprachliche Entwicklung wertend als Auf- und Abstieg betrachten kann. Da auf eine analytische Stufe einer Sprache eine synthetische, auf diese wieder (auf einer anderen Ebene) eine analytische folgt, hat man angenommen, daß sich die sprachliche (wie wohl jede geistige) Entwicklung spiralförmig vollziehe (v. d. Gabelentz).

Wie werden sich die abendländischen Sprachen, wie wird sich das Deutsche weiterentwickeln? Wird es zu einer neuen Synthese kommen? Geradezu bezeichnend für das Neuhochdeutsche sind die vielen Wortzusammensetzungen – synthetische Erscheinungen. So hat W. Wundt nur bedingt recht, wenn er meint, daß eine fortgeschrittene Kultur nicht mehr zur Bildung synthetischer Sprachformen befähigt ist. Seine Meinung trifft im allgemeinen für die Wortbeugungsformen zu (wenngleich die starke Ausbreitung der Pluralbildung mit Umlaut und auf *-er* im Neuhochdeutschen – *Höfe*, *Männer* – synthetische Erscheinungen betrifft), dagegen nicht für die Wortbildung.

VON DER DEUTSCHEN SPRACHE UND IHRER GESCHICHTE

Hat wohl ein Volk ... etwas Lieberes als die Sprache seiner Väter? In ihr wohnet sein ganzer Gedankenreichtum an Tradition, Geschichte, Religion und Grundsätzen des Lebens, alle sein Herz und Seele. HERDER

I. VORGESCHICHTE DES DEUTSCHEN

Bis etwa 750 n. Chr.

Die deutsche Sprache beginnt nicht erst, seitdem es einen deutschen staatlichen Verband gibt, also seit den Tagen des fränkischen Reichs. Sie hat eine Vorgeschichte, die erheblich weiter zurückreicht, nicht nur bis zu jenen großen Bewegungen der germanischen Stämme, die wir Völkerwanderung nennen, nicht nur bis in die Jahrhunderte vor Christi Geburt, da die Germanen in Skandinavien ihre gemeinsamen Wohnsitze hatten, sondern zurück bis in die Zeit, da die Sprache der Germanen noch in enger Verbindung mit verwandten Sprachen anderer Völker stand, die wir indogermanisch oder indoeuropäisch nennen.

12. EINTEILUNG DER SPRACHEN DER ERDE

Mit Wilhelm von Humboldt teilen wir herkömmlicherweise die Sprachen nach ihrem grammatischen Bau ein. Wir unterscheiden folgende große Gruppen, die jedoch nicht als Entwicklungsreihe aufgefaßt werden dürfen:

1. Die isolierenden Sprachen bestehen aus einsilbigen, unveränderlichen Wurzeln, welche die Träger der Begriffe sind. Sie kennen keine Formenbildung, keinen Unterschied der Redeteile. Die grammatischen Beziehungen werden ausgedrückt durch die Wortstellung und durch Formwörter. Wir zählen dazu die indochinesischen, polynesischen und einige afrikanische Sprachen.

2. Bei den einverleibenden, inkorporierenden Sprachen nimmt ein Satzteil andere in sich auf. Meist ist der einverleibende Satzteil das Prädikat, weshalb man auch von „prädikativen Sprachen" spricht (Grönländisch, Mexikanisch).

3. In den agglutinierenden (eigentlich „anklebenden") Sprachen werden Wörter und Wortformen durch selbständig nicht vorkommende Bildungsteile (Suffixe) gebildet, die an die unveränderlichen Stämme treten. Dazu zählen die Türksprachen (Türkisch, Mongolisch, Tatarisch), Madjarisch und Finnisch, Japanisch, Dialekte Tibets, der Malaien, der Polynesier.

4. Die flektierenden Sprachen bilden Wörter und Formen durch Formveränderungen innerhalb der Wortstämme, so die semitischen Sprachen (Hebräisch, Syrisch, Chaldäisch, Phönizisch, Assyrisch, Babylonisch, Arabisch, Äthiopisch), oder aber es verschmelzen die Wortstämme mit angefügten Bildungsmitteln zu einer Einheit. Das ist der Fall bei den indoeuropäischen Sprachen.

13. GLIEDERUNG UND VERWANDTSCHAFT DER INDOEUROPÄISCHEN SPRACHEN

Die historischen indoeuropäischen Sprachen

Man pflegt in Deutschland nicht so sehr vom Indoeuropäischen als vom Indogermanischen zu sprechen. Doch erscheint der Ausdruck indoeuropäisch, der von dem eigentlichen Begründer der vergleichenden Sprachwissenschaft, Franz Bopp, bevorzugt wurde und der auch außerhalb Deutschlands weithin üblich ist, als der geeignetere, da er dem Umfang der durch ihn bezeichneten Sprachgruppe besser entspricht (wir verstehen dabei unter „europäisch" auch die ursprünglich europäischen Sprachen, die sich in der Neuzeit über die Welt verbreitet haben, vor allem nach Amerika, Afrika und Australien).

Nach der Bezeichnung für das Zahlwort hundert scheiden sich die indoeuropäischen Sprachen in Kentum- und in Satem-Sprachen; sie haben teils den alten Gaumenverschlußlaut *k* erhalten *(centum)*, teils zu Reibelaut gewandelt *(satem)*. *Hundert* heißt lat. *centum* (spr. *kentum*), griech. *hekatón*, altirisch *cēt* (spr. *kēt*), tocharisch *känt*, dagegen awestisch (altiranisch) *satem*, litauisch *szim̃tas*, altbulgarisch *sŭto*. Der Unterschied zeigt sich etwa auch in griech. *déka* zehn, lat. *decem*, got. *taíhun* (spr. *tehun*) – awestisch *dasa*, altindisch *dáśa*.

Die Kentum-Sprachen umfassen vor allem die westlichen, die Satem-Sprachen die östlichen indoeuropäischen Sprachen. Zu den Kentum-Sprachen gehören besonders das Griechische, das Italische mit dem Latein und seinen romanischen Tochtersprachen, das Illyrische, das Keltische, das Germanische, dazu in Ostturkestan das Tocharische und im östlichen Kleinasien das Hethitische. Zu den Satem-Sprachen zählen in Europa namentlich das Slawische (vor allem Russisch, Polnisch, Tschechisch, Slowakisch, Slowenisch, Serbisch, Kroatisch, Bulgarisch, Wendisch), das Baltische (das Litauische, Lettische und das im 16. Jahrhundert erloschene Altpreußische), das Albanesische, das Thrakische, dann in Asien das Altindische (Sanskrit), das Iranische (das Alt-, Mittel- und Neupersische), das Armenische und das Phrygische.

Die Verwandtschaft der indoeuropäischen Sprachen ergab sich besonders durch Übereinstimmung des Wortschatzes und der Wortbeugung. Sie wird etwa an folgenden Beispielen deutlich:

Altindisch	Griechisch	Lateinisch	Gotisch	Neuhochdeutsch
pitár	*patḗr*	*pater*	*fadar* (spr. *fađar*)	*Vater*
bhrātar-	*phrā́tōr*	*frāter*	*brōþar*	*Bruder*
nā́man-	*ónoma*	*nōmen*	*namō*	*Name*
tráyas	*treís*	*trēs*	*þreis* (spr. *þrīs*)	*drei*
ásti	*estí*	*est*	*ist*	*ist*
vḗda	*(w)oída*	*vīdi*	*wait*	*(ich) weiß*
bhárāmi	*phérō*	*ferō*	*baíra* (spr. *bera*)	*(ge)bäre;* „*trage*“

Allerdings gehen nicht alle Übereinstimmungen der indoeuropäischen Sprachen auf Urverwandtschaft zurück: es haben in vielen Fällen gegenseitige Entlehnungen stattgefunden. Unsere Sprache etwa ist reich an Lehnwörtern aus dem Lateinischen: Wein lat. *vīnum*, Sack *saccus*, Fenster *fenestra* usw. Um die Urverwandtschaft von Wörtern festzustellen, ist es notwendig, solche Entlehnungen auszuscheiden und auf die älteren Lautstufen zurückzugehen. So ist etwa die Verwandtschaft von lat. *jugum* mit got. *juk* viel einleuchtender als die mit nhd. *Joch*.

Auf vielen Gebieten sind wichtige, auf Wurzelverwandtschaft zurückgehende Übereinstimmungen des indoeuropäischen Wortschatzes festgestellt worden. So gehören verschiedene Bezeichnungen für den Menschen und seine verwandtschaftlichen Beziehungen zusammen: lat. *vir* Mann, ahd. *wër* (noch erhalten in *Werwolf*, *Wergeld* Sühnegeld für einen Totschlag; ahd. *wëralt* Zeitalter, Welt, neuniederländ. *wereld* Welt); griech. *gynḗ*, ahd. *quëna* Weib, engl. *queen* Königin.

Bei den Verwandtschaftbezeichnungen bilden eine Gruppe die auf *-ter:* griech. *patḗr*, *mḗtēr*, *thygátēr;* lat. *pater*, *māter*, *frāter;* nhd. *Vater*, *Mutter*, *Bruder*, *Tochter*. Eine zweite Gruppe von Verwandtschaftsnamen weist im Anlaut *sw-* auf: lat. *soror* (für **svesor*) Schwester, *socer* (für **svecer*) Schwiegervater, *socrus* (für **svecrus*) Schwiegermutter; ahd. *swëster*, *swëhur*, *swigar*, außerdem *swāgur* Schwager.

Viele Gemeinsamkeiten bestehen bei den Bezeichnungen für Körperteile: lat. *caput*, ahd. *houbet* Haupt; lat. *nāsus*, ind. *nā́sā*, altslawisch *nosŭ*, ahd. *nasa* Nase usw. Wurzelverwandt sind auch Wörter für Naturerscheinungen: lat. *stēlla*, griech. *astḗr*, ahd. *stërro* Stern (wohl entlehnt aus dem babylonischen *ištar* Morgenstern); griech. *nýkta*, lat. *noctem*, ahd. *naht* Nacht. Auf dem Gebiet des Ackerbaus gehören zusammen lat. *sēmen*, *sēminare*, got. *saian*, *ahd. sāmo*, *sāen* Samen, säen; lat. *acus* Spreu, got. *ahs*/ahd. *ahir* Ähre usw.

Bei den Fürwörtern stimmen überein lat. *is* dieser, got. *is*/ahd. *ër* er; lat. *id* dieses, got. *ita*/ahd. *iȥ* es. Wichtig ist auch, daß die Zahlwörter von 1–10 sowie *hundert* im Indoeuropäischen dieselben Stämme aufweisen.

Bemerkenswert sind Gemeinsamkeiten des Lateinischen und des Germanischen, die vom Altindischen und Altgriechischen nicht geteilt werden, vgl. lat. *ulmus*, ahd. *ëlm* Ulme; lat. *vērus*, ahd. *wār* wahr; lat. *longus*, ahd. *lang* lang usw. Überzeugend ist auch die Übereinstimmung von Formen des Zeitworts: lat. *ēdimus*, *frēgimus*, got. **ētum*, **brēkum*, ahd. *āȥum*, *brāchum* wir aßen, wir brachen; lat. *tacēre*, ahd. *dagēn* schweigen. Doch wird man darum noch nicht von einer gemeinsamen Vorstufe des Lateinischen und des Germanischen sprechen können.

Die Beugung des Zeitworts ist in den indoeuropäischen Sprachen vor allem gekennzeichnet durch die Verdoppelung des Anfangskonsonanten der Wurzelsilbe zur Bezeichnung des Perfekts, durch die sog. Reduplikation, vgl. griech. *leipō* – *léloipa* verlasse – habe verlassen; lat. *pendeo* – *pependi* hänge – hing; got. *haitan*, *haihait* (spr. *hehait*) heißen – hieß. Daneben zeigt sich eine Veränderung des Wurzelvokals, die auch bei der Bildung des Hauptworts eine Rolle spielt, der sog. Ablaut. Er tritt auch in Ableitungssilben (der Wortbeugung wie der Wortbildung) auf und betrifft sowohl die Länge und Kürze (die Quantität) der Selbstlaute als auch ihren Charakter (die Qualität). Quantitativen Ablaut, der wohl durch Betonungsverhältnisse hervorgerufen wurde, zeigt etwa lat. *sedeō* – *sēdi* sitze, saß, ahd. *nam* – *nāmum* / mhd. *nam* – *nāmen* ich nahm, wir nahmen. Im Neuhochdeutschen ist der quantitative Ablaut nicht mehr erkennbar, da durch die Vokaldehnung (Kap. 24) Ausgleich eingetreten ist. Dagegen wirkt der qualitative Ablaut, der mit dem freien Akzent des Indoeuropäischen (s. unten) zusammenhängen kann, bis heute: *geben* – *gab; biegen* – *bog; Binde* – *Band*, *Graben* – *Grube*. Im Griechischen tritt der Ablaut etwa auf bei dem eben genannten *leipo* – *élipon* – *léloipa* verlasse, verließ, habe verlassen. In den germanischen Sprachen entwickelt er sich zu einem hauptsächlichen Bildungsmittel für die Zeitstufen des Zeitworts: got. *greipan* (spr. *grīpan*) – *graip* – *gripum* – *gripans* / ahd. *grīf(f)an* – *greif(f)* – *griffum* – *gigriffan* greifen – griff – griffen – gegriffen.

Sehr wichtig sind die indoeuropäischen Betonungsverhältnisse. Es herrschte ursprünglich freier Akzent, d. h. der (wohl ursprünglich wie im Altindischen und Altgriechischen vorwiegend musikalische) Akzent konnte auf jeder Silbe liegen, gleichgültig ob sie lang oder kurz, Stammsilbe, Vorsilbe oder Nachsilbe war. Diese Eigentümlichkeit zeigt das Griechische noch deutlich: neben *mḗtēr* Mutter, *phrā́tōr* Bruder, *thygátēr* Tochter steht *patḗr* Vater. In der Wortbeugung wechselt der Akzent, und es heißt etwa im 4. Fall *mētéra*, *thygatéra*.

Über die Ursachen, die zu der Entstehung der verschiedenen

indoeuropäischen Sprachen führten, vermögen wir nur sehr Allgemeines zu sagen. Ihre Vielfalt geht zurück auf Wanderung, räumliche Trennung, Vermischung mit anderen Völkern; ihre Gemeinsamkeiten auf sprachliche Urverwandtschaft und räumliche Berührung, zum Teil wohl auch auf Weiterentwicklung gleicher sprachlicher Anlagen; ihre Sondergestalt auf kulturellen Ausgleich bei der Besiedlung und auf die Wirkung des Verkehrs. Zeitlich haben sich die Einzelsprachen auf ganz verschiedenen Stufen entwickelt; das Hethitische und das Indische sind am frühesten, schon im 2. Jahrtausend v. Chr., belegt.

Urindoeuropäisch (Urindogermanisch)

Das Urindoeuropäische oder Urindogermanische ist eine Rekonstruktion der vergleichenden deutschen Sprachwissenschaft des letzten Jahrhunderts. Ihr liegt die Annahme zugrunde, daß von einer indoeuropäischen Grundsprache aus die Einzelsprachen sich durch Abspaltung entwickelten. Die Teilung vollzog sich nach der Vorstellung A. Schleichers in der Form eines Stammbaums; seine Auffassung wurde durch die Wellentheorie Joh. Schmidts abgelöst (Kap. 9). Man erschloß das Indoeuropäische, indem man ausging von den erfaßbaren Einzelsprachen, die man nach Lauten, Wortbeugung, Wortschatz und teilweise auch nach dem Satzbau verglich. Man hob das Gemeinsame heraus, sonderte das durch gegenseitige Beeinflussung Entstandene aus und zog dann Schlüsse auf die urindoeuropäische Sprache. Für diese Sprache wurden die Laute namhaft gemacht und ein reiches System von Beugungsformen rekonstruiert.

Allerdings nimmt man heute eine Vorstufe sehr einfachen, analytischen Baus, die „Wurzelperiode", an; in dieser Zeit wurden, so glaubt man, die Wurzeln, die Stammformen der Wörter, ohne Beugung in einer bestimmten Folge der Satzteile nebeneinandergestellt. Indem bestimmte Wörter schwachbetont oder tonlos wurden und mit den Nachbarwörtern eine Einheit eingingen, entstanden dann später Vor-, Nach- und Wortbildungssilben und die Endungen der Wortbeugung. Reste aus der beugungslosen Zeit der indoeuropäischen Sprachen sind etwa der Vokativ und die Befehlsform der Einzahl, die bei allen als Wurzelformen ohne

Beugungsendung auftreten: griech. *phíle* Freund, lat. *lupe* Wolf, got. *sunu* Sohn; griech. *phére*, lat. *fer*, got. *baír* (spr. *ber*), ahd. *bir* trag. In alten zusammengesetzten Hauptwörtern (sog. *echten* Zusammensetzungen) weist der erste Bestandteil die endungslose Stammform auf: griech. *philósophos* Philosoph, lat. *ignifer* Feuerträger, ahd. *bĕtahūs* Bethaus; später erscheint er meist mit Beugungsendung (*unechte* Zusammensetzungen): lat. *aquaeductus* Wasserleitung, ahd. *wolfesmilh* Wolfsmilch; nhd. *Amtsrichter*, aber *Amtmann*, *Ratsglocke*, aber *Rathaus*.

Die urindogermanische Rekonstruktion ist heute von zwei Seiten her bedroht. Einmal hatte man durch die sprachgeographischen Untersuchungen Einblick in die Entwicklung der lebenden Sprachen, vor allem der Mundarten bekommen. Hier war keine Sonderung zweier oder mehrerer Teilsprachen durch Spaltung zu beobachten, sondern ständige Übergänge von einer landschaftlichen Sprache zur andern, keine festen Grenzen, sondern fortwährende gegenseitige Beeinflussung und oft die gleiche Richtung der Entwicklung. Konnte man dagegen noch geltend machen, daß es ja auch bei den lebenden Vollsprachen scharfe Scheiden gebe (vgl. die germanisch-romanische Sprachgrenze) und daß man nicht ohne weiteres die Verhältnisse der neueren sprachlichen Entwicklung auf alte Sprachstufen übertragen könne, so erbrachte die Entdekkung des Tocharischen und namentlich des Hethitischen, die beide durch die deutsche Wissenschaft aufgehellt wurden, neue Gesichtspunkte. Während das Tocharische im ersten Jahrtausend n. Chr. in Turkestan gesprochen wurde, war das Hethitische von etwa 1900 bis 1200 v. Chr. die Sprache eines großen Reiches im östlichen Kleinasien. Seit 1906 bekannt, konnte es seit etwa 1916 gedeutet werden. Die Sprache trägt durchaus indoeuropäischen Charakter und weist Übereinstimmungen besonders mit dem Keltischen und Italischen auf. Sie zeigt aber auch deutlich den Einfluß anderer Sprachgruppen, z. B. des Semitischen und sonstiger nichtindoeuropäischer Sprachen. Sie ist niederlegt in Denkmälern in Keilschrift und in den heute entzifferten hethitischen Hieroglyphen; sie weist die ältesten indoeuropäischen Sprachdenkmäler auf. Sie zeigt nicht den Formenreichtum des Indischen und des rekonstruierten Urindogermanischen, sondern viel einfachere Formen der Wortbeugung.

Es ist die Aufgabe der vergleichenden Sprachwissenschaft, den Begriff des Urindogermanischen mit den neuen Tatsachen in Einklang zu bringen. Die stark von der Romantik beeinflußte Vorstellung, daß von einer reich gegliederten, formenreichen indoeuropäischen Ursprache die Einzelsprachen ausgingen, um dann in einer absteigenden Entwicklung diesen Reichtum mehr oder minder zu verlieren, ist heute sehr umstritten, ebenso wie manchen Vorgeschichtsforschern auch das Bestehen eines indoeuropäischen Urvolks, dessen Heimat teils in Indien, teils in Nord- und Mitteleuropa gesucht wurde, fraglich geworden ist. Auf der anderen Seite sind entscheidende Erkenntnisse der Indogermanistik der letzten hundert Jahre durchaus nicht in Frage gestellt, so etwa die Feststellung der ersten (germanischen) Lautverschiebung, des Ablauts und vieles andere mehr.

14. DAS GERMANISCHE

Zeugnisse

Im Unterschied zu der erschlossenen indoeuropäischen Ursprache ist das Germanische oder Urgermanische keine rein gelehrte Rekonstruktion. Es wird auch Gemeingermanisch genannt; doch versteht man darunter zugleich die allen germanischen Sprachen gemeinsamen, auch jüngeren Spracherscheinungen. Durch eine Inschrift, besonders aber durch manche Wörter germanischen Ursprungs in lateinischen und griechischen Schriftwerken wie auch in anderen Sprachen haben wir von ihm eine wenn auch bescheidene Kenntnis. Die Zeichenschrift der Runen übernahmen die Germanen wohl aus einem norditalischen Alphabet kurz vor Christi Geburt; sie löste die Bilderschrift ab. Bei den Norditalikern waren ursprünglich aus dem Griechischen stammende Alphabete im Gebrauch, auf die dann später die lateinischen, demselben chalkidisch-etruskischen Grundalphabet entstammenden Zeichen einen immer stärkeren Einfluß ausübten. Ihrer bedienten sich z. B. auch die Räter, die Illyrer und die Kelten. Ein Hauptbeweis für die Herkunft der Runen aus einem solchen norditalischen Alphabet ist die Aufschrift des 1812 in Negau (Steiermark) ausgegrabenen Helms wohl aus dem 3. Jahrh. v. Chr.: *charigasti teiwai* – „dem Heergast-*c*

Ziu" (dem Ziu, der ein Heer zu Gast hat) oder vielleicht „dem Gotte Harigast" (oder handelt es sich um Personennamen einer Geschenkinschrift?) Aus dem Südosten, wo sich Germanen und Norditaliker berührten, stammt also die nach unserer Kenntnis älteste germanische Aufzeichnung, und sie geschah in den Zeichen eines norditalischen Alphabets, noch nicht in Runen. Die entlehnten Zeichen erlebten dann bei den Germanen eine Weiterentwicklung zur germanischen Runenschrift. Sie tritt uns keineswegs in einheitlicher Form entgegen; wir kennen verschiedene nord- wie westgermanische *Fuþarks* (*Fuþark* nennt man die Runenreihe nach ihren Anfangsrunen).

Auch die Zeugnisse des antiken Schrifttums sind spärlich. So findet sich etwa bei Cäsar *alcēs* (wohl Elche), *ūrus* Auerochs, beim älteren Plinius *ganta* Gans und das auch bei Tacitus als *glēsum* überlieferte Wort für Bernstein (zu *Glas*). Später begegnen z. B. *harpa* Harfe, *leudus* Lied, *medus* Met, *rūna* Rune u. a.

Aber auch Lehnwörter in anderen Nachbarsprachen geben Kunde von der Frühstufe des Germanischen. So gelangte das germanische Wort **brōkez* Hose in das Keltische und später von dort in das Lateinische, wo es im 2. Jahrhundert v. Chr. als *brācēs, brāca* erscheint (engl. *breeches*, ahd. *bruoh*).

Besonders bedeutsam sind die germanischen Lehnwörter im Finnischen; sie gehen weit in vorliterarische Zeit zurück und zeigen, da das Finnische sich lautlich nicht so entscheidend veränderte wie die germanischen Sprachen, sehr altertümliche Formen. Vielleicht stammen die Entlehnungen aus dem germanischen Norden. So findet sich etwa: *taika* Zauber, got. *taikns* Zeichen; *äiti*, *got. aiþei* (spr. *aiþī*) Mutter; wohl mit Lautsubstitution *kana* Huhn, got. *hana* Hahn, *pelto*, ahd. *fëld* Feld. Andere Wörter wurden vor der germanischen Abschwächung der Endsilben entlehnt, vgl. *leipä*, got. *hlaifs* Laib, Brot.

Auch im Baltischen begegnen germanische Lehnwörter, welche die Endsilben noch ungeschwächt zeigen: altspreußisch *rīkis* Herr, got. *reiks* (spr. *rīks*) Herrscher; litauisch *kùnigas* Pfarrer und *kiemas*, got. *haims* Dorf; lettisch *gatva* Weg zwischen Zäunen, got. *gatwō* Gasse. Die altslawischen Lehnwörter stammen wohl von den Goten: *brŭnja* Panzer, Brünne, got. *brunjō; vragŭ* Feind, got. *wargs* Verbrecher; *chlēbŭ* Brot, got. *hlaifs; lĭstĭ* List, got. *lists*.

Sehr zahlreich sind die germanischen Entlehnungen in den romanischen Sprachen. Sie gehen z. T. zurück auf Sprachgut, das durch den römischen Handel und durch germanische Soldaten ins Vulgärlatein eindrang; sie sind aber auch eine Folge der Völkerwanderung, welche die Germanen für Jahrhunderte zu den Herren Frankreichs, Italiens und Spaniens machte. So sind verschiedene germanische Farbbezeichnungen ins Romanische eingegangen: franz. *blanc*, *brun*, italien. *bianco*, *bruno;* ahd. *blanc* blank, weiß, *brūn* braun usw. Daneben finden sich Ausdrücke für Kriegsgeräte, z. B. afz. *brand* Ritterschwert, ahd. *brant*. Andere Lehnwörter im Französischen sind etwa *banc*, ahd. *bank* Bank; *bourg*, ahd. *burg* Burg; *choisir*, zu ahd. *kiosan/cheosan* wählen; *danser* tanzen, ahd. *dansōn* ziehen; *frais*, ahd. *frisc* frisch; *gazon*, ahd. *waso* Rasen; *gonfanon* Kirchenfahne, ahd. *gundfano* Kriegsfahne; *jardin*, ahd. *garto* Garten; *sale*, ahd. *salo* schmutzig; *trêve* Waffenstillstand, ahd. *triuwa* Treue.

Neben diesen Ausstrahlungen spielte, wie sich zeigen wird, der Wortschatz des Germanischen aber auch eine stark aufnehmende Rolle.

Germanische Neuerungen

Laute und Wortbeugung

Im Urgermanischen verlagerte sich der vorher freie Akzent wie im Keltischen und Italischen auf die Stammsilbe, die das Hauptgewicht des Wortinhalts trägt (vgl. *Váter*, *Brúder*, *Verneinung*, *gekómmen*); aus einem vorwiegend musikalischen wurde ein expiratorischer (Druck-) Akzent. Im Gegensatz dazu haben etwa das Altindische und das Altgriechische und heute noch das Russische und das Litauische die Möglichkeit, die Endsilbe zu betonen: griech. *gynḗ*, russisch *žená* Weib; altindisch *sūnús*, litauisch *sūnùs* Sohn. Die Lehnwörter wurden im Germanischen ebenfalls der Erstbetonung unterworfen. So konnte etwa lat. *monastērium* (vulgärlat. *monistērium*) zu ahd. *múnistri* Münster werden.

Das Germanische unterscheidet sich von den übrigen indoeuropäischen Sprachen aber vor allem durch einige bedeutsame Neuerungen auf dem Gebiet des Lautstands und der Wortbeugung. Die wichtigste ist die „erste Lautverschiebung“, wie Jacob

Grimm den Wandel nannte; seine Darstellung des Vorgangs gründet in sehr vielem auf den Forschungen des Dänen Rask (Kap. 5). Es handelt sich um die Veränderung von indoeur. Verschlußlauten. Die ideur. stimmlosen *p, t, k (ph, th, kh)* werden zu den germ. stimmlosen Reibelauten *f, th, h (ch)* (*th* ist ein stimmloser Reibelaut wie etwa in engl. *thing* Ding; ihm entspricht got.-nordisch das Runenzeichen *þ*): griech. *phrắtōr*, got. *brōþar* Bruder; lat. *trēs*, got. *þreis* (spr. *þrīs*) drei. Dagegen blieben *p, t, k* im Germanischen in den Verbindungen *sp, st, sk* und *ft, ht (< pt, kt)* erhalten, vgl. etwa lat. *spuō*, got. *speiwan* (spr. *spīwan*) speien; lat. *octō*, got. *ahtau* acht; lat. *nox/noctis*, got. *nahts* Nacht.

Ideur. *ƀh, dh, gh* werden zu den germanischen stimmhaften Reibelauten *ƀ, đ, ǥ* (*đ* entspricht etwa dem engl. stimmhaften *th* in *the* der), die später großenteils zu *b, d, g* werden: lat. *ferō*, got. *baíran* (spr. *beran*) tragen; griech. *thýrā*, got. *daúr* (spr. *dor*) Tor; lat. *hostis* Fremdling, Feind, got. *gasts* Gast.

Schließlich werden die ideur. stimmhaften Verschlußlaute *b, d, g* zu germ. stimmlosen Verschlußlauten *p, t, k* verschoben; lat. *edere*, got. *itan* essen; lat. *jugum*, got. *juk* Joch.

So entstehen also an Stelle der verschobenen indoeuropäischen germanische *p, t, k* und *b, d, g;* neu sind die german. Reibelaute.

Bei den aus *p, t, k* entstandenen germanischen stimmlosen Reibelauten *f, th, h* trat eine weitere Veränderung ein: sie wurden ebenso wie auch *s* unter bestimmten Bedingungen stimmhaft *(ƀ, đ, ǥ)* und fielen damit mit den aus ideur. *bh, dh, gh* entstandenen *ƀ, đ, ǥ* zusammen. Dieser Vorgang hängt zusammen mit dem freien indoeuropäischen Akzent (Kap. 13). Er muß (wennn auch nicht der Art, so doch der Lage nach) auch im ältesten Urgermanischen noch geherrscht haben, wie der Wechsel zwischen stimmlosen und stimmhaften Reibelauten zeigt: Stimmhaftigkeit tritt ein, wenn nicht die dem stimmlosen Reibelaut unmittelbar voraufgehende Silbe den Akzent trug. So entspricht altind. *pitár-*, griech. *patḗr* Vater im Germanischen zunächst **faþár*, das zu **fađár* wird und gotisch dann als *fádar* (spr. *fáđar*) mit stimmhaftem Reibelaut auftritt; griech. *phrắtōr* Bruder dagegen erscheint als got. *brōþar* mit stimmlosem Reibelaut (ahd. **brōthar* > *bruoder*). Dieser Wechsel, zu dem auch der von germ. *s* und *z* (westgerm. *s – r*) gehört, wird als *grammatischer Wechsel* oder, da ihn der Däne Verner 1875 entdeckte, auch als *Vernersches Gesetz* bezeichnet. Er wirkt in den germanischen Sprachen, auch im Neuhochdeutschen, nach, vgl. *Bruder – Vater, dürfen – darben, ziehen – Zug/gezogen, gewesen – war.*

Die einschneidende Neuerung der ersten Lautverschiebung wird im ersten Jahrtausend v. Chr. eingesetzt haben. Die Inschrift des schon oben genannten Helms von Negau zeigt bereits die Verschiebung: *charigasti teiwai; chari* entspricht einem vorgermanischen **kori-*, das etwa in griech. *koíranos* Kriegsherr auftritt, während wir *gast*, got. *gasts* eben zu lat. *hostis* stellten. Um 500 v. Chr. war der Wandel wohl noch nicht abgeschlossen. Dafür kann die lautverschobene germanische Form **hanapis* (asächs. *hanap*, ahd. *hanaf*) für Hanf, griech. *kánnabis*, sprechen; der Ausdruck ist wohl ein skythisches Lehnwort und erscheint zuerst im 5. Jahrhundert bei Herodot. Der Vorgang muß vor der Berührung der Germanen mit den Römern beendet gewesen sein, denn kein lateinisches Lehnwort ist daran beteiligt.

Die zeitliche Abfolge der einzelnen Vorgänge entspricht wahrscheinlich der oben gewählten Reihenfolge; der grammatische Wechsel ist wohl vor dem Wandel von *b, d, g* > *p, t, k* eingetreten. Über die Ursachen der Lautverschiebung wissen wir nichts Sicheres. Man hat an die Einwirkung von Fremdsprachen gedacht. Für innergermanische Entstehung spricht dagegen, daß auch von anderen Sprachen ähnliche Vorgänge bekannt sind. Besonders wird man den grammatischen Wechsel auf innere Ursachen zurückführen, zumal sich entsprechende Erscheinungen auch auf neueren Sprachstufen zeigen. So stehen im Niederdeutschen nebeneinander *Hannover* (spr. *Hannṓfer*) und *Hannoveraner* (spr. *Hannowerā́ner*), im Englischen *póssible* (mit stimmlosem *s*) und *posséss* (mit stimmhaftem innerem *s*), entsprechend im Französischen *que je fasse* und *nous faisons.*

Als eine Folge der Verlagerung des Akzents im Germanischen betrachtet man die Abschwächung der Silben im Wortauslaut. So entspricht einem lateinischen *hostis* Feind, *cornu* Horn, in germanischen Runeninschriften noch *gastiR* Gast, *horna* Horn; dagegen got. *gasts, haúrn* (spr. *horn*), ahd. *gast, horn* (vgl. auch finnisch trotz Stammbetonung *kuningas*, aber ahd. *kuning* usw.). Mit der Veränderung des Akzents hängt aber auch aufs engste die Entstehung des germanischen Stabreims zusammen. Die Alliteration konnte nur bei einer Sprache, die durchgängig die Erstbetonung durchführte, einen so beherrschenden Platz einnehmen. Sie tritt nicht nur als bindender Schmuck der Dichtung, sondern auch bei der Namengebung (zumindest der dichterischen) und in zahlreichen stehenden Wortverbindungen auf. Die Namen von Großvater, Sohn und Enkel im Hildebrandslied, *Heribrant*, *Hiltibrant* und *Hadubrant*, oder diejenigen der burgundischen Brüder im Nibelungenepos, *Gunther*, *Gērnōt* und *Gīselher*, zeigen den Stabreim ebenso wie der althochdeutsche Priestereid *mīno chrefti enti mīno chunsti* (durch meine Kräfte und mein Wissen) und viele zum Teil bis heute erhaltene Wortverbindungen (*Haus und Hof* usw.; Kap. 20).

Neben der Verlagerung des Wortakzents auf die Stammsilbe und der ersten Lautverschiebung führten die germanischen Sprachen weitere gemeinsame Neuerungen durch. So erscheint ideur. *ā* im Germanischen verdumpft als *ō* (lat. *māter*, asächs. *mōdar* Mutter), andererseits *o* als *a* (lat. *octō*, ahd. *aht* acht). Eine andere Veränderung ist der Wechsel von *ë* – *i*, *u* – *o*. Dieser Lautwechsel ist ein durch nachfolgende Laute „bedingter". Im Gotischen wurde *ë* immer zu *i*, im West- und Nordgermanischen dagegen nur vor *i*, *j* und *u* der Folgesilbe und vor Nasal + Konsonant, vgl. got. *itan*, ahd. *ëʒʒan* essen, aber got. *sidus*, ahd. *situ* Sitte, got. *bindan*, ahd. *bintan* binden. Andererseits wurden *i* und *u* zu *ë* und *o:* im Gotischen vor *h*, *ƕ* und *r* (lat. *vir*, got. *waír* spr. *wer* Mann; got. *baúrgs* spr. *borgs*, ahd. *burg*), im West- und Nordgermanischen meist vor *a*-, *e*- und *o*-Laut der Folgesilbe, wobei aber *u* vor Nasal + Konsonant erhalten blieb, vgl. ahd. *wër* Mann, *irdīn* – *ërda*, *giworfan* – *gibuntan*, ebenso *biutu* ich biete – *beotan* bieten (*a*-Brechung oder *a*-Umlaut; J. Grimm bezeichnete auch den Wandel *ë* zu *i* als *Brechung*).

Die Grundstruktur des germanischen Formenbaus stimmt mit dem des Indoeuropäischen überein: die Beugungsklassen des Hauptwortes (germ. *a*-, *ō*-, *i*-, *u*- und konsonantische Klassen, namentlich die „schwachen" *n*-Stämme wie *Bote*, *des Boten* usw.) beruhen auf den alten Stammauslauten, und auch die Beugung der starken Zeitwörter ist in ihrem Aufbau indoeuropäisch. Die germ. Lehnwörter des Finnischen zeigen teilweise noch die altgerm.

Stammauslaute, vgl. finn. *kuningas* (ahd. *kuning*) König, *paita* Hemd, *kaunis* schön (got. **skaun(ei)s*, ahd. *skōni*). Doch offenbart der germanische Sprachbau andererseits deutlich die Neigung zur Rückbildung, die Entwicklung vom synthetischen zum analytischen Charakter. So sind die Fälle Ablativ (zur Bezeichnung des „Woher") und Lokativ (der auf die Frage „Wo" antwortet) fast ganz aufgegeben; der Vokativ fällt (abgesehen von Resten im Gotischen) mit dem Nominativ zusammen, und der Instrumental (zur Angabe des Mittels) tritt beim Hauptwort nur noch in der Einzahl beim männlichen und sächlichen Geschlecht auf (ahd. *hirtiu* durch den Hirten). Beim Fürwort haben sich der Dual zur Bezeichnung der Zweizahl und der Instrumental im Gotischen und zum Teil auch noch in anderen Einzelsprachen erhalten: got. *ugkis* (spr. *ungkis*) uns beide(n), *igqis* (spr. *ingquis*) euch beide(n); asächs. *wit* wir beide, *git* ihr beide; got. *þē* desto, *hvē* womit, ahd. *diu* dadurch. Bei der Beugung des Zeitworts zeigt nur noch das Gotische besondere Formen für die Leideform (das Mediopassiv): *nimada* ich werde genommen; es kennt auch noch den Dual: *nimōs* wir beide nehmen.

Andererseits betreffen Neuerungen synthetischer Art verschiedene Klassen der Hauptwörter, die Beugung des Eigenschaftswortes und den Formenbau des Zeitworts. Vor allem verändert sich die starke Beugung der Eigenschaftswörter dadurch, daß Endungen aus der Beugung des Fürworts eindringen (vgl. *der* Mann: gut*er* Mann). Außerdem entsteht nach dem Muster der „schwachen" *n*-Klasse der Hauptwörter eine neue schwache Beugung der Eigenschaftswörter (des Bot*en:* des gut*en* Mannes). Auf dem Gebiet des germanischen Zeitworts wurde der indoeuropäische Ablaut (Kap. 13) stark ausgebaut. Völlig neu hat das Germanische die schwachen Klassen der Zeitwörter geschaffen, vgl. got. I. *nas-ida*, II. *salb-ōda*, III. *hab-aida*, IV. *full-nōda* rettete, salbte, hatte (hielt), erfüllte mich; ahd. I. *ner-ita*, II. *salb-ōta*, III. *hab-ēta*, (die IV. Klasse ist im Westgermanischen nicht erhalten).

Andere sprachliche Wandlungen des Germanischen sind jünger und haben das Gotische nicht mehr berührt. Eine solche Neuerung der west- und nordgermanischen Sprachen ist der Umlaut, der bei *a*-, *o*- und *u*-Lauten durch ein *i* oder *j* der folgenden oder folgender Silben unter verschiedenen Einzelbedingungen und zu verschiedenen Zeiten hervorgerufen wurde. Diese Erscheinung stellt eine Angleichung (Palatalisierung) dar; sie ist im Deutschen für *a* seit dem 8. Jahrhundert nachweisbar: got. *gasteis* (spr. *gastīs*), aber ahd. *gesti*, anord. *gester* Gäste.

Im West- und Nordgermanischen entwickelte sich auch germ. *ē*[1] zu *ā* (im Altenglischen allerdings nur zum Teil); die *Suēbi* des Tacitus und Cäsars erscheinen später als *Suābā* Schwaben. Im Oberdeutschen beginnt die Neuerung spätestens im 3. Jahrhundert; im 6. Jahrhundert tritt sie im Fränkischen ein und erfaßt dann bis zum 8. Jahrhundert auch das niederfränkische und niederdeutsche Gebiet (vgl. got. *lētan*, anord. *lāta*, ahd. *lāʒ(ʒ)an* lassen; got. -*mērs*, ahd. *māri*, urnord. *māriR* berühmt).

Auf dem Gebiet der Mitlaute wurde im West- und Nordgermanischen germ. *z* (stimmhafter *s*-Laut) zu *r* und die Verbindung *þl* im Anlaut zu *fl*: got. *maiza*, ahd. *mairo* > *mēro*, anord. *meire* größer (zu *mehr*); got. *ausō*, ahd. *aura* > *ōra*, anord. *eyra* Ohr; got. *þliuhan*, ahd. *fliohan*, anord. *flýja* fliehen.

Schließlich gaben im West- und Nordgermanischen im Gegensatz zum Gotischen die reduplizierenden Zeitwörter bis auf wenige Reste die Verdopplung auf: got. *haitan*, *hai-hait* (spr. *hehait*); ahd. *heiʒan*, *hiaʒ* heißen, hieß (aber *teta* ich, er tat).

Wortbildung und Wortschatz

Einige Neuerungen vollzogen sich auch auf dem Gebiet der Wortbildung. In den germanischen Sprachen stirbt die alte Silbe *-jo* (germ. *-ja*) zur Bildung von Beiwörtern ab, die etwa in griech. *pátrios* / lat. *patrius* väterlich auftritt. In dieser Weise abgeleitete Beiwörter haben sich in den historischen germanischen Sprachen nur in der Form von Hauptwörtern erhalten. So ist got. *haírdeis* (spr. *herdīs*) Hirte *der zur Herde Gehörige*. Auch sonst bildeten sich neue Hauptwörter aus heute nicht mehr lebendigen Eigenschaftswörtern, z. B. ahd. *bëro* Bär (ursprünglich *der Braune*).

Der germanische Wortschatz zeigt im Vergleich zu dem der anderen indoeuropäischen Sprachen Besonderheiten auf dem Gebiet der Feldbestellung und der Viehzucht, des Siedlungswesens und der Wohnung, des Handwerks und der Schiffahrt, der Jagd und des Waffenwesens, des staatlichen Lebens und des Rechts. Sie entsprechen kulturellen Veränderungen. Nur im Germanischen sind Bezeichnungen für Teile des Hauses *Giebel* und *Schwelle;*

ebenso gehören *Reiher*, *Storch*, *Bär*, *Wisent*, *Aal*, *Seehund* und *Kalb*, *Rind*, *Lamm* nur dem Germanischen an. Während es gemeinindoeuropäisch nur ein Wort für Metall gibt, *Erz* (altind. *áyas*, lat. *aes*, got. *aiz*, ahd. *ēr;* die nhd. Form *Erz* gehört zu ahd. *aruʒ[ʒi]*), kennen die indoeuropäischen Einzelsprachen mehrere. So treten im Germanischen die Bezeichnungen *Eisen*, *Gold*, *Silber* auf, zum Teil Entlehnungen aus Nachbarsprachen. Ausdrücke wie *Mast*, *Segel*, *Steuer*, aber auch *Burg*, *Bogen*, *Helm*, *Schild* haben keine Entsprechungen im Indoeuropäischen. Auch Wörter wie *Volk*, *König*, *Ding* (Volksversammlung), *Sache* (Rechtssache) sind, zumindest in ihrer besonderen Bedeutung, germanische Eigenheiten.

Eine starke Bereicherung erfuhr der germanische Wortschatz durch die Berührung mit den Kelten, mit dem Südosten und vor allem mit den Römern, während slawische Einflüsse fehlen – ein Zeichen des kulturellen West-Ost-Gefälles. Die Kelten waren den Germanen zunächst in der technischen Entwicklung voraus: das keltische Lehnwort *Eisen* (ahd. *īsarn*) zeugt davon. Frühdeutsch *ambaht* Amt geht auf kelt. *ambactus*, ahd. *walhisc* romanisch *(welsch)* auf den Namen des keltischen Grenzvolks der Wolker zurück. Ahd. *rīchi*, and. *rīki* Reich ist entlehnt aus kelt. *rīg* König; es erscheint im Gotischen als *reiks* (spr. *rīks*) Herrscher (in dieser Bedeutung auch in germanischen Namen wie *Friedrich*, *Geiserich* usw.) und entspricht lat. *rēx* / *rēgis* König (bei germanischer Eigenentwicklung wäre *ē* zu *ā* geworden, während das Keltische *ē* zu *ī* wandelte). Von dem griechischen und lateinischen Lehngut wird noch zu sprechen sein (Kap. 20).

Germanische Namen

Die germanischen Personennamen weisen in den indoeuropäischen Bereich. Auch die Germanen trugen ursprünglich nur einen Namen. Am deutlichsten ist die Übereinstimmung der germanischen Namen mit den griechischen, während die Römer, wohl unter dem Einfluß des Etruskischen, von dem indoeuropäischen Herkommen stark abweichen. Die römischen Namen sind sehr wirklichkeitsnahe: *Cicero* Erbsenmann, *Crassus* der Dicke, *Decimus* der Zehnte usw. Dagegen sind die griechischen Namen wie die germanischen in der Regel aus zwei Bestandteilen zusammengesetzt: *Thrasýbūlos* entspricht deutsch *Hartmut* (tüchtig + Gesinnung), *Andrómachos Manwig* (Mann + Kampf), *Alkínoos Meinrad* (Kraft + Rat). Auch mit den keltischen Namen bestehen Gemeinsamkeiten, vgl. griech. *Echéphrōn* – gallisch *Segomāros* – germ. *Sĕgimērus* (Sieg + berühmt; der Name zeigt noch nicht die germanische Brechung, die Wandlung von *ĕ* zu *i* vor folgendem *i*), gallisch *Caturīgs* – ahd. *Hadurīch* (Kampf + Herrscher). Es muß offen bleiben, ob je eine logische Beziehung zwischen den beiden Namenteilen bestand und empfunden wurde. Die germanischen Frauennamen wurden aus denselben Grundbestandteilen gebildet wie die Männernamen: ahd. *Fredegundis, Fridhild* (Friede + Kampf). Neben diesen Vollformen gab es wie im Griechischen und Keltischen auch Kurzformen, so got. *Wulfila, Ildico*, burgundisch *Gibica* (zu *Gebhart* usw.), wandalisch *Stilico*, ahd. *Kuon(o)* zu *Kuonrat*, *Otto* zu *Audoberht* usw. Weniger zahlreich waren die von Hause aus einstämmigen Rufnamen, wohl ursprünglich Beinamen, wie ahd. *Brūno* der Braune, *Gerda* und *Gisila* (Schößling).

Die Örtlichkeitsnamen fanden die Germanen bei der Landnahme zum Teil bei den Kelten vor. So sind z. B. keltischen Ursprungs Namen wie *Donau, Isar, Main, Rhein, Sieg; Breisach, Kempten, Mainz, Solothurn, Worms*. Hierher gehören wohl zum Teil auch Ortsnamen wie *Walchenberg, Walheim* usw., welche die schon erwähnte Volksbezeichnung *walh-* enthalten können. Im Westen und Süden stammen manche Namen von den Römern: *Augsburg (Augusta Vindelicorum), Koblenz (Confluentes* Zusammenfluß), *Konstanz (Constantia), Passau (Batavia), Zabern (ad tavernas)*; sie alle nehmen die germanische Betonung auf der ersten Silbe an. Tacitus überliefert die germanischen Ortsnamen *Asciburgium* (*Asberg* am Niederrhein) und *Teutoburgiensis saltus (Teutoburger Wald)*.

Sonst scheinen die germanischen Ortsnamen meist Insassennamen in der Form des Lokativs gewesen zu sein (vgl. *Eßlingen* bei den Leuten des *Azzilo*). Die Namen der alten Stammeslandschaften gehen auf die örtlich gebrauchten Stammesnamen zurück (*Schwaben, Franken, Sachsen*, d. i. bei den Schwaben usw.). Die Bildungssilbe der *-leben*-Namen, die in Schleswig und im Harz begegnen (*Wassersleben* bei Flensburg; *Eisleben*), bedeutet wohl Erbe, Hinterlassenschaft.

Germanische Namen dringen ins Französische (wie in die anderen romanischen Sprachen und später ins Osteuropäische) ein: *Gautier* Walter, *Louis* Ludwig usw. Die französischen Ortsnamen auf *-ange*, *-inge* entsprechen der germanischen Bildung auf *-ing*.

15. GERMANISCHE STÄMME UND STAMMESSPRACHEN

Karten 1 und 2

Das Germanische tritt uns, sieht man von den gemeingermanischen Wörtern im klassischen Schrifttum und von germanischen Lehnwörtern ab, in der Form von Stammessprachen entgegen. Will man einen Überblick über ihre Gliederung gewinnen, so bietet sich zunächst das herkömmliche Schema, wie es seit dem 19. Jahrhundert von dem Germanisten Karl Müllenhoff u. a. aufgestellt wurde (s. folgende Seite).

Diese Aufstellung (man betrachtete die skandinavischen Sprachen zum Teil auch als eine eigene *nordgermanische* Gruppe) wurde ursprünglich im Gefolge A. Schleichers als Stammbaum der germanischen Sprachen aufgefaßt. In diesem Sinn ist sie uns heute auf jeden Fall fragwürdig. Aber auch als Schema einer Gliederung ist sie umstritten. Sie zeigt nicht die zeitlichen Schichten der Entwicklung und gibt auch nicht die gegenseitigen Beeinflussungen wieder. Vor allem ist aber die Frage, ob „Westgermanisch", „Ostgermanisch", „Urdeutsch" je als geschichtliche Formen bestanden haben, oder ob sie nicht nur Konstruktionen sind.

Heute ist das Hauptanliegen der Forschung, die Entwicklung des Germanischen und des Deutschen im Zusammenhang mit den vor- und frühgeschichtlichen und den geschichtlichen Tatsachen zu erkennen. Dabei ergibt sich die Schwierigkeit, daß das Werden der germanischen Stämme für die frühe Zeit in vielem noch nicht aufgehellt ist; die Ergebnisse der vor- und frühgeschichtlichen Forschung sind oft uneinheitlich.

Wir können um 2000 v. Chr. von einem bronzezeitlichen Kulturkreis der Germanen in Skandinavien sprechen. Im ersten Jahr-

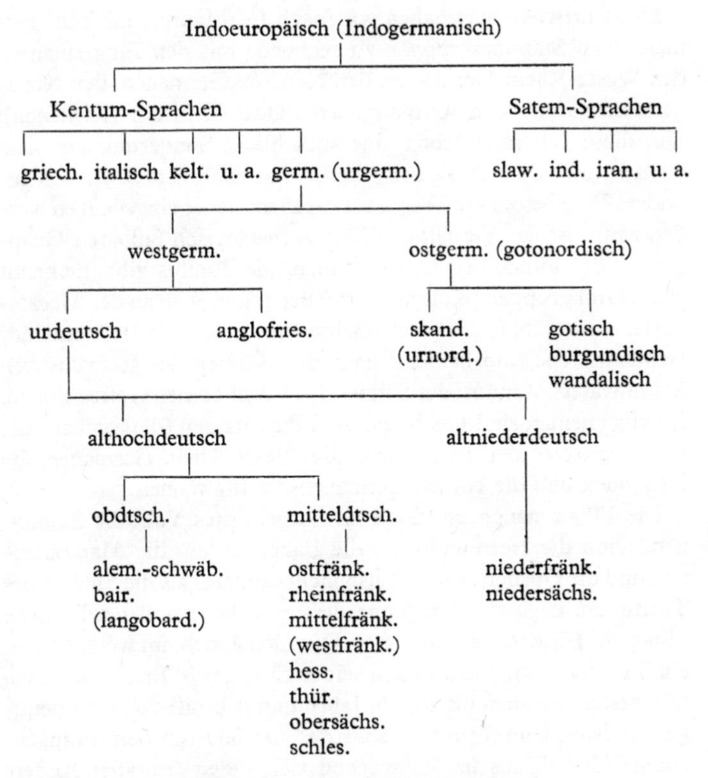

Frühere Einteilung des Germanischen

tausend v. Chr. beginnt wohl die erste Lautverschiebung, über deren Ablauf wir nichts Genaues wissen. Von 1200–800 v. Chr., in der jüngeren Bronzezeit, dehnen sich die Germanen über das heutige Hinterpommern bis zur Weichselmündung aus. Ob es schon damals germanische Einzelsprachen gab, ist unsicher. Im 6. Jahrhundert v. Chr., in der frühen Eisenzeit, zogen von Norden die „Elbgermanen“ an die untere und mittlere Elbe. Um 100 v. Chr. lösten sich die Wandalen und die Burgunder, um Christi Geburt auch die Goten, also die sog. Ostgermanen, von den Nordgermanen ab.

Um Christi Geburt haben wir (nach Fr. Maurer) mit fünf germanischen Stammesgruppen zu rechnen: mit den Elbgermanen, den Weser-Rhein-Germanen, den Nordsee-Germanen, den Nordgermanen und den Ostgermanen (Oder-Weichsel-Germanen). Um diese Zeit muß schon eine sprachliche Sonderung angesetzt werden, obwohl sich Beweise dafür erst nach dem 3. Jh. n. Chr. finden. Eine besondere Frage, auf die nicht näher eingegangen werden kann, ist das Verhältnis dieser archäologisch faßbaren Gruppen zu der Einteilung der Germanen, die Tacitus gibt. Er kennt ja die Großgruppen (Kultverbände) der Ingwäonen an der Meeresküste, an der Nordsee, der Irminonen „in der Mitte" und der Istwäonen; sie sind benannt nach den Söhnen des germanischen Stammvaters Mannus, des Sohnes des erdgeborenen Gottes Tuisto. Im allgemeinen sind uns heute die Elbgermanen (die Sueben) die Hauptvertreter der Irminonen, die Weser-Rhein-Germanen die Istwäonen und die Nordseegermanen die Ingwäonen.

Die Elbgermanen umfassen als vornehmstes Volk die Semnonen, dann die Hermunduren, die Langobarden, die Markomannen und die Quaden; sie sind also nichts anderes als die Sueben des Tacitus im engeren Sinn (ohne dessen östliche und nordöstliche „Sueben"). Sie teilen sich später. Die Alemannen, im wesentlichen ein Teil der Semnonen, ziehen seit Anfang des 3. Jh. n. Chr. nach Südwesten, nehmen bis zum 5. Jahrhundert Besitz von dem heutigen Südwestdeutschland und werden um 500 von dem Frankenkönig Chlodwig aus der Maingegend nach Süden verdrängt. Andere ziehen als „Sueben" in der Völkerwanderungszeit nach der Iberischen Halbinsel, die Hermunduren ins heutige Thüringen; die Langobarden wandern über die Ungarische Tiefebene nach Italien in die nach ihnen benannte Lombardei (zweite Hälfte des 6. Jahrhunderts) und werden dann dort bis zum 10. Jahrhundert romanisiert. Die Markomannen und die Quaden stoßen um Christi Geburt zum Main vor. Die letzteren ziehen im Jahre 8 v. Chr. nach Mähren, dann nach Oberungarn und verschwinden als selbständiger Stamm. Die Markomannen wandern nach ihrer Niederlage durch die Römer im Jahre 9. v. Chr. nach Böhmen und im 6. Jahrhundert wohl nach dem heutigen südlichen Bayern; seitdem ist der Lech die Stammesgrenze zwischen Baiern und Schwaben. Nach der Germanischen Wanderung (Völkerwanderung) lassen sich die

Alemannen-Sueben und die Baiern mit den Langobarden als Alpengermanen zusammenfassen.

Die Weser-Rhein-Germanen sind die späteren Franken und Hessen. Sie besiedeln die heutigen fränkischen Gebiete Deutschlands, die Niederlande, Teile Belgiens, Nordfrankreich sowie Hessen; ein Teil verschmilzt mit den Nordseegermanen.

Die Nordseegermanen erscheinen als Friesen, Angeln und Sachsen, später als Friesen, als Angelsachsen (die im 4./5. Jahrhundert England besetzen) und als (Nieder-) Sachsen.

Die Nordgermanen behalten ihre Sitze in Skandinavien, während die Ostgermanen oder Oder-Weichsel-Germanen, die Goten, die Burgunder und die Wandalen, die Stürme der Völkerwanderungszeit in besonderem Maße erleben. Reste der Ostgermanen auf der Halbinsel Krim sprachen noch bis ins 18. Jahrhundert das sog. Krimgotisch.

Auf Grund dieser Tatsachen ergibt sich die Möglichkeit, die germanischen Stammessprachen anders zu gliedern als seither (Kap. 16). Über die Vorgänge bei der Entstehung der Einzelsprachen wissen wir nichts Sicheres. Eine besondere Rolle wird der kulturelle Ausgleich bei der Völkermischung und bei der Auseinandersetzung mit fremden sprachlichen Elementen gespielt haben. Dazu ist die Wirkung von Verkehrsstrahlungen und Verkehrsschranken anzusetzen. Zweifellos vollzog sich aber bei der damaligen dünnen Besiedlung der sprachliche Ausgleich sehr langsam. Der Binnenverkehr war wie der Fernverkehr viel schwächer entwickelt als später; ein Einfluß der geschriebenen Sprache auf die Ausbreitung sprachlicher Neuerungen bestand nicht oder nur in unbedeutendem Umfang. So wird man immer wieder, wie wir es auch bei der Erscheinung des Umlauts taten, bei den einzelnen germanischen Stämmen eigenständige Entwicklung gemeinsamer sprachlicher Keime in Erwägung ziehen dürfen.

Die schriftliche Überlieferung germanischer Denkmäler ist zunächst sehr spärlich. Eine Ausnahme macht das Gotische: es ist uns in der Form der Bibelübersetzung des westgotischen Bischofs Wulfila (311 bis 382 oder 383) überkommen, die in der römischen Provinz Mösien südlich der unteren Donau entstand. Sie ist in einem von ihm selbst geschaffenen Alphabet geschrieben, das vorwiegend die griechischen Unzialen (abgerundete Großbuchstaben) übernimmt, aber auch einige lateinische Buchstaben und germanische Runenzeichen enthält. Das gotische Vaterunser lautet nach dem *Codex Argenteus*, der Silberhandschrift der gotischen Bibel (Uppsala):

Atta unsar þu in himinam, weihnai[1] *namō þein. qimai*[2] *þiudinassus*[3] *þeins. wairþai*[4] *wilja þeins, swē in himina jah ana airþai*[4]*. hlaif*[5] *unsarana þana sinteinan*[6] *gif uns himma daga, jah aflēt*[7] *uns þatei skulans*[8] *sijaima, swaswē jah weis aflētam þaim skulam unsaraim. jah ni briggais*[9] *uns in fraistubnjai*[10]*, ak lausei uns af þamma ubilin; unte þeina ist þiudangardi*[11] *jah mahts jah wulþus*[12] *in aiwins. amēn.*

1. spr. *wīchnai*, geheiligt werde; got. *ei* ist immer als *ī* zu sprechen – 2. komme – 3. Königreich – 4. spr. *werþai*, *erþai* – 5. Brot (Laib) – 6. täglich – 7. lasse nach – 8. Schuldner, schuldig – 9. spr. *bringais* – 10. Versuchung – 11. Königreich – 12. Herrlichkeit.

Die uns bekannte Inschrift des Helms von Negau führt wohl ins 3. Jahrhundert v. Chr. Seit dem 4. Jahrhundert n. Chr. sind urnordische Runeninschriften in Skandinavien erhalten, wo die Runenschrift zum Teil bis ins 18. Jahrhundert lebendig blieb. Nennenswerte westliche germanische Überlieferung setzt später ein: angelsächsische Runendenkmäler begegnen seit dem 7. Jahrhundert, aber erst seit der zweiten Hälfte des 8. Jahrhunderts sind uns größere Sprachdenkmäler in lateinischer Schrift überliefert.

16. VOM GERMANISCHEN ZUM DEUTSCHEN

Karten 1–3

Die sprachlichen Gegebenheiten

Welche Stellung nimmt nun das Deutsche innerhalb der Entwicklung der germanischen Sprachen ein? Es entsteht in einem Gebiet, das vorher keltisch und illyrisch besiedelt war und nun von den germanischen Siedlern durchdrungen wird. Nach der herkömmlichen Einteilung (Kap. 15) wird als Vorstufe des Deutschen das Westgermanische angesetzt. Dieser Begriff ist heute umstritten.

Westgermanische Übereinstimmungen

Es kann nicht übersehen werden, daß das Westgermanische, zu dem man das Deutsche (das Hoch- und das Niederdeutsche) und das Anglofriesische (das Angelsächsische und das Friesische) zu rechnen pflegt, sehr wichtige Gemeinsamkeiten aufweist.

1. Germ. *i* und *u* sind in unbetonter Stellung nach langer Silbe unterdrückt, nach kurzer Silbe erhalten: lat. *hostis* – ahd. *gast* Gast; got. *handus* – ahd. *hant;* dagegen ahd. *wini* Freund; got. *sunus* – ahd. *sun(u)* Sohn.

2. Vor folgendem *j*, gelegentlich auch vor *w*, *r*, *l*, *m*, *n* tritt Dehnung der Konsonanten ein (sog. *westgermanische Konsonantenverdopplung*, *-dehnung* oder *-gemination*): got. *wilja* – ahd. *will(e)o* Wille; got. *akrs* – ahd. *ackar* Acker.

3. Germ. ð (stimmhafter dentaler Reibelaut) erscheint in allen Stellungen als *d* (im Gotischen und Altnordischen nur teilweise): got. *biudan* (spr. *biuđan*), anord. *bioda* – asächs. *biodan*, ags. *bēodan*, afries. *biada* (ahd. *beotan*) bieten.

4. Zahlreiche *-z* (stimmhafte *s*-Laute, die im Gotischen stimmlos erscheinen) schwinden bei Endungen der Wortbeugung, vgl. got. *gasts* – ahd. *gast* Gast; got. *gibōs* – ahd. *gëbā* die Gaben.

5. In der Beugung des starken Zeitworts erscheint die 2. Pers. Ez. des Indikativs der Vergangenheit auf *-i:* ahd. *gābi* du gabst.

6. In der Wortbildung tritt nur im Westgermanischen das Suffix *-heit* auf: ahd. *magadheit*, asächs. *magadhēd*, ags. *mœgedhād* Jungfrauschaft.

7. Nur das Westgermanische kennt bestimmte Wörter wie *Geist*, *Knecht*, *Nachbar*, *Schaf* usw.

Skandinavisch-gotische Gemeinsamkeiten

Eindrucksvolle Übereinstimmungen zwischen dem Skandinavischen und dem Gotischen haben andererseits zur Zusammenfassung dieser beiden sprachlichen Gruppen unter dem Begriff des Ostgermanischen oder Gotonordischen geführt. Es handelt sich vor allem:

1. um die ähnliche Behandlung von urgerm. *jj*, das anord. als *ggj*, got. als *ddj* erscheint: altisl. *tueggia*, got. *twaddjē*, aber ahd. *zwaiio* (> *zweio*) zweier;

2. um das Verfahren bei urgermanisch *ww*, das im Ostgermanischen als *ggw* erscheint: urg. **trewwo*, altisl. *tryggue*, got. *triggwa* (aber ahd. *triuwo*) der Treue;

3. um das Auftreten von schwachen Zeitwörtern einer IV. Klasse auf *-nan:* altisl. *vakna*, got. *gawaknan* erwachen;

4. um die Endung *-t* der 2. Pers. Ez. der Vergangenheit der starken Zeitwörter: altisl. got. *gaft* du gabst.

Westgermanisch-skandinavische Neuerungen

Doch zeigen das Skandinavische und das Westgermanische verschiedene gemeinsame Neuerungen gegenüber dem Gotischen, die schon verzeichnet wurden (Kap. 14): beide kennen die Brechung unter den gleichen Bedingungen sowie den Umlaut vor *i* und *j;* beide wandeln germ. *ē* zu *ā*, *z* (stimmhaftes *s*) zu *r*, anlautendes *þl* zu *fl* und haben die reduplizierende Bildungsweise der Zeitwörter bis auf wenige Reste aufgegeben.

Anglofriesische Besonderheiten

Besonders stark aber wird die Sonderstellung des Westgermanischen auch dadurch erschüttert, daß einerseits das zum Westgermanischen gerechnete Anglofriesische vom Deutschen abweichende Besonderheiten aufweist, und daß dieses wieder sehr beachtenswerte Gemeinsamkeiten mit dem Gotischen hat. So erscheinen im Angelsächsischen und Friesischen die *a*-Laute des Westgermanischen meist als *e*-Laute: ahd. *saȥ* – ags. *sœt*, afries. *set* saß; ahd. *lāȥ(ȥ)an* – andererseits afries. *lēta* lassen. Vor Nasalen wird *a* des Westgermanischen zu *o:* ahd. *man* – ags./afries. *mon* Mann.

Gotisch-hochdeutsche Eigentümlichkeiten

Sehr bedeutsam sind die gotisch-oberdeutschen Übereinstimmungen gegenüber den angelsächsisch-friesisch-niedersächsischen, den „ingwäonischen“ Gemeinsamkeiten:

1. *n* ist im Gotischen und Althochdeutschen vor folgendem stimmlosem Reibelaut (*f*, *th*, *s*) bewahrt, im Anglofriesischen und Altniederdeutschen dagegen geschwunden: got./ahd. *fimf* – ags./asächs. *fīf* fünf; got. *anþar*, ahd. *ander* – ags. *ōđer*, asächs. *āđar*, *ōđar* ander; got./ahd. *uns* – ags./asächs. *ūs* uns. – Allerdings zeigt auch das Nordische Spuren des Nasalschwunds, vgl. altisl. *oss* uns.

2. *er* erscheint got. als *is*, ahd. als *ër*, was lautlich zusammengehört, dagegen ags. als *he*/*hē*, asächs./afries. als *he*/*hē*, *hi*/*hī*.

3. *mir*, *wir*, *wer* treten got. als *mis*, *weis*, *hvas*, ahd. als *mir*, *wir*, *(h)wër* auf, während das Anglofriesische und das Altsächsische Formen ohne *r* zeigen (ags. *me*/*mē*, *we*/*wē*, *hwā;* asächs. *mi* / *mī*, *wi* / *wī*, *hwē* / *hwie*).

4. Die Mehrzahl des Zeitworts hat im Gotischen und Althochdeutschen und auch im Niederfränkischen drei verschiedene Endungen, während das Anglofriesische und das Altsächsische nur eine Endung für die Mehrzahl kennen (Einheitsplural).

5. Das Gotische wie das Althochdeutsche weisen bei der Beugung des Eigenschaftswortes im 1. Fall der Einzahl Bildungen nach dem hinweisenden Fürwort auf (Kap. 14) vgl. got. sächl. *blindata*, ahd. *blintēr*, *blintiu*, *blintaʒ* (männl., weibl., sächl.) blind. Das Anglofriesische zeigt hier wie das Altsächsische Endungslosigkeit: asächs. *blind*, ags. *gōd*.

Folgerungen

Auf den Verschiedenheiten zwischen dem Deutschen und dem Nordseegermanischen (Ingwäonischen, also dem Angelsächsischen, Friesischen und Niedersächsischen) und auf den gotisch-deutschen Gemeinsamkeiten baute F. Wrede 1924 seine *Ingwäonentheorie* auf. Er ging davon aus, daß heute die ingwäonische Besonderheit des Ausfalls von *n* vor stimmlosen Reibelauten nicht nur im Raum zwischen Köln und Mainz und nordöstlich auftritt, sondern auch im Schwäbisch-Alemannischen (z. B. schwäb. *o's*/*au's* uns; *fai'f* fünf), und daß sowohl das Niedersächsische wie das Schwäbisch-Alemannische in der Wirklichkeitsform der Gegenwart den Einheitsplural aufweisen (Kap. 27). Er schloß, daß diese beiden Gebiete nach dem Verschwinden der römischen Herrschaft in Mittel- und Süddeutschland eine ingwäonische Einheit bildeten. Ihre Aufspaltung in zwei Teile hielt er für die Folge eines gotischen Vorstoßes von Bayern her zum Rhein. Nun ist von einem solchen Vordringen der Goten geschichtlich nichts bekannt. Vor allem aber wird Wredes Theorie durch zwei Tatsachen der Boden entzogen: der alemannisch-schwäbische Nasalschwund ist ebenso wie der dortige Einheitsplural um viele Jahrhunderte jünger als die entsprechenden nördlichen Erscheinungen, und beide haben mit diesen nichts zu tun.

Friedrich Maurer hat einen bestechenden Versuch unternommen, die sprachlichen mit den vorgeschichtlichen und geschichtlichen Tatsachen in Einklang zu bringen:

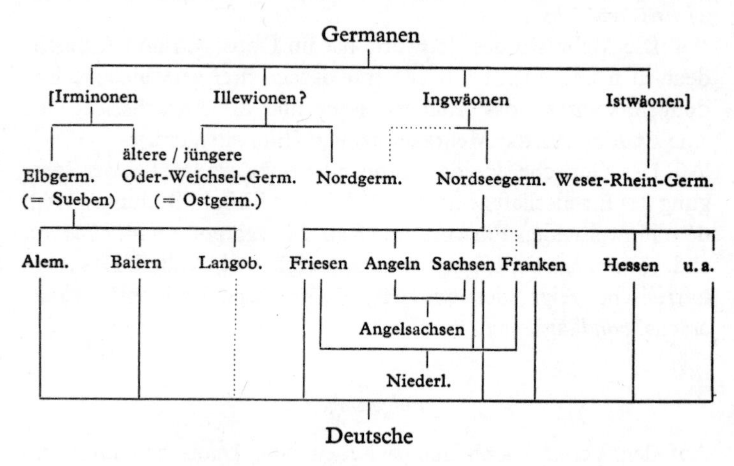

Gliederung der germanischen und deutschen Stämme

Nach F. Maurer, Nordgermanen und Alemannen, [3]1952, S. 135; leicht verändert.

Maurer ist der Meinung, daß es eine ursprüngliche westgermanische stammliche und sprachliche Einheit nicht gegeben habe, sondern daß sie sekundär erwachsen sei. Gegenüber den wichtigen gotisch-nordischen Übereinstimmungen stützt er sich auf zahlreiche oberdeutsch-nordische Gemeinsamkeiten (sie sind zum Teil in den oben angeführten westgermanisch-skandinavischen Übereinstimmungen enthalten); besonders wichtig ist dabei, daß nach dem Abrücken der Goten die nordgermanisch-elbgermanisch-nordseegermanische Nachbarschaft weiterbestand. Allerdings bleibt das Problem, wie dann die westgermanischen sprachlichen Gemeinsamkeiten zu erklären sind, welche die Hoch- und Niederdeutschen und die Friesen auf dem Festland wie die Angelsachsen auf der englischen Insel miteinander verbinden. Es ist die Frage, ob sie alle vor der Fahrt der Angeln und Sachsen nach England, also schon im 3.–5. Jh. n. Chr., entstanden sein können. Maurer bringt sie mit der politischen Strahlungskraft des Merowingerreiches in Verbindung. Dabei ist vorläufig allerdings noch nicht zu entscheiden, ob die Neuerungen von den Franken ausgegangen und von dort, etwa mit niederrheinisch-fränkischen Siedlern, auch zu den Angelsachsen gewandert sind, oder ob sie sich bei den Nordseegermanen entwickelt und dann im merowingischen Franken ausgebreitet haben. Der erste Weg würde, falls sich die niederrheinische Wanderung nach England als genügend umfangreich erweist, der starken politischen Stellung des Frankenreiches besser entsprechen. Bei all diesen Überlegungen darf aber doch immer wieder die Möglichkeit eigenständiger Entwicklung gleicher sprachlicher Keime erwogen werden, zu der dann Ausgleich durch den Verkehr trat. Vielleicht sind manche westgermasche Übereinstimmungen doch älter.

F. Neumann kam 1943 unabhängig von F. Maurer in wichtigen Punkten zu ähnlichen Ergebnissen wie dieser, geht aber dabei stärker von den Kultverbänden aus. Neuerdings hat E. Schwarz Maurers Einteilung mit der Neckels verbunden: er kennt wie Neckel zwei germanische Großgruppen, die Nordgermanen (zu denen auch die Ostgermanen zählen) und die Südgermanen. Innerhalb der letzteren faßt er die Elbgermanen und die Weser-Rhein-Germanen als Binnengermanen zusammen, aus denen die Deutschen hervorgehen, und er stellt ihnen die Nordseegermanen gegenüber, denen später die Angelsachsen und die Friesen entsprechen. Dieser Versuch der Vereinfachung berücksichtigt nicht, daß nicht nur die Binnengermanen, sondern auch bedeutende Gruppen der Nordseegermanen zu „Deutschen“ werden (der Großteil der Sachsen und ebenso die Friesen) und daß auch die Franken zum Teil Nordseegermanen sein werden. Abgesehen von dieser notwendigen Korrektur kann man der zusammenfassenden Bezeichnung Binnengermanen zustimmen. Doch scheint es richtiger, grundsätzlich von den archäologisch greifbaren Gruppen auszugehen.

Dagegen hebt Frings hauptsächlich auf die Gemeinschaft der Ingwäonen und Istwäonen (also der Nordseegermanen und der Weser-Rhein-Germanen, vor allem der Franken) und deren

Nachbarschaft mit den Nordgermanen ab, der er die Irminonen (Elbgermanen) und ihre früheren nachbarlichen Beziehungen zu den Goten gegenüberstellt. Die ingwäonisch-istwäonische Gemeinschaft erklärt ihm das Auftreten ingwäonischer Eigentümlichkeiten auch in Mitteldeutschland (so etwa von nd. *mi* für *mir*, *mich*, *he* für *er*, *ūs* für *uns*) und im Niederfränkisch-Niederländischen (vgl. neuniederländ. *mij* [spr. *mäi*] mir, mich, *hij* er, *vijf* fünf, aber *ons* uns). Die Verbindung des Ingwäonischen über Schleswig-Dänemark zum Skandinavischen ist ihm die Ursache ingwäonisch-nordischer Übereinstimmungen, z. B. der Entsprechung des Ausfalls von *n* vor Reibelauten in *uns* (asächs./ags. *ūs*, anord. *oss*) und der Form für *wie* (asächs. *hwō*, ags./anord. *hū*). Aus der alten Nachbarschaft der Irminonen (Elbgermanen) mit den Goten an der Ostsee erklärt Frings die oberdeutsch-gotischen Gemeinsamkeiten: got. *is*, ahd. *ër* er; Bewahrung von Nasal vor Reibelaut *(uns, fünf)* und von auslautendem *r* in unbetonter Stellung in *wir*, *mir*, *wer*.

Gleichgültig, ob man mit Maurer die elbgermanisch-nordgermanischen oder mit Frings die elbgermanisch- (irminonisch-) gotischen Übereinstimmungen in den Vordergrund stellt, die sich beide aus alter Nachbarschaft erklären lassen, gleichgültig auch, ob im einzelnen die Sprachwissenschaftler (neben den Genannten auch C. Borchling und C. Karstien), zum Teil auf Grund der abweichenden Auffassungen der vor- und frühgeschichtlichen Forschung, besonders auch in der Westgermanenfrage verschiedene Wege gehen, eines darf heute als feststehend gelten: die Entstehung des Hoch- und des Niederdeutschen aus einer gemeinsamen „urdeutschen" Vorstufe ist widerlegt. Deutsch ist nicht mehr wie nach den früheren Anschauungen als „Urdeutsch" der Ausgangspunkt einer Entwicklung, sondern das Ergebnis eines Ausgleichs. Es wuchs, soweit wir heute sehen, seit dem 5. Jahrhundert aus drei germanischen Zweigen zusammen: aus einem nordseegermanischen (dem festländischen Ingwäonischen, vor allem dem Niedersächsischen), aus einem weserrhein-germanischen (dem Istwäonischen, namentlich dem Fränkischen) und aus einem südlichen, elb- (alpen-) germanischen (dem Irminonischen), der Sprache der alten Sueben, der späteren oberdeutschen Stämme der Alemannen, Baiern und Langobarden. Daß auf dem Festland schon früh ein engerer sprachlicher Zusammenhang zwischen den Elbgermanen (Alpengermanen), den Weser-Rhein-Germanen und den Nordseegermanen bestand, dafür mag auch folgende Tatsache sprechen: das ihnen gemeinsame Verhältniswort *von* (ahd. *fona* < *fana;* asächs./afries. *fan, fon;* andl. *fan*) ist dem Angelsächsischen (ebenso wie dem Gotischen und Nordischen) fremd.

Mit dem Ende der Germanischen Wanderung und der Begründung des fränkischen Staates lassen wir die *vordeutsche Sprachperiode* beginnen. Es ist die Zeit, da durch den Ausbau des Frankenreiches der Grund für die Entstehung des Deutschen, das noch nicht in zusammenhängenden Texten bezeugt ist, gelegt wird (5. Jahrhundert bis etwa 750).

II. DER WEG DER DEUTSCHEN SPRACHE

17. DAS WORT „DEUTSCH“

Die Bezeichnung deutsch bietet hinsichtlich ihrer sprachlichen Form wie vor allem ihrer ursprünglichen Bedeutung gewisse Schwierigkeiten. Zunächst tritt sie in der lateinischen Form *theodiscus* in der Karolingerzeit auf, zuerst 786. Damals berichtet der romanische Bischof von Ostia und Amiens, daß auf einer angelsächsischen Synode die Beschlüsse einer voraufgehenden Kirchenversammlung *tam latine quam theodisce* verlesen wurden. 801 wendet sich Karl der Große in einem Kapitular in Italien gegen das Verbrechen unerlaubter Entfernung aus dem Heer, „quod nos *teudisca lingua* dicimus herisliz (Heeresbruch)“. Bischof Frechulf von Lisieux spricht um 825 im Zusammenhang mit den Goten und Franken von *nationes Theotiscae*. 840 tritt bei Walahfried Strabo neben *Theotiscum sermonem* das Wort *Theotisci* auf, und 842 ist in Nithards Bericht über die doppelsprachigen Straßburger Eide anläßlich der Teilung des Frankenreiches die Rede von *Teudisca* und *Romana lingua*. In Otfrids Evangelienharmonie (um 860) steht in der lateinischen Einleitung *theotisce;* im deutschen Text liest man *frengisk* fränkisch, was hier wohl im gleichen, weiteren Sinn gemeint ist.

Erst zweihundert Jahre nach dem Auftreten der lateinischen Form, in der ottonischen Zeit, finden sich Belege für die deutsche Form des Wortes. Notker der Deutsche (955–1022) gebraucht das Wort *diutisc;* in Glossen vor und nach Notker finden sich auch Formen mit anlautendem *th* und *t* und innerem *d*.

Dagegen begegnet seit etwa 880, also hundert Jahre nach der ersten Bezeugung von *theodiscus*, das schon dem klassischen Latein bekannte Wort *teutonicus* neben *Teutoni;* es wird bald häufiger als jenes. Schon im 8. Jahrhundert werden auch die Bezeichnungen *Germania*, *Germani*, *germanicus* gebraucht (so von Bonifatius).

Der Form nach gehört das Wort *deutsch* ohne Zweifel zu got. *þiuda* Volk (*þai þiudō* die Heiden), zu frühalthochdeutsch *theota*, daneben *diot* Volk (erhalten etwa in *Dietrich* = Volk + Herrscher).

Mit ihm hängen die lateinischen Formen *theodiscus*, *theotiscus*, *teudiscus* zusammen; Weisgerber hat wahrscheinlich gemacht, daß ihnen ein westfränkisches **þeudisk*, **þeodisk* vorausging, von dem die mittellateinischen Bezeichnungen stammen können. Ihm entsprechen ahd. *diutisc*, mndl. *dietsc*, *duutsc*, afz. *tie(d)*eis. Das Schwanken der Schreibung zwischen innerem *d* und *t* kann landschaftssprachlich sein. Im Anlaut entsprechen sich *th* und *d* (ahd. *th* wird > *d*, Kap. 20); *t* erklärt sich wohl durch den Einfluß der lateinischen Formen und von *teutonicus*. Im Mittelhochdeutschen steht *diutsch* neben *tiu(t)sch*. Die *d*-Formen überwiegen im Niederdeutschen, während in Süddeutschland die Schreibung mit *t* bis in die Goethezeit bevorzugt wurde. In der Klopstockzeit bekam sie noch eine Stütze: damals erfand man ja den germanischen Gott *Teut* als Stammvater der Deutschen. Das ihnen als Niederdeutschen vertraute, etymologisch richtige anlautende *d* vertraten Gottsched und Adelung.

Überblickt man die Belege, die oben nur in spärlicher Auswahl angeführt werden konnten, so wurde *theodiscus* „volksmäßig“ zunächst von der Sprache, dann erst vom Volk gebraucht. Es wurde benützt im Sinne von *vulgaris* und bezeichnete (wie Otfrids *ingethiuti*) anfänglich die Volkssprache gegenüber dem Latein; es bedeutete wohl zuerst *germanisch*, später dann *fränkisch*. Dafür spricht neben Äußerungen wie der Frechulfs vor allem die Tatsache, daß *theodiscus* auch außerhalb des Frankenreichs gebraucht wurde, so etwa in England gleich bei seinem ersten bezeugten Auftreten 786, und daß es nach 800 auch für das Gotische wie um 825 bei Frechulf für die Goten stand. *Teutonicus* dagegen wird von Anfang an in der Bedeutung *deutsch* gebraucht, und zwar, wie wir sahen, für die Sprache und, in der Form *Teutoni*, auch für das Volk. Wir dürfen vielleicht annehmen, daß *theodiscus* unter dem Einfluß von *teutonicus*, das damit gleichgesetzt wurde, als die Bezeichnung der nicht romanisierten gegenüber den romanisch sprechenden Franken die eingeschränkte Bedeutung *deutsch* bekam. Die Benennungen *Germania*, *Germani*, *germanicus* werden vorwiegend im geographischen Sinne gebraucht.

Eine endgültige Entscheidung über die Entwicklung der Bedeutung des Wortes, das seit dem 12. Jh. auch in französischen Ortsnamen erscheint, ist aber wohl nicht möglich, nicht zuletzt auch deshalb, weil der Bedeutungsumfang gerade bei ethnischen Bezeichnungen in früheren Jahrhunderten noch mehr schwankte als später (vgl. heute z. B. *schwäbisch, rheinisch* usw.).

18. ZEITLICHE GLIEDERUNG DES DEUTSCHEN

Während Jacob Grimm das Wort *deutsch* in dem weiten, wohl ursprünglichen Sinne von *germanisch* faßte, verstehen wir heute darunter das Hoch- und Niederdeutsche. Man wird aber für das Mittelalter, unbeschadet seiner besonderen sprachgeschichtlichen Stellung, auch das Niederländische* dazurechnen, das in der Neuzeit seinen eigenen Weg geht; es stellt den größeren Teil des Niederfränkischen dar, zu dem sich friesisches und niedersächsisches Gebiet gesellt (der kleinere Teil des Niederfränkischen liegt innerhalb der deutschen politischen Grenzen am Niederrhein; Karte 14).

Wir rechnen die deutsche Sprache von der Karolingerzeit, also etwa von 750 an (schriftliche Bezeugung seit etwa 770). Die Zeit von rd. 450, seit dem Ende der germanischen Wanderung und der Begründung des fränkischen Staates, bis 750 bezeichneten wir ja als *vordeutsche Sprachperiode* (Kap. 16). Die herkömmliche zeitliche Gliederung teilt die deutsche Sprachgeschichte in die *althochdeutsche* Zeit (meist bis zum Ende des 11. Jahrhunderts), in die *mittelhochdeutsche* Periode (bis zum Beginn des 16. Jahrhunderts) – beide auch zusammengefaßt in der Benennung *altdeutsche* Zeit – und in die *neuhochdeutsche* Epoche. Diese Bezeichnungen bringen die wichtige Tatsache nicht zum Ausdruck, daß auch das Niederdeutsche (Niedersächsisch und Niederfränkisch) zum Deutschen gehört. Es ist heute schwer, die eingebürgerte Ausdrucksweise zu ändern. Doch erscheinen für das Altdeutsche die Benennungen *frühmittelalterliches* oder *Frühdeutsch* und *hoch- und spätmittelalterliches Deutsch* günstig. Zu ihnen fügt sich dann das

* Es wurde im Mittelalter *dietsch, duutsch* genannt, während seit dem 16. Jahrhundert *Nederduitsch* mit *Nederlandsch* im Wettbewerb steht, das sich dann seit etwa 1815 durchsetzt. Neben den beiden Bezeichnungen galt auch längere Zeit einfaches *Duits(ch);* heute sind auch *Hollands* (besonders im Norden) und *Vlaams* (vor allem im Süden) in Gebrauch.

Neudeutsche oder *Neuhochdeutsche;* da in dieser Epoche das Hochdeutsche in der Form einer allgemein anerkannten Einheitssprache eine unbestritten beherrschende Stellung bekommt und das Niederdeutsche fast ausschließlich als gesprochene Mundart erscheint, ist die herkömmliche Bezeichnung hier am meisten gerechtfertigt, zumal der Ausdruck *neudeutsch* schon in verschiedenstem Sinn gebraucht wird.

Aber auch die übliche Periodisierung als solche ist problematisch. Einmal bestehen große Unterschiede der Entwicklung in den einzelnen Landschaften. Und dann (diesen Mangel teilt sie allerdings mit allen zeitlichen Gliederungen) erweckt die Einteilung den Eindruck, als ob zwischen den einzelnen Epochen scharfe Einschnitte bestünden. Die Sprache kennt aber wie jede Entwicklung nur Übergänge, keine Zäsuren. Man hat darum zwischen das Mittelhochdeutsche und das Neuhochdeutsche eine (an sich wohlbegründete) Zwischenperiode eingeschoben, das *Spätmittelhochdeutsche* und *Frühneuhochdeutsche*, das man von der Mitte des 14. bis zum Anfang des 17. Jahrhunderts rechnet. Doch ist damit die erstrebte klarere Abgrenzung der Epochen auch nicht erreicht; außerdem müßte man dann mit ähnlichem Recht auch zwischen das Althochdeutsche und das Mittelhochdeutsche eine Übergangsperiode (das *Spätalthochdeutsche* und *Frühmittelhochdeutsche*) einschieben. Vor allem begibt sich der (von Scherer angeregte) Versuch eines wichtigen Vorteils: er verzichtet auf die Übereinstimmung mit der üblichen zeitlichen Gliederung der politischen wie der Kulturgeschichte. Es scheint deshalb richtig, für die Zwecke dieser Darstellung die neudeutsche Zeit um 1500 beginnen zu lassen, zumal die Begründung der neuhochdeutschen Einheitssprache ein überaus einschneidendes Ereignis in der Entwicklung des Deutschen darstellt. Es ergibt sich also folgende Einteilung:

Vordeutsch (2. Hälfte des 5. Jhs. bis etwa 750)

Frühdeutsch (*frühmittelalterliches Deutsch;* etwa 750–1170)
= *Althoch- und Altniederdeutsch. – Jüngeres Frühdeutsch (etwa 1050–1170)*

Hochmittelalterliches Deutsch (etwa 1170–1250)
Spätmittelalterliches Deutsch (etwa 1250–1500)
} = *Mittelhoch- und Mittelniederdeutsch*

Neu(hoch)deutsch (seit etwa 1500).

19. UMFANG DES DEUTSCHEN SPRACHRAUMS

Karten 3 und 14

Entwicklung

In der Zeit der Völkerwanderung hatten sich die Grenzen des germanischen Siedlungsgebiets, das um Christi Geburt nach Osten weit in heute slawische oder madjarische Räume, nach Westen bis zum Rhein reichte und sich nach Süden bis zum Main vorschob (Kap. 15), wesentlich nach Westen und nach Süden verlagert. Im Osten strömten in die von den Germanen verlassenen Gebiete Slawen und asiatische Stämme ein: Elbe und Saale wurden die germanisch-slawische Volksgrenze. Auch im heutigen Österreich ließen sich Slawen nieder, und im ungarischen Raum, der vor der Völkerwanderung weithin in der Hand der Germanen war, lösten sich nacheinander die Hunnen, die Awaren und die Madjaren ab.

So war in der frühdeutschen Zeit der deutsche Sprachraum erheblich kleiner als später: bis zum 8. Jahrhundert gehörten weder die östliche Mark (das heutige Österreich) noch die heutige Südschweiz, Obersachsen, Schlesien und die anderen ostelbischen Gebiete dazu. Andererseits erstreckte sich zeitweise das Gebiet des „Deutschen" erheblich weiter südlich und westlich nach Italien und nach Frankreich: im 6. Jahrhundert eroberten die Langobarden Oberitalien; sie wurden bis zum 10. Jahrhundert romanisiert, und auch in Frankreich entschied sich der Kampf zwischen Westfränkisch und Romanisch zugunsten des letzteren. Umgekehrt gingen vom 8. bis 11. Jahrhundert große rätoromanische Gebiete im Süden (Schweiz, Südtirol) und ein Teil des Galloromanischen im Westen in das Deutsche auf.

Seit dem 6. Jahrhundert besiedelten die Baiern, innaufwärts ziehend, den Raum Tirol einschließlich Südtirol. Die weitere Ausdehnung der bairischen Mundart nach Südtirol erfolgte bis zum 14. Jahrhundert; einerseits rückte das Deutschtum weiter vor und andererseits gingen die Rätoromanen zum Deutschen über.

Vom 5.–9. Jahrhundert erfolgte die alemannische Besiedlung der bis dahin rätoromanischen Urschweiz. Das Rätoromanische ging zumeist in das Alemannische auf, dessen Grenze gegen das Romanische sich in der Schweiz wie in Vorarlberg und Liechtenstein im Lauf des Mittelalters herausbildete.

Ins 8. Jahrhundert fällt der Beginn der Ostkolonisation. Im oberdeutschen Raum entstand die bairische östliche Mark. Im 8. Jahrhundert, nach den Awarenkriegen Karls des Großen, schob sich die Ostgrenze der bairischen Mundart zunächst bis über die Enns vor; sie wanderte im 9./11. Jahrhundert weiter nach Osten, bis sie ungefähr die heutige österreichisch-ungarische Staatsgrenze erreichte. Der Hauptteil Kärntens und der Steiermark wurde seit dem 8. Jahrhundert eingedeutscht.

Im 11. Jahrhundert setzte von Mitteldeutschland aus die Ausbreitung des Deutschen nach Obersachsen und Schlesien ein, wobei auch Siedler aus dem Süden und aus dem Norden beteiligt waren. Die Eindeutschung dieser Gebiete war bis zum 12./13. Jahrhundert beendet. Langsam begann sich der Bereich der deutschen Sprache auch in Schleswig und in die nördlichen ostelbischen Gebiete vorzuschieben, die besonders seit dem 12. Jahrhundert dem Deutschen gewonnen wurden. Seit 1226 war der Deutsche Orden in Ostpreußen tätig. Im 13. Jahrhundert kamen Deutsche auf dem Seeweg auch ins Baltikum.

Um dieselbe Zeit breitete sich das Deutsche von Süden, Westen und Norden her nach Böhmen aus; es wurde dann später im 15. Jahrhundert, in den Hussitenkriegen, wieder zurückgedrängt. Im 12./13. Jahrhundert ziehen Angehörige verschiedener deutscher Stämme, besonders aus West- und Mitteldeutschland, nach Siebenbürgen. Nun entstehen auch die älteren deutschen Sprachinseln der Slowakei, vor allem in der Zips.

Vom Anfang des 18. bis zum 19. Jahrhundert erfolgt eine neue, große Südost- und Ostkolonisation. Nach der Beendigung der Türkenkriege werden deutsche Siedler aus der Pfalz und aus Südwestdeutschland in das ehemalige Ungarn, in das Buchenland (Bukowina) und nach Galizien gerufen. Die russische Regierung wirbt deutsche Kolonisten aus den gleichen Bereichen, aber auch aus dem niederdeutschen Kolonialraum, die nach Bessarabien, an das Schwarze Meer, an die Wolga und bis in den Kaukasus gelangen. Auch in Polen entstehen deutsche Sprachinseln, besonders zu der Zeit, als nach den polnischen Teilungen „Südpreußen“ weit nach Osten reichte.

Ein anderer Auswandererstrom geht vom 18. Jahrhundert an gleichzeitig nach Nordamerika, seit dem 19. Jahrhundert auch nach Südamerika. In Nordamerika hat sich neben kleineren Sprachinseln das *Pennsylvaniendeutsch (Pennsilfaanisch)* in einem geschlossenen Gebiet erhalten. Verstärkt wird das Deutschtum in Nord- und Südamerika seit dem 20. Jahrhundert durch die „Sekundärwanderungen" von Deutschen aus Rußland und aus Südosteuropa. Im 19. und 20. Jahrhundert entstehen außerdem in den ehemaligen deutschen Kolonien in Afrika kleinere Gebiete deutscher Sprache. Gleichzeitig geht das Wendische in der Lausitz und das Kaschubische im östlichen Hinterpommern und in Westpreußen zugunsten des Deutschen zurück.

Auf der anderen Seite hat jedoch der deutsche Sprachbereich in der Neuzeit zum Teil erhebliche Einbußen erlitten. So ist die deutsche Sprache im Westen an einzelnen Punkten, z. B. bei Metz (im Nord- und Südosten) seit dem Mittelalter zurückgewichen. Auch im Süden ging ihr Bereich im 19./20. Jahrhundert zurück: die Sieben und die Dreizehn Gemeinden östlich des Gardasees wurden fast ganz romanisiert. Auf niederländischem Gebiet entwickelte sich seit dem Hochmittelalter eine besondere Gemeinsprache, deren Träger sich der entwicklungsgeschichtlichen Verbindung mit der deutschen Sprache im allgemeinen nicht mehr bewußt sind. In Südafrika entstand daraus das Afrikaans. Das Niederländische hat gegenüber dem Romanischen bedeutend an Raum verloren: noch im 17. Jahrhundert sprach man über Boulogne hinaus flämisch, im 18. Jahrhundert bis westlich Calais, während heute das Gebiet des Flämischen nur noch bis Gravelingen westlich Dünkirchen reicht.

Sehr einschneidend ist die Schrumpfung des deutschen Sprachraums seit dem Zweiten Weltkrieg. Durch Umsiedlung der Deutschen verschwanden 1940/42 die Sprachinseln des Baltikums, Wolhyniens, des Buchenlands, Bessarabiens, des Schwarzmeergebiets und der Gottschee; auch ein Teil der Südtiroler Deutschen wurde ausgesiedelt. Nach 1945 erfolgte die Aussiedlung der meisten Deutschen in Schlesien, Hinterpommern, Ostpreußen, Westpreußen, Polen, der Tschechoslowakei und Ungarn nach Deutschland. Die Deutschen in Jugoslawien wurden, soweit sie nicht nach Österreich und Deutschland flohen, innerhalb des Landes ausgesiedelt; sie haben die Nachkriegsjahre nur zum kleineren Teil überstanden. Die obengenannten deutschen Sprachinseln in Rußland gibt es nicht mehr: ihre Bewohner sind z. T. in Sibirien angesiedelt worden. Gesamtdeutschland hat etwa 12 Millionen Deutsche als Flüchtlinge und Heimatverwiesene aufgenommen.

Heutiger Stand

Wie Karte 14 zeigt, fällt von der Nordsee her die heutige deutsche Sprachgrenze gegen das Niederländische bis nördlich Aachen mit der Staatsgrenze zusammen. Westlich der Staatsgrenze ist ein Gebiet um Eupen und Malmedy deutschsprachig. Ebenso gehört Luxemburg zum Gebiet der deutschen Sprache; an dessen Westgrenze, bei Arlon-Arel, liegt auch in Belgien wieder ein deutscher Streifen. Die Sprachgrenze verläuft dann westlich Diedenhofen an der Mosel, westlich Zabern und auf dem Vogesenkamm. Sie geht seit kurzem durch Biel, dann am Bieler und Neuenburger See vorbei (ihr Westrand ist französisch, ihr Ostrand deutsch), wendet sich östlich nach Freiburg in der Schweiz, das gemischtsprachig ist, dann zu den Berner Alpen, südlich zur Rhone, zu den Walliser Alpen und zum Monte Rosa, der trotz des italienischen Namens zum deutschen Sprachgebiet gehört (deutscher Name Gorner Horn). Von hier verläuft die Sprachgrenze bis zum St. Gotthard südlich der Rhone in den Walliser Alpen, dann auf der Nordkette dem Vorderrhein entlang bis Chur. Oberhalb Churs befinden sich große deutsche Sprachinseln am Vorder- und Hinterrhein in rätoromanischem Gebiet.

Im oberen Inntal ist das schweizerische Engadin rätoromanisch, der österreichische Teil deutsch. In Südtirol spricht man im oberen Etschgebiet deutsch bis zum Ortler; die Sprachgrenze geht dann über die Etsch unterhalb Bozens zum Pustertal, das deutsch ist. Sie verläuft zunächst südlich der Drau (Villach ist deutsch), später nördlich der Drau (Marburg spricht windisch-slowenisch).

Von der Drau folgt die Grenze bis zur Donau im wesentlichen der heutigen österreichisch-ungarischen Staatsgrenze, doch war das Gebiet um Ödenburg, der Ostteil des Burgenlandes, bis nach dem Zweiten Weltkrieg deutsch besiedelt.

Von der Donau bis zur Görlitzer Neiße fällt die Sprachgrenze heute zusammen mit den Grenzen Österreichs, Bayerns und Sachsens gegenüber der Tschechoslowakei. Bis 1945 reichte die Sprachgrenze über die tschechoslowakische Grenze hinüber nach Norden bis vor Brünn, nach Westen bis vor Pilsen, bis zur Ostseite des Fichtelgebirges, bis zur Elbe bei Leitmeritz und bis zu den Oderquellen.

Im weiteren Verlauf nach Norden folgt sie derzeit der Görlitzer Neiße und der Oder, während bis zum Ende des Zweiten Weltkriegs Schlesien, Hinterpommern und Ostpreußen nebst Sprachinseln in Westpreußen zum deutschen Sprachgebiet gehörten.

An der deutsch-dänischen Sprachgrenze im Norden spricht heute im Osten die Insel Alsen dänisch, die Stadt Flensburg vorwiegend deutsch, im Westen Sylt friesisch, Tondern dänisch.

Von den deutschen Sprachinseln im Osten und Südosten Europas bestehen nur noch die in Rumänien (Siebenbürgen, Banat und Sathmar), dazu teilweise die in Ungarn und Polen, die zusammen etwa 1000000 Deutsche zählen. In der Tschechoslowakei mögen noch 250000, in den besetzten Ostgebieten etwa 1000000 Deutsche leben (davon über 800000 in Schlesien), in Sowjetrußland etwa 1500000.

20. DAS FRÜHMITTELALTERLICHE DEUTSCH

Stammessprachen, Literaturidiome

Etwa 750–1170

(Karten 3 und 9)

Vorliterarisches – geschriebenes Deutsch

Das frühmittelalterliche Deutsch (Althochdeutsch und Altniederdeutsch) tritt uns in der Form von Stammessprachen entgegen. Es ist ein werdendes Deutsch; an seinem Anfang stehen Sprachen germanischer Stämme, die ein ausgeprägtes Sonderbewußtsein hatten. Langsam entwickelt sich als Folge der politischen Zusammenfassung im fränkischen Reich in den Herzogtümern der Franken, Alemannen, Baiern, Thüringer, später der Sachsen ein gemeinsames Volks- und Sprachgefühl. Erst im 11. Jahrhundert hebt sich das Deutsche gegen die Nachbarsprachen, gegen das Romanische, Dänische, Slawische, Rätoromanische als Ganzheit ab. Ähnlich langsam wie die Vorstellung entwickelt sich auch die zusammenschließende Bezeichnung *deutsch* (Kap. 17). Im Westen kam die Romanisierung der Franken unter Karl dem Großen zum Stillstand.

Man teilt die Stammessprachen so ein: Bairisch, Alemannisch, Langobardisch, Ost-, Südrheinfränkisch (oberdeutsch), Rhein-, Mittel-, Westfränkisch, Thüringisch (mitteldeutsch), Niederfränkisch und Nieder-(Alt-)sächsisch (niederdeutsch, wozu frühdeutsch noch der ripuarische Teil des Mittelfränkischen gehört); die ober- und mitteldeutschen Mundarten faßt man als hochdeutsche zusammen.*

Das frühe Deutsch lebt bis zur Mitte des 8. Jahrhunderts in vorliterarischer Form; erst seit der Karolingerzeit ist umfangreicheres Sprachgut überliefert, und zwar in der üblichen Schriftform der Zeit, in lateinischen Kleinbuchstaben (Minuskeln). Neben die abendländische Einheitssprache, das Latein, tritt nun im Frankenreich die geschriebene Nationalssprache – deutsche und romanische Schreibidiome. Das Neue entspringt zunächst den Bedürfnissen der christlichen Missionisierung, es entsteht aber auch aus einem sich ausprägenden Sonderbewußtsein, bei den Deutschen daneben aus dem für ein Jahrtausend nie ganz erlöschenden Bestreben, es dem Westen – Rom, später Frankreich – gleichzutun. Nicht nur echtes religiöses Empfinden, auch der Stolz auf die heimische Sprache und das starke fränkische Stammesgefühl, ja wohl schon ein frühes Nationalempfinden spricht aus Otfrids Versen, mit denen er ganz im Sinne des Prologs zur *Lex Salica* begründet, warum er seine Evangeliendichtung *theotisce*, „deutsch", schrieb (I. 1, 31–34; 123–126):

Nu es filu manno inthīhit, in sīna zungūn scrībit,
joh īlit, er gigāhe, thaȝ sīnaȝ io gihōhe:
Wanana sculun Frankon einōn thaȝ biwankōn,
ni sie in frenkisgon biginnen, sie gotes lob singen?
. . . .

* Hoch-, ober- und niederdeutsch sind ursprünglich geographische Bezeichnungen und stammen in der sprachlichen Bedeutung aus dem 15./16. Jahrhundert; 1593 erscheint auch die Benennung Mitter Teütsch.

Nu frewen sih es alle, sō wer sō wola wolle,
joh so wer sī hold in muate Frankōno thiote,
Thaʒ wir kriste sungun, in unsera zungūn,
joh wir ouh thaʒ gilebētun, in frenkisgon nan lobōtun!

Da es viele Menschen unternehmen, in ihrer Sprache zu schreiben, und sich beeilen daranzugehen, das Ihrige (ihren Ruhm) stets zu erhöhen, weshalb sollen die Franken allein es entbehren, daß sie auf fränkisch beginnen, Gottes Lob zu singen? . . . Nun freuen sich alle darüber, jeder, der es gut meint, und jeder, der im Herzen dem Volk der Franken geneigt ist, daß wir Christus besangen in unserer Sprache, und wir auch das erleben, daß wir ihn auf fränkisch lobten!

Das Frühdeutsche ist in literarischer Form überliefert; die gesprochene Sprache ist uns nur in zwei kleinen Gesprächsammlungen, Sprachführern für Ausländer, erhalten. Es ist die Sprache der Kirche und der Klöster; die frühdeutschen Übersetzer und Dichter sind Mönche und Kleriker. Die Sprache der übrigen Stände bleibt uns weithin verschlossen.

Die Sprache des karolingischen Hofs war wohl rheinfränkisch, nicht niederfränkisch; wenigstens spricht bei den Straßburger Eiden 842, anläßlich des Zwists Karls des Kahlen von Westfranken und Ludwigs des Deutschen von Ostfranken mit ihrem ältesten Bruder Lothar, Ludwig romanisch, sein Vertragspartner Karl rheinfränkisch. Man darf annehmen, daß man sich am Hofe bemühte, landschaftsprachliche Eigenheiten zu vermeiden, aber ob es eine „karolingische Hofsprache“ als Schreibsprache gegeben hat, ist sehr unsicher. Überlandschaftliche Bildungen entstehen im Bereich der deutschen Sprache erst im Hoch- und Spätmittelalter. Neuerdings hat man zwar darauf hingewiesen, daß sich in Reichenauer Glossen Ansätze zu einer ostfränkisch-alemannischen Ausgleichssprache zeigen. Doch handelt es sich um eine rein gelehrte Bemühung, die der Erleichterung des wissenschaftlichen Austausches zwischen der Reichenau und Fulda dienen sollte. Vor allem trat im Frühdeutschen ein gewisser unbeabsichtigter sprachlicher Ausgleich in den schriftlichen Aufzeichnungen ein, da die Tradition der Schreibstuben oft unabhängig von der örtlichen Mundart war und von den Schreibern bestimmt wurde. So schrieb man etwa im Kloster Reichenau zunächst fränkisch, dann alemannisch, seit 840 unter Walahfrid Strabo fuldisch. Auch der Umstand, daß das lateinische Alphabet nicht genügend Zeichen für die deutschen Laute hatte, trug zu einer gewissen Vereinheitlichung bei. Aber es gab keine gemeinsame Hochsprache, nur Schreibstubensprachen.

Die erhaltenen Denkmäler gingen aus von einigen literarischen Mittelpunkten, Benediktinerklöstern und geistlichen Schreibstuben. Hauptstätten deutscher literarischer Tätigkeit waren im alemannischen Umkreis vor allem die Klöster St. Gallen, Reichenau und Murbach im Elsaß, in Bayern die Bischofssitze Regensburg, Salzburg, Freising und die Klöster St. Emmeram und Monsee, in Ostfranken das Kloster Fulda, das auf rheinfränkischem Boden als ostfränkische Siedlung gegründet wurde, sowie der Bischofssitz Würzburg. Auf rheinfränkischem Gebiet wirkten die Klöster Lorsch und Weißenburg im Elsaß, im mittelfränkischen Bereich die Bischofsstadt Trier, während wir die bedeutenden altsächsischen Beiträge (vor allem den Heliand) bis jetzt meist nirgendwo örtlich anknüpfen können. Vom Langobardischen und von der Sprache des Westfrankenreiches (im heutigen Frankreich), die beide im Romanischen aufgingen, haben sich keine größeren Texte erhalten.

Man weiß, daß die Merowinger Anteil nahmen an der heimischen Sprache. So wird z. B. von Chilperich I. mitgeteilt, daß er dem lateinischen Alphabet vier neue Zeichen (für *ā*, *ō*, *w*, *th*) beigefügt habe, um es zur Wiedergabe heimischer Laute geeigneter zu machen. Karl der Große war germanischer Fürst und (nach Alkuin) Herr des christlichen Volkes zugleich. Er veranlaßte eine Sammlung heimischer Lieder (die dann später von Ludwig dem Frommen vernachlässigt wurde und unterging), gab den Monaten und Winden deutsche Namen und faßte den Plan zu einer deutschen Grammatik. Vor allem aber stellte er die heimische Sprache in den Dienst christlicher Missionierung: damit die Getauften vom Geist des Christentums tiefer berührt würden, ließ er kirchliche Texte ins Deutsche übertragen und eine Sammlung deutscher Predigten anlegen. Es entstehen auch jetzt Übertragungen christlicher Gebete und biblischer und theologischer Stücke. Karls Nachfolger setzten die eingeschlagene Bahn allerdings nur zum Teil fort. Doch regte wahrscheinlich Ludwig der Fromme zum Zwecke der Sachsenmission den niedersächsischen Heliand an, und Otfrids Evangelienharmonie ist Ludwig dem Deutschen gewidmet.

So sind uns aus der Karolingerzeit neben einigen Resten vorchristlicher Dichtung (vor allem Hildebrandslied, Zaubersprüche) und Glossensammlungen vorwiegend Denkmäler aus dem kirchlichen Raum, Übertragungen aus dem Latein und christliche Dichtungen missionarischer Bestimmung erhalten; keine frühgermanische Literatur und Sprache trägt so sehr geistlichen Charakter wie die frühdeutsche. Unter den sächsischen Kaisern erfolgt dann im 10. Jahrhundert die Rückwendung zum Latein. Das Deutsche – ein noch nicht aufgehellter Vorgang – verschwindet in der überlieferten Dichtung, obwohl diese deutsch empfunden ist und zu einem Teil auch heimischen Stoff behandelt (Ähnliches wiederholt sich später im deutschen Humanismus): Notkers des Stammlers Sequenzen, die Dramen der Hrotsvith von Gandersheim, das Heldenepos von Walther und Hildegund, das Tierepos vom Entweichen des Gefangenen *(Ecbasis captivi)*, der ritterliche Roman Ruodlieb sind lateinisch geschrieben. Doch bedient sich zu klösterlichen Lehrzwecken Notker der Deutsche von St. Gallen (gest. 1022) der deutschen Sprache – zum Mißfallen vieler seiner Mitbrüder, sogar seines Schülers Ekkehards IV., denen das Deutsche als „barbarisch" erschien. Er überträgt Psalmen und schafft als erster eine wissenschaftliche deutsche Prosa, vor allem durch die Übersetzung des Werks *De consolatione Philosophiae* des Boethius.

Schwierig war es für die frühdeutschen Verfasser, die heimischen Laute in den Buchstaben des lateinischen Alphabets wiederzugeben. Diese reichten, wie Otfrid schmerzlich empfand, nicht aus. So ergaben sich Ungenauigkeiten und Abweichungen in der Darstellung der Laute. Das Lateinische hatte z. B. keine besonderen Zeichen für lange Laute: man bezeichnete sie deshalb (wenn überhaupt) durch Akzente oder aber, wie das unten abgedruckte St. Galler Glaubensbekenntnis zeigt, durch Doppelbuchstaben *(erstoont, liip)*. Es war auch nicht möglich, die frühdeutschen geschlossenen und offenen *e*- und *o*-Laute zu unterscheiden und den Umlaut genau zu bezeichnen. So wird frühdeutsch der geschlossen gesprochene Umlaut von *a* ebenso mit einem *e* wiedergegeben wie das offene germanische *e*, das unsere Grammatiken mit *ë* bezeichnen (*gesti* Gäste; *gëban* geben). *h* steht für *ch*, *ph* für *pf* (*naht* Nacht, *phlastar* Pflaster). Notker der Deutsche versuchte, ein eigenes, wohldurchdachtes System der Rechtschreibung durchzuführen, das der Aussprache gerecht werden sollte; er ist der Phonetiker unter den althochdeutschen Schriftstellern.

Entwicklung des heimischen Spracherbes

Das Frühdeutsche ist gekennzeichnet durch die noch weithin bewahrten vollen Endungsvokale, die es in die Nähe der alten indoeuropäischen Sprachen, etwa des Griechischen und des Lateins, stellen. Darum vor allem hat es gegenüber den späteren Formen der deutschen Sprache einen ganz anderen Klangcharakter. Ein frühes St. Galler Glaubensbekenntnis in alemannischer Mundart mag einen Eindruck von dem klanglichen Reichtum der althochdeutschen Sprache geben, zugleich aber auch von den Übersetzungsschwierigkeiten:

> *Kilaubu in kot fater almahtīcun, kiscaft*[1] *himiles enti erda enti in Ihesum Christ sun sīnan ainacun, unseran truhtīn*[2], *der inphangan ist fona uuīhemu*[3] *keiste, kiporan fona Mariūn macadi ēuuīkeru, kimartrōt in kiuualtiu Pilates, in crūce pislacan, tōt enti picrapan, stehic*[4] *in uuīʒʒi*[5], *in drittin take erstoont fona tōtēm, stehic in himil, sizit aʒ zesuūn*[6] *cotes fateres almahtīkin, dhana chuumftīc ist sōnen*[7] *qhuekhe*[8] *enti tōte. Kilaubu in uuīhan*[3] *keist, in uuīha khirihhūn catholica, uuīhero kemeinitha*[9], *urlāʒ suntīkero*[10], *fleiskes urstōdalī*[11], *in liip*[12] *ēuuīkan, amen.*

1. Geschöpf, hier = Schöpfer – 2. Herr – 3. heilig – 4. stieg – 5. Hölle – 6. zur Rechten – 7. sühnen, richten – 8. die Lebendigen – 9. Gemeinschaft der Heiligen – 10. Nachlaß der Sünder = der Sünden – 11. Auferstehung – 12. Leben.

Zweite Lautverschiebung (Karte 4)

Die wichtigste Veränderung der deutschen Sprache in ihrer Frühzeit ist die zweite, althochdeutsche Lautverschiebung. Sie betrifft die in der ersten Lautverschiebung entstandenen germanischen Laute *p*, *t*, *k*, die nach Vokalen zu *ff*, *ʒʒ*, *hh (ch)*, im Anlaut, nach Mitlauten und bei Verdoppelung zu *pf*, *z (tz)*, *kch* (ostfr. *k*) verschoben werden, und *b*, *d*, *g*, die als aobdt. *p*, *t*, *k*, ostfr. *b*, *t*, *g* erscheinen: got. *twai*, ahd. *zwei* zwei; got. *itan*, ahd. *ëʒʒan* essen; got.

dags, ahd. *tak/tag* Tag. Auch jetzt entstehen also (ähnlich wie bei der ersten Lautverschiebung) neue Reibelaute, und es treten an die Stelle der verschobenen germanischen neue ahd. (aobdt.) *p*, *t*, *k*.

Die Lautverschiebung beginnt wohl spätestens im 5. Jahrhundert in Oberdeutschland. Für die Festlegung des Eintritts ist die Form des Namens *Attila* von einer gewissen Bedeutung. Er ist gotischen Ursprungs *(Väterchen)* und erscheint mittelhochdeutsch mit verschobenem *tt* (und Umlaut) als *Etzel*. Da Attila 453 starb, kann der Beginn des Lautwandels kaum später als in die Mitte des 5. Jahrhunderts gesetzt werden; aber wir wissen nicht, ob die Verschiebung nicht nachträglich stattgefunden hat und auch nicht, in welcher Landschaft sich die Aufnahme des Wortes vollzogen hat. Ähnliches gilt für ein althochdeutsches Lehnwort aus dem Gotischen, mhd. *mūte* Maut, got. *mōta* Zoll, das keine Verschiebung des *t* zeigt. Das Wort muß vor der Vernichtung des ostgotischen Reiches in Italien (552) übernommen worden sein. Früheste sprachliche Zeugnisse für die zweite Lautverschiebung weisen ins Alemannische, so die Runeninschrift der Wurmlinger Lanzenspitze (Ende des 6. oder Anfang des 7. Jahrhunderts) *Idorīh* oder *Dorīh* (spr. *-ch*). Im 7. Jahrhundert erscheint sie auch zum Teil bei den Langobarden (Edictus Rothari 643), ebenso in den alemannischen bzw. ostfränkischen Ortsnamen *Ziaberna* Zabern, *Ziurichi* Zürich und *Ascapha* Aschaffenburg, im 7./8. Jahrhundert im Rheinfränkischen, später erst im Mittelfränkischen.

Wir müssen annehmen, daß sich die Veränderungen von Oberdeutschland aus langsam nach Norden ausbreiteten. Die einzelnen Neuerungen werden allerdings nicht gleichmäßig weit vorgetragen, und es entsteht eine räumliche Staffelung der Erscheinungen von Süden nach Norden; das Oberdeutsche führt die Neuerung am vollständigsten durch, das Mitteldeutsche nur teilweise, und das niederdeutsche Gebiet wird von ihr überhaupt nicht erfaßt. So stehen etwa nebeneinander:

got.	aobdt.	ostfr.	asächs.	nhd.
kalds	*(k)chalt*	*kalt*	*kald*	*kalt*
baíran (spr. *beran*)	*përan*	*bëran*	*bëran*	*(ge)bären* (tragen)
giban	*këpan*	*gëban*	*gëƀan*	*geben*
daúhtar (spr. *dochtar*)	*tohter*	*tohter*	*dohtar*	*Tochter*

Seit dem 10. Jahrhundert wird teilweise aobdt. *k* durch fränkisches *g*, seit dem 11. bair. *p* durch fränkisches *b* ersetzt. Einem begründeten Herkommen gemäß sind auch in dieser Darstellung die althochdeutschen Beispiele in ostfränkischer Form angeführt, die sich mit der üblichen Schreibung der mittelhochdeutschen Dichtersprache und mit dem neuhochdeutschen Lautstand deckt.

Wir wissen nichts Sicheres über die Gründe, die zu diesem so entscheidenden Lautwandel führten, der bis heute das deutsche Sprachgebiet in einen hochdeutschen und in einen niederdeutschen Teil trennt und das Hochdeutsche von allen übrigen germanischen Sprachen scheidet; seine Abstufungen spiegeln sich in den heutigen Mundarten, wenngleich zum Teil mit veränderten Abgrenzungen, noch wider (Kap. 27). Wie bei der ersten Lautverschiebung ist auch bei der zweiten die Frage, ob sie durch innere oder äußere Ursachen hervorgerufen wurde. Da sie von den mit Kelten und Romanen siedelnden Oberdeutschen ausging und bei diesen am weitesten durchgeführt wurde, hat man an eine Beeinflussung durch die Sprache dieser Fremdvölker gedacht. Wir können auch nicht sagen, wie die Neuerung vom Süden aus gegen Norden vordringen konnte, welche Kräfte dabei wirksam waren, welches die genaue Rolle der südlichen deutschen Stämme (der Baiern, der Alemannen, der Langobarden) und die des fränkischen Reiches dabei war. Vieles spricht dafür, daß der Wandel von den Alemannen ausging; auf jeden Fall kommt ihnen eine große Bedeutung für seine Aufnahme bei den Franken zu. Es ist auffallend, daß sich trotz der politischen Vormachtstellung der Franken eine so einschneidende oberdeutsche Wandlung in diesem Maße durchsetzen konnte. Der Süden scheint gleich beim Beginn der deutschen sprachlichen Entwicklung die Führung zu übernehmen.

Andere Veränderungen

Offenbar gingen vom Süden auch einige andere frühdeutsche Veränderungen von Mitlauten aus: die Wandlung von *th* > *đ* > *d* (*thër* > *dër* der) und das Schwinden von *w* vor *l* und *r* sowie von *h (ch)* vor *l*, *r*, *n*, *w* im Anlaut (**wrëhhan* > *rëhhan* rächen, *hring* > *ring* Ring usw.); im Niedersächsischen bleibt *w* erhalten *(wrëkan)*, während *h* erst später beseitigt wird.

Schon in vorliterarischer Zeit, seit dem 7. Jahrhundert, entwikkelte sich germ. *ai* > ahd. *ei*, aber vor *h*, *w*, *r* > *ē* (*meist* am meisten, aber *mēr* mehr), während germ. *au* > ahd. *ou*, vor Dentalen und *h* dagegen > *ō* wurde (*ouga* Auge, jedoch *rōt* rot). Auf hochdeutschem Gebiet treten diese Veränderungen zuerst im Fränkischen auf; das Niederdeutsche hat sie in viel größerem Umfang durchgeführt (vgl. *mēst; ōga*). Man hat darum vermutet, daß sie vom Norden ausgingen und mit nachlassender Wirkung nach Süden vordrangen. Auch den Ursprung des Umlauts von *a* > *e*, der vor *i* oder *j* der folgenden Silbe seit dem 8. Jahrhundert eintritt (außer vor *hs* und *ht; lamb – lembir* Lamm – Lämmer, aber *nahti* Nächte), wollte man im Norden suchen; das Oberdeutsche hat ihn in vielen Fällen nicht durchgeführt. Noch in frühdeutscher Zeit ergriff er auch andere Laute. Allerdings ist immer die Möglichkeit zu erwägen, daß manche dieser Neuerungen im Keim in den landschaftlichen Sprachen angelegt waren und sich zum Teil selbständig entwickelten.

Für andere Veränderungen nimmt man heute fränkische Herkunft an und erblickt in ihrer Ausbreitung eine Wirkung der politischen Vormachtstellung der Franken. Es handelt sich um die Wandlung von germ. $\bar{e}^2$ > ahd. *ia* > *ie* und von *ō* > ahd. *ua* > *uo* im 8./9. Jahrh.: got. *hēr*, *brōþar*, ahd. *hier*, *bruoder* hier, Bruder; im Altsächsischen erhielten sich meist die alten Längen *(hēr, brōdar)*. Diese wie andere, gleich zu nennende Neuerungen haben Entsprechungen im Altfranzösischen; wahrscheinlich sind sie im doppelsprachigen Gebiet zwischen Loire, Schelde, Maas, Rhein und Mosel entstanden. Namentlich begann sich seit dem 10. Jahrhundert, ebenfalls zuerst im Fränkischen, der Klangcharakter des Frühdeutschen durch die allmähliche Abschwächung der vollen Endungsvokale zu *e* oder durch ihr Schwinden stark zu verändern; dadurch vor allem vollzieht sich der Übergang zur mittleren Periode des Deutschen.

Der im Frühdeutschen noch sehr reiche Bestand an Formen zeigt deutlich eine Entwicklung zur Vereinfachung, die bis ins Neuhochdeutsche fortschreitet. An die Stelle des synthetischen Baus der Sprache tritt mehr und mehr die analytische Struktur – eine Entwicklung, die schon im Germanischen angebahnt war (Kap. 14). So macht seit dem 11. Jahrhundert der Instrumental mehr und mehr Umschreibungen durch Verhältniswörter wie *mit*, *durch*, *von* Platz, und man setzt bei der Beugung des Zeitworts immer häufiger das persönliche Fürwort. Bei Otfrid begegnet etwa *maht lësan* neben *thu maht lësan* du kannst lesen. Im Altsächsischen erscheint wie im Anglofriesischen in der Gegenwart der Wirklichkeitsform der aus der 2. Pers. Mz. stammende ingwäonische Einheitsplural (Kap. 16): *nëmad (-at, -ad)* wir, sie nehmen, ihr nehmt. Eine analytische Form der Zukunft wird mit *sollen* und *wollen* (erst im Spätmittelalter auch mit *werden*) gebildet: *scal, wil, wahsan* (spätmhd. *ër wird wahsende)* er wird wachsen.

Eng war naturgemäß unter den Merowingern und Karolingern, in deren Reich Germanen und Romanen teilweise gemischt wohnten, die Berührung mit dem werdenden Französischen. So entsteht etwa zu gleicher Zeit in beiden Sprachen ein bestimmtes Geschlechtswort aus dem hinweisenden Fürwort und ein unbestimmtes aus dem Zahlwort *ein*, in beiden entwickelt sich das Wort für *Mensch* zu einem unbestimmten Fürwort *(man, on)*. Gemeinsam ist beiden auch die Einführung der mit *haben* und *sein* umschriebenen Vergangenheit und einer analytisch (frühdeutsch mit *sein* oder *werden*) gebildeten Leideform.

Wortschatz

Der frühdeutsche Wortschatz tritt uns fast nur im geistlich-gelehrten Bereich entgegen. Daß er umfangreicher war, wird auch durch eine Reihe von Zeitwörtern auf germ. *tt, pp, kk* bezeugt, die erst im Mittelhochdeutschen auftreten, wie etwa *snitzen*, schnitzen, *strupfen* streifen, *wacken* wackeln; man hat vermutet, daß sie als derb empfunden wurden und darum nicht in das frühdeutsche gelehrte Schrifttum eingingen. Die Vergeistigung der Sprache zeigt sich vor allem in dem reichen Ausbau der Abstrakta durch Bildungssilben auf *-heit, -scaf(t), -tuom, -nissi, -unga, -ōt(i)* bzw. *uot(i), -ī* usw., vgl. *einōti* Einöde, *heilunga* Heilung, *liubī* Freude, Liebe. Daneben entstehen auch zahlreiche Neubildungen durch Zusammensetzungen: *gasthūs* Herberge, *nahtscato* nächtlicher Schatten.

Fremde Einwirkungen

Das Deutsch des Frühmittelalters zeigt die Wirkung des griechischen und vor allem des lateinischen, aber auch des irischen und des angelsächsischen Einflusses. Griechisches und lateinisches

Lehngut drang schon in vordeutscher Zeit ein. Griechische Entlehnungen wanderten bis zum 5. Jahrhundert vor allem über den Donauraum ein, besonders im Zusammenhang mit der gotischen arianischen Mission: *Pfingsten (pentēkostḗ hēméra* fünfzigster Tag nach Ostern), bair. *Ertag* Dienstag (*zu Ares*) und *Pfinztag* Donnerstag (zu *pénte* fünf), *Samstag* (ahd. *sambaȝtag*, vulgärgriech. *sámbaton*, griech. *sábbaton*), dann *Pfaffe*, *Teufel*. Wohl von den griechischen Christen in Trier stammt *Kirche*, während *Bischof* durch römische Vermittlung über die Alpen aus Italien kommt. Der römische Einfluß nimmt, wie besonders Frings im einzelnen gezeigt hat, einen doppelten Weg: von Italien aus über Süddeutschland und vom romanisierten Gallien aus vor allem über Trier nach Westdeutschland und nach England. Auf der ersten Straße wanderten nur wenige Wörter ein, z. B. *Naue* Fährschiff (< lat. *navis*), auf der zweiten wesentlich mehr. Dem südlichen *opfern*, ahd. *opharōn* (< lat. *operari*) entspricht im Norden asächs. *offrōn*, andl. *offron* (< lat. *offerre*). Aus dem Westen kamen etwa *Priester*, *Kloster*, *Mönch*, *Schindel*, *Schuster*, *Kelter*, außerdem die Namen der Wochentage *Sonntag*, ahd. *sunnūntag*, lat. *Solis dies*; *Montag*, ahd. *mānatag*, lat. *Lunae dies; Dienstag*, ahd. *zīostag (Ziutag)*, lat. *Martis dies*, noch erhalten in alem.-schwäb. *Ziistig*, *Zei'stig* (*Dienstag* geht auf mnd. *dingesdach* zurück, das zu dem niederrheinischen Beinamen von Mars, *Thingsus*, gehört; im Bistum Augsburg gilt die Bezeichnung *Aftermontag*, welche den Namen des Gottes vermeidet). Lat. *Mercurii dies* hat eine mittelniederdeutsche Entsprechung *Wōdensdach* (ags. *Wōdnesdœg;* neunld. *Woensdag);* spätahd. tritt dafür (von Südeuropa her) das Wort *mittawĕcha Mittwoch* ein, das die Erinnerung an Wodan vermeidet. *Donnerstag*, ahd. *donarestag* entspricht lateinisch *Jovis dies*, *Freitag*, ahd. *frīatag*, lat. *Veneris dies*, während das lateinische *Saturni dies* für *Samstag* etwa in niederrhein.-westfäl. *Saterdag* usw. weiterlebt (ags. *Sœtern[es]-dœg;* neunld. *Zaterdag*); die md./nd. Form *Sonnabend*, ahd. *sunnūn āband*, bedeutete zunächst Vorabend des Sonntags und stammt aus der angelsächsischen Missionssprache.

Kennzeichnend für diese ältere, großenteils vordeutsche Schicht von Entlehnungen ist, daß sie wie die heimischen Wörter die zweite Lautverschiebung durchmachen. Die früheren lateinischen Lehnwörter weisen deutlich auf den höheren Stand der technischen

Kultur der Römer zurück. Sie beziehen sich auf den Wohnungsbau (Steinbau) und auf Einrichtungsgegenstände: ahd. *mūra*, lat. *mūrus* Mauer, lat. *fenestra* Fenster, *porta* Pforte (auch in dem Ortsnamen *Pforzheim*). Andere betreffen Speisen und Getränke, die Einrichtung der Küche und Nutzpflanzen: *vīnum* Wein, **atēcum (acētum)* Essig, *pirum* Birne, *rādīcem* Rettich, *plantare* pflanzen usw. Viele Ausdrücke für Einrichtungen des Handels und des Verkehrs sowie manche der Verwaltung und des Kriegswesens sind lateinischer Herkunft: aus lat. *caupo* Schankwirt entwickelt sich ahd. *koufen* kaufen, aus *monēta* Münze, aus *Caesar* Kaiser, aus *strāta* *Straße*, aus *vallum* Wall, aus *mīlia* Meile.

Die jüngeren Lehnwörter werden zumeist von der zweiten Lautverschiebung nicht mehr betroffen. Neben Ausdrücken des kirchlichen Bereichs (*pelegrinus* Pilger, *templum* Tempel) vermittelt das Kloster viele Wörter für kulturelle Einrichtungen, aber auch für Speisen, Küchengeräte und Gartenpflanzen: *abbas* Abt, *scōla* Schule, mittellat. *pergamēnum* Pergament, mittellat. **brachiatellum* (Ärmchen) Brezel, *rōsa* Rose, *lactūca* Lattich usw. Das heimische Wort für *schreiben*, ahd. *rīȝan* reißen (noch erhalten in *Reißbrett*, *Reißzeug;* engl. *to write*) wird ersetzt durch das Lehnwort *scrīban* aus lat. *scrībere;* lat. *brevis* wird über vulgärlat. **brēvis* zu ahd. *briaf* Brief.

Andere Schichten von Lehnwörtern des 6. bis 8. Jahrhunderts stehen im Zusammenhang mit der irischen, der angelsächsischen und der fränkischen Mission. Aus dem Irischen kommt das Wort *Glocke* (erst kurz vor 800). Die gotisch-süddeutsche Bezeichnung *wīh ātum* für den Heiligen Geist wird durch den Ausdruck *heilag geist* (ags. *hālig gāst*) der nördlichen angelsächsischen Mission verdrängt, und neben ahd. *evangelio* und *cuatchundida* (gute Kunde) für Evangelium tritt unter dem deutlichen Einfluß von ags. *godspëll* das Wort *gotspël.* Auch *heilant* für lat. *salvator* ist ein angelsächsisches Lehnwort. Fränkischer Missionierung verdankt das Niederfränkische die Bezeichnungen für die Taufpaten: ndl. *peter*, *meter* (frz. *parrain*, *marraine*).

Wenn ein ausländischer Gelehrter einmal sagte, das Frühdeutsche sei Latein in deutschen Lauten, so trifft dies nicht zu. Doch ist das junge geschriebene Deutsch dem lateinischen Vorbild aufs stärkste verpflichtet. Vor allem hatte die Notwendigkeit, mehr und mehr Geistiges und Seelisches in der heimischen Sprache auszudrücken, einen nachhaltigen Einfluß des Lateins besonders auf den Wortschatz und den Satzbau, aber auch auf die Wortbildung des Frühdeutschen zur Folge. Man muß die Leistung der übersetzenden Mönche sehr hoch einschätzen. Wenn man einen Blick in ihre Werkstatt wirft, erkennt man ihre häufig tastenden Versuche, den theologischen, ethischen, philosophischen Inhalt in dem spröden Stoff der Muttersprache zu formen. Oft müssen sie sich mit annähernden Übertragungen begnügen, oft unterlaufen ihnen auch Fehlübersetzungen; so wird z. B. in dem St. Galler Credo, wie wir sahen, *factorem coeli* (Schöpfer des Himmels) mit *kiscaft himiles* (Geschöpf des Himmels) wiedergegeben. Es entstehen nun sehr viele Lehnprägungen, also Lehnbildungen und Bedeutungslehnwörter (Lehnbedeutungen). Lehnbildungen sind (nach der Einteilung von W. Betz) Lehnübersetzungen (Glied-für-Glied-Übersetzungen) wie *sangāri* Sänger für *cantor*, *wolatāt* Wohltat für *beneficium*, Lehnübertragungen (Teilübertragungen) wie *salmsang* Psalter für *psalterium*, *fersagēn* verneinen für *negāre*, endlich Lehnschöpfungen (formal unabhängige Lehnbildungen) wie *findinga* für *experimentum* Erfahrung, *ursuahhida* für *examen* Prüfung. Besonders zahlreiche heimische Wörter wurden umgedeutet, vor allem in christlichem Sinn. Solche Bedeutungslehnwörter sind z. B. *got* (ursprünglich *ein* Gott) für *Deus*, *truhtīn* (eigentlich Gefolgsherr) für *dominus* Herr (= Gott), *sunt(e)a* Sünde (von Hause aus das Übel ohne ethische Bedeutung) für *peccatum*. Bedeutungslehnwörter finden sich auch häufig in den philosophischen Schriften Notkers des Deutschen; er schafft einen deutschen philosophischen Wortschatz, an den aber leider die spätere Zeit nicht anknüpfte. Er setzt etwa *sin* Sinn für lat. *sensus*, *mens*, *intelligentia*, *ingenium;* *strīt* Streit für *causa* Streitpunkt usw. Doch bleiben seine Eindeutschungsbemühungen weithin Episode, da bald das Latein als Sprache der Wissenschaft wieder an die Stelle des Deutschen tritt.

Auch Bildungssilben dringen aus dem Lateinischen ein, vor allem *-ārius*, das als *-āri* erscheint: mlat. *molīnārius*, ahd. *mulināri*, asächs. *mulineri* Müller.

Vor allem aber stand das Latein auch Pate bei der Entstehung des frühdeutschen Schreibstils; während das gesprochene Frühdeutsch einen sehr einfachen Satzbau zeigt, ist das geschriebene

Gelehrtensprache und hält sich stark an das lateinische Vorbild. Unter seiner Einwirkung entwickelt sich, zum Teil aus germanischen Ansätzen, der Nebensatz, der lateinische Formen zeigt wie den Akkusativ mit Infinitiv (er könnte auch heimischen Ursprungs sein) oder das absolute Partizip: *ir quĕdet mih wĕrphan diuvala (dicitis ejicere me demonia)* ihr sagt, daß ich Teufel austreibe (Tatian 62, 3); *inphanganemo antwurte (responso accepto)* nach Empfang der Antwort (Tatian 8, 8).

So groß war die Anziehungskraft des kirchlich-lateinischen Vorbilds, daß der germanische Stabreimvers, der nach englischem Beispiel auch bei der Darstellung christlicher Stoffe verwendet wurde, in der zweiten Hälfte des 9. Jahrhs. wohl nach dem Muster der christlichen Hymnen durch den lateinischen Endreimvers ersetzt wurde; an die Stelle des Lautreims tritt also der Silbenreim. Das Vaterunser der sächsischen Bibeldichtung, des stabreimenden Heliand (Heiland; vor 840), beginnt:

Fadar ūsa firiho barno,
thu bist an them hōhon himila rīkea,
geuuīhid sī thīn namo uuordo gehuuilico. (1600–1602)

Vater unser der Menschenkinder, du bist in dem hohen Himmelreich, dein Name werde geheiligt mit jedem Wort ...

In Otfrids endreimender Evangeliendichtung (um 860) steht: der Anfang des Gebets

Fater unsēr guato, bist druhtīn thū gimyato
in himilon io hōhēr; wīh sī namo thīnēr. (II. 21, 27f.)

Unser guter Vater, du bist der freundliche Herr immer hoch in den Himmeln; heilig sei dein Name ...

Man hat mit Recht betont, daß auch lautliche Veränderungen des Frühdeutschen den Verlust des Stabreims beschleunigten, vor allem das schon erwähnte Verstummen von *w* und *h* im Anlaut vor Mitlauten. Stabreimende Wortverbindungen der heutigen Sprache sind zum Teil altes Gut: so findet sich z. B. *word endi werk* Wort und Werk im Heliand, *hūs inti hof* Haus und Hof bei Otfrid; dazu treten etwa *Mann und Maus*, *Küche und Keller*. Auf der anderen Seite begegnen mit Silben-(End-)Reim *grōni endi skōni* grün und schön im Heliand, ebenso später dann *Gut und Blut*, *Rat und Tat*, *schlecht und recht* (= schlicht und recht) usw.

Jüngeres Frühdeutsch

Im jüngeren Frühdeutsch (etwa 1050–1170) wird die Abschwächung der unbetonten Endsilben sichtbar. Die Monophthongierung von *ia/ie* > *ī* und von *ua/uo* > *ū* wie die Diphthongierung von *ī, ū* > *ai, au* beginnt (Kap. 21). Der *i*-Umlaut breitet sich aus und fängt an, sich auch auf andere Selbstlaute als *a* auszudehnen. Vor allem wird das literarische Deutsch langsam aus der unmittelbaren Vormundschaft des Lateins entlassen, stellt sich, besonders in der Versdichtung, immer mehr auf eigene Füße. Zum Teil begegnet (wie bei Notker, aber aus anderen Gründen) deutsch-lateinische Mischsprache. Seit den 40er Jahren des 12. Jahrhunderts öffnet sich die weiterhin gebietlich bestimmte Sprache der Dichtung stärker der – durchaus gottbezogenen – Welt. Hauptgewinn der frühdeutschen Zeit ist ein gemeinsames Sprach- und Volksbewußtsein (vgl. *diutisch* im Annolied).

Namenbildung

Sehr zahlreich sind die Entlehnungen, die das Französische dem deutschen Wortschatz und dem Kreis deutscher Personennamen entnimmt (Kap. 14). Gemeinsam ist zum Teil aber auch, wie wir schon sahen, die Bildung der Ortsnamen; wie germ. *-ing* franz. *-ange*, *-inge* entspricht, so stammen umgekehrt die um 700 bezeugten *-weiler*-Namen wohl aus Gallien und gehören zu lat. *vīllāre* Gehöft, während älteres *-heim* vielleicht eine Lehnübersetzung von lat. *vīlla* darstellt. Ortsnamen wie Kastel, Bernkastel an der Mosel und am Mittelrhein gehen auf lat. *castellum* zurück, und nd. *-wiek*, ndl. *-wijk* entwickelt sich aus lat. *vīcus* Dorf (*Brūnswīc* Braunschweig). Ihnen tritt dann die sehr häufige Bildung auf *-hūsen* an die Seite. Damit entstehen nun in den deutschen Landschaften Gruppen von gleich oder ähnlich gebildeten Namen, die (wie alle Arten von Namen) oft nur im Zusammenhang mit der ganzen Gruppe erklärt werden können. Viele Ortsnamen tragen jetzt christliches Gepräge. So erscheinen in Ortsbezeichnungen Kapelle *(Kappel)*, Kirche *(Feldkirch)*, Münster *(Kreuzmünster)*, Zelle *(Zell, Radolfzell)*, Heiligennamen (*St. Blasien*, *St. Gallen*, *St. Märgen* – zu Maria). Seit dem Beginn des 11. Jahrhunderts sind auch zahlreiche deutsche Flurnamen bezeugt.

21. DAS HOCHMITTELALTERLICHE DEUTSCH

Stammessprachen – Literatur- und Schreibidiome – Höfische Dichtersprache

Etwa 1170–1250

(Karte 10)

Äußere Sprachform

Das Deutsch des Hoch- und Spätmittelalters (Mittelhochdeutsch, Mittelniederdeutsch, Mittelniederländisch) ist uns meist in gotischer Schrift (Fraktur) überliefert. Es unterscheidet sich in seinem lautlichen Charakter vom Frühdeutschen vor allem dadurch, daß in unbetonter Stellung die vollen Vokale im allgemeinen zu *e* abgeschwächt oder überhaupt unterdrückt sind: ahd. *taga*, mhd. *tage* Tage; ahd. *nimit*, mhd. *nim(e)t* nimmt. Dieser Lautwandel ist in den Texten zu Beginn der Periode im wesentlichen schon durchgeführt. Ein Vergleich des frühdeutschen, südrheinfränkischen Vaterunsers aus dem Weißenburger Katechismus mit einer Umschreibung des Gebets durch den mittelhochdeutschen Dichter Reimar von Zweter macht die klangliche Veränderung deutlich. Die Worte des althochdeutschen Vaterunsers sind:

Fater unsēr, thū[1] *in himilom bist, giuuīhit sī*[2] *namo thīn. quæme*[3] *rīchi thīn. uuerdhe uuilleo thīn, sama*[4] *sō in himile endi in erthu*[1]. *Broot unseraȥ emeȥȥīgaȥ*[5] *gib uns hiutu. endi farlāȥ uns sculdhi unsero. sama sō uuir farlāȥȥēm scolōm unserēm. endi ni gileidi unsih*[6] *in costunga*[7]. *auh*[8] *arlōsi unsih*[6] *fona ubile.*

1. *th* wird ursprünglich gesprochen als stimmloser Reibelaut wie das stimmlose engl. *th*, hier wohl schon als *d* – 2. geheiligt werde – 3. komme – 4. wie – 5. fortwährend – 6. spr. *unsich* – 7. Versuchung – 8. spr. *auch;* sondern.

Reimars Umschreibung lautet:

Got, vater unser, dā du bist
in dem himelrīche gewaltic alles des dir ist[1],
geheiligt sō werde dīn nam, zuo müeȥe uns komen daȥ rīche dīn.

Dīn wille werde dem gelīch
hie ūf der erde, als in den himeln, des gewer unsich[2].
nu gib uns unser tegelich brōt, unt swes wir dar nāch dürftic sīn[3].
Vergip uns allen sament unser schulde,
als dū wilt, daȝ wir durch dīne hulde
vergeben, der wir ie genāmen
deheinen schaden[4], *swie grōȝ er sī:*
vor sünden kor[5] *so mache uns vrī,*
unt lœse uns ouch von allem übele. āmen.

1. gewaltig über alles, was dir gehört – 2. gewähre uns – 3. und was wir sonst brauchen – 4. denen, von denen wir je irgendeinen Schaden erlitten – 5. Versuchung.

Der *i*-Umlaut dehnt sich zum Teil noch im Frühdeutschen weiter aus auf alle umlautbaren Selbstlaute und tritt auch vor *hs* und *ht*, vor *i* und *j* der übernächsten Silbe und vor *ī* und *ei* ein: jetzt wird *a* > *ä*, *o* > *ö*, *u* > *ü*, *ā* > *æ*, *ō* > *œ*, *ū* > *iu (ǖ)*, *uo* > *üe*, *ou* > *öu* (*nähte* Nächte, *hiuser* Häuser, *ärweiȝ* Erbse). Vom Süden geht die Entwicklung von *sk* > *sch* aus (ahd. *scōni* > mhd. *schœne*); seit dem 13. Jahrhundert wird, zuerst im Alemannischen, *s* > *sch* vor *l*, *m*, *n*, *w* und (ebenso wie *ȝ*) nach *r* sowie bei anlautendem *sp* und *st* (*snē* Schnee, *kirse* Kirsche, *hirȝ* Hirsch usw.). Im allgemeinen tritt auch Verschärfung der weichen Mitlaute im Auslaut ein (*tac – tages* Tag; *stoup – stoubes* Staub; *nīt – nīdes* Neid; *hof – hoves* Hof).

Die Abschwächung der unbetonten Endsilben bringt auch eine wesentliche Vereinfachung des Formenbaus mit sich. So zeigt das Althochdeutsche etwa für verschiedene Fälle der *ō*-Klasse (*Gabe* usw.) noch fünf Endungen, die jetzt in zwei zusammenfallen: ahd. Ez. 1. 2. 4. F. *gëba*, 3. F. *gëbu* und Mz. 1. 4. F. *gëbā* erscheinen als mhd. *gëbe;* ahd. Mz. 2. F. *gëbōno* und 3. F. *gëbōm* als mhd. *gëben.*

Landschaftliche Verschiedenheiten

(Karten 4, 5, 10 und 14)

Gegliedert ist das Deutsche offenbar weiterhin in Stammessprachen. Auch jetzt sind Niederdeutsch und Niederfränkisch-Niederländisch von den hochdeutschen Mundarten durch das Fehlen der zweiten Lautverschiebung geschieden *(nider-*, *oberlender)*. Das

Hochdeutsche selbst hat weiterhin an ihr einen von Süden nach Norden abgestuften Anteil; die Grenzen erhalten nun im wesentlichen ihren heutigen Verlauf (Kap. 27). Aber auch andere Verschiedenheiten trennen die Landschaftssprachen. So heißt es im Niederdeutschen *hēld*, *brōder*, im Oberdeutschen mit althochdeutschen Zwielauten *hielt*, *bruoder* (umgelautet *brüeder*), aus denen sich dann im Mitteldeutschen schon seit dem 11. Jahrhundert die einfachen Längen entwickeln: *hīlt*, *brūder (brǖder)*. Die seit 1100 zuerst in Südtirol und in Kärnten auftretenden „neuhochdeutschen" Zwielaute *ai*, *au*, *äu* für die alten Längen *ī*, *ū*, *iu (ǖ)* breiten sich im bairischen Raum aus. Dehnung altkurzer Selbstlaute (ebenfalls später ein Kennzeichen des Neuhochdeutschen) begegnet schon im 12. Jahrhundert im Limburgischen des Heinrich von Veldeke und seit dem 13. Jahrhundert im Niederdeutschen. Im Bairischen wird *a* zu *o*, *ā* zu offenem *ō* verdumpft. Das Oberdeutsche zeigt in zahlreichen Fällen keinen Umlaut (vgl. *brugge* Brücke, *drucken* drücken, *nutzen* nützen). Schwanken zwischen *i* und *ë*, *u* und *o* ist kennzeichnend für das Mitteldeutsche. Im Alemannischen sind die vollen Vokale der Nebensilben, soweit sie im Althochdeutschen lang waren, bewahrt (im südlichsten Teil bis heute). Unbetontes *e* beginnt oberdeutsch, zunächst im Bairischen, seit dem 12. Jahrhundert zu verstummen, während es sich im Mittel- und Niederdeutschen besser erhält. In einem Teil des Mitteldeutschen und im Niederfränkischen erscheinen (bis heute) wie im Niedersächsischen *wir*, *mir*, *er*, *der*, *wer* ohne *r* (*wī*, *hē* usw.).

Auch die Dichter benützen zunächst Landschaftssprachen. Vor allem entsteht schon seit etwa 1150 ein mittelrheinisches Literaturidiom (sog. „Spielmannsepen", Eilharts Tristrant u. a.), das auf das Limburgische Veldekes wirkt. Albrecht von Halberstadt dichtet später mitteldeutsch, Kristian von Hamle thüringisch, Eberhard von Gandersheim niederdeutsch.

Höfische Dichtersprache

Die deutsche Sprache findet in ungleich größerem Maße Verwendung als im Frühmittelalter. Die Dichtersprache ist in zunehmendem Maße deutsch, wenngleich die lateinische Dichtung weiter gepflegt wird. Die Träger der heimischen Hochsprache, die Anführer ihrer Entwicklung, werden nun in Deutschland, der Provence wie in Frankreich in wachsendem Maße die Laien. Die geistlichen Dichter des ausgehenden Frühmittelalters hatten die deutsche Tradition der Dichtung der karolingischen Zeit wieder aufgenommen; die höfische Dichtung bedient sich ebenso der deutschen Sprache wie die spätere bürgerliche. Die hochmittelalterliche Dichtung wird vor allem von der Ritterschaft getragen; neben einigen Geistlichen dichten jedoch auch schon manche Bürgerliche in höfischer Art.

Dem ausgeprägten Formwillen der höfischen Gesellschaft entspricht das Streben nach einer einheitlichen Sprache der Dichtung. Die höfische Dichtersprache ist wohl aber auch Ausdruck einer gemeinschaftsbetonten Haltung, die zumindest eine ihrer Wurzeln in der vorherrschenden philosophischen Lehre hat, dem Realismus, der den Allgemeinbegriffen, den Universalien, Wirklichkeit zusprach. „Dieser Glaube an die Wirklichkeit und an die Bedeutung des Universalen . . . erhält seine Verwirklichung in einer Universalkirche, in einem Universalreich, in einer Universalsprache, einem Universalrecht usw." (H. Meyer). War auch die Universalsprache zunächst das Latein, so war doch in Frankreich auch schon eine nationale Dichtersprache entstanden, die den Deutschen als anspornendes Vorbild dienen konnte. Nach dem meist unbeabsichtigten sprachlichen Ausgleich des Frühmittelalters tritt uns nun der erste bewußte Versuch einer überlandschaftlichen deutschen Hochsprache entgegen. Diese literarische Gemeinsprache hat etwa vom letzten Viertel des 12. bis zum Ende des 13. Jahrhunderts Geltung.

Die höfischen Dichter streben seit Hartmann von Aue, Wolfram von Eschenbach, Gottfried von Straßburg und Walther von der Vogelweide nach einer überlandschaftlichen Sprache. Sie meiden bestimmte Wörter und verwenden vor allem dieselben Reimwörter, d. h. solche, die in keiner deutschen Landschaft einen unreinen Reim ergaben; sie bemühen sich, die gleichen Wortformen und den gleichen Wortschatz zu gebrauchen, sie zeigen den gleichen Stil. Durch den lebhaften Verkehr der ritterlichen Kreise über die landschaftlichen Grenzen hinweg, durch häufige Begegnungen bei Reichstagen, Hoffesten, Turnieren und Kriegszügen, aber auch als Fahrende lernten die Ritter die sprachlichen Eigentümlichkeiten der verschiedenen Gegenden kennen. Es ist nicht ganz so wie in Frankreich, wo sich aus den Landschaftssprachen eine, die der Ile-de-France, zur höfischen Kunstsprache erhebt. Am meisten stimmt das Mittelhochdeutsch der Dichtung, das wir leider nicht in den Originalen, sondern nur in mehr oder weniger veränderten späteren Abschriften besitzen, mit dem nördlichen Alemannischen und dem anstoßenden Ostfränkischen überein; hier wird der Einfluß der Staufer, im besonderen wohl der Verkehrssprache ihrer Ministerialen sichtbar. Die niederdeutschen Dichter bedienen sich gleichfalls der hochdeutschen Dichtersprache: Wernher von Elmendorf, Albrecht von Halberstadt und der Minnesänger Heinrich von Morungen, vielleicht auch der Limburger Heinrich von Veldeke in seinem Äneasroman, jedoch nicht in der Servatiuslegende und in seiner Lyrik.

Von einer gesprochenen höfischen Einheitssprache kann jedoch nicht die Rede sein. Die tägliche Sprache der Ritter war sicher stark landschaftlich gefärbt, wenngleich nicht vollmundartlich; man kann sie wohl mit Erscheinungen wie den heutigen landschaftlichen Umgangssprachen vergleichen. Die mittelhochdeutsche Dichtersprache war also kein einheitssprachliches Gebilde. Sie war die Kunstsprache ritterlicher Dichter, eine ständisch beschränkte Sondersprache. Sie war auch nicht in allen Einzelheiten der Wortformen und des Wortgebrauchs geregelt, und ihre Gestalt veränderte sich. So bestehen Unterschiede zwischen dem archaisierenden Heldenepos auf der einen Seite und der höfischen Epik und dem Minnesang auf der andern.

Die Schreibweise war recht uneinheitlich. Die seit Karl Lachmann üblichen, auf Benecke zurückgehenden „normalisierten" Textausgaben gebrauchen nicht nur Antiqua statt der im Hochmittelalter entstehenden gotischen Buchstaben der meisten Handschriften, sondern erwecken vor allem das falsche Bild einer viel zu weit gehenden Einheitlichkeit. Die Handschriften bezeichnen nur gelegentlich Länge und Kürze und den Umlaut; meist findet sich z. B. *o* für *o*, *ō*, *ö*, *œ*; *u* und *v* für *u*, *ū*, *ü*, *iu*, *uo*, *üe*. Für *ä* setzte man oft *e*, für den Umlaut von *ū* zunächst *ui*, später *iu*, für umgelautetes *ā* und *ō* in Anlehnung an lat. *Caesar* seit dem 13. Jahrhundert *æ*, *œ*. Wie im Frühdeutschen steht *h* für *ch* vor *s*, *t* und nach *l*: *wahsen*, *maht*, *solh*. An Satzzeichen kannte man nur den

Punkt, der jede Gliederung des Satzes wie auch das Versende bezeichnete. Der Anfang eines Gedichtes Friedrichs von Hausen lautet in der Großen Heidelberger (Manessischen) Liederhandschrift und in der normalisierten Wiedergabe in „Minnesangs Frühling" so:

ich denke vnderwilen.	*Ich denke under wīlen,*
ob ich ir nahe we^s.	*ob*[1] *ich ir nāher wære,*
was ich ir wolte ſagen.	*waȝ ich ir wolte sagen.*
das kvrze^t mir die milen.	*daȝ kürzet mir die mīlen,*
ſwenne ich ir mine ſwe^{s}e.	*swenn ich ir mīne swære*[2]
ſo mi^t gedanken mac klagen.	*sō mit gedanken klage.*

1. wenn – 2. Kummer.

Der von Lachmann u. a. hergestellte normalisierte Text berücksichtigt auch die Lesarten der anderen Handschriften. In der Vorlage fehlt die Bezeichnung der Längen *(-wilen, nahe, milen, mine, so)* und des Umlauts von *u (kvrzet)*, während *æ* durch *e* wiedergegeben ist. Das Zeichen ^{s} in *we^s* und *ſw^{s}e* aber ist eine der sehr häufigen Abkürzungen und steht für *re, er* (auch *ar*).

Wenn niederfränkische Ausdrücke wie *ritter* (mnld. *riddere*, hd. *rītære, rīter* Reiter), *dörper* Bauer, *wāpen* Waffe in die mittelhochdeutsche Dichtersprache eingehen, so ist das die Wirkung des großen Ansehens Brabants als der Landschaft, die ritterlich-romanische Kultur und Dichtung vor allem vermittelte.

Wie die staufische ritterliche Kultur sich in ihren Lebensformen und in ihrer Dichtung sehr stark an das romanische Rittertum anlehnt, so steht auch ihre Kunstsprache unter westlichem Einfluß, namentlich seit 1170, da die Berührung zwischen deutschem und französischem wie auch provenzalischem Rittertum sich besonders eng gestaltete. Das Bekenntnis Walthers von der Vogelweide ist weithin bezeichnend für das deutsche Rittertum:

Ich hān gemerket von der Seine unz an die Muore,
Von dem Pfāde unz an die Traben erkenne ich al ir fuore.

Ich habe Beobachtungen angestellt von der Seine bis zur Mur (in der Steiermark), vom Po bis zur Trave kenne ich ihre Lebensart.

Seit dem 12. Jh. wächst die Geltung der westlichen Hochsprachen überhaupt: in England und in Italien schreibt man französisch bzw. provenzalisch. In das höfische Deutsch besonders der Epik dringt westliches Wortgut ein. Es betrifft die verschiedenen Seiten des ritterlichen Wesens, den Ritter und seine Kleidung und sein Roß, das höfische gesellschaftliche Leben mit Tanz und Spiel und Jagd, die Dichtung und die Musik, die Speisen und Getränke, die Wohnung, den Handel und Verkehr, die Standesbezeichnungen. So finden sich etwa Ausdrücke wie *āventiure* Begebenheit, *schevalier* Ritter, *panzier* Panzer, *schapel* Haarschmuck der Frauen, *fīn* fein, *turnieren*. Dazu treten manche Lehnprägungen wie *hövescheit* für afz. *cortoisie* prov. *cortezia* höfisches Wesen. Die westliche Einwirkung erstreckte sich auch auf die Wortbildung, etwa in *losch-ieren* herbergen, *massen-īe* ritterliche Gesellschaft, *manegerleie* mancherlei (afz.-*ley*), dagegen im Unterschied zur Wirkung des Lateins in frühdeutscher Zeit nicht auf den Satzbau.

Dieses wirkt z. B. auf die gelehrte Sprache Thomasins von Zerclaere im „Welschen Gast“ (1216). Dort finden sich die Bezeichnungen der freien Künste: *grammatica, dialectica, rhetorica, arismetica, geometrie, musica, astronomie*, außerdem die Benennungen *divinitas* Theologie und *physica* Physik. Im Zusammenhang mit den Kreuzzügen kommen aus orientalischen Sprachen (meist auf dem Weg über das Romanische) z. B. *Joppe, Schach, Spinat, Zucker*.

Die mittelhochdeutschen Dichter schufen auch eine große Zahl neuer Ausdrücke durch Ableitung und durch Zusammensetzung: *strickærinne* Strickerin (Gottfried), *waʒʒerreise* Wasserreise, *wëgelōs* weglos (Hartmann). Sie prägten zugleich umlaufendes Sprachgut in höfischem Geiste um: *klār* hell, schön, *gehiure* (geheuer) lieblich, *kluoc* klug, fein, *wert* wert, kostbar. Das Wort *edele*, ursprünglich adelig geboren, erhält bei Gottfried von Straßburg, dem höfischen Dichter bürgerlicher Herkunft, die Bedeutung des Seelenadels, wenn er vom *edelen hërzen* spricht. Auf der anderen Seite entstehen im Wortschatz Verluste, indem gewisse Ausdrücke, vor allem auf dem Gebiet des Kriegs- und Waffenwesens, die sich in der Heldenepik noch in großem Umfang finden, in den höfischen Romanen vermieden werden: *dëgen, helt, recke, brünne, gēr, küene, veige* zum Tod bestimmt, *dagen* schweigen usw.

Das ritterliche Deutsch, zumal das der höfischen Epik und Lyrik, ist der Ausdruck eines ungleich differenzierteren Menschentums als das der deutschen Frühzeit. Das Deutsche erhält jetzt die Fähigkeit, auch die feineren Schattierungen des seelischen Lebens und Erfahrens auszudrücken. Mit dem Verfall des Rittertums und dem Absinken der ritterlichen Dichtung stirbt auch die einheitliche mittelhochdeutsche Kunstsprache und ein großer Teil ihres Wortschatzes. In Deutschland, das sich seit dem Tode Heinrichs VI. in Territorien zersplittert, entwickelt sich aus ihr nicht wie in Frankreich und in den Niederlanden über die Kanzleisprache die einheitliche Schriftsprache; Literaturidiome und ständische Sondersprachen treten an ihre Stelle.

Andere hochsprachliche Bereiche

Schreibidiome sind es auch, die der deutschen Sprache nun andere Bereiche erschließen, vor allem den des Rechts im mittelniederdeutschen „Sachsenspiegel" Eikes von Repgow (1222–1225), den der Prosachronik in Eikes „Sächsischer Weltchronik" (1225) und nicht zuletzt den der Urkunde. 1235 wurde als erstes Reichsgesetz der Mainzer Reichslandfriede Friedrichs II. außer in lateinischer auch in deutscher Sprache verkündet – ein wichtiges Jahr in der deutschen Sprachgeschichte. Hier drückt sich das wachsende Nationalgefühl der europäischen Völker aus. Als erste folgen dann Schweizer Urkunden, dann auch sonstige südwestdeutsche. Auch in Predigt und Gemeindelied gewinnt das Deutsche an Boden (Leipziger Predigtwerk).

So gesellen sich also im hochsprachlichen Bereich zur höfischen Dichtersprache vor allem die Urkundensprache und die Sprache wissenschaftlicher Prosa. Ihnen gehört die Zukunft.

22. DAS SPÄTMITTELALTERLICHE DEUTSCH

Landschaftssprachen – Sondersprachen – Bürgerliche überlandschaftliche Schreibsprachen

Etwa 1250–1500

(Karten 6 und 11)

Landschaftssprachen

Eine neue gestaltende Kraft wirkt seit dem 13. Jahrhundert auf den Verlauf der Sprachscheiden: der Einfluß der Territorien, welche die Stammesherzogtümer ablösen. Er verschiebt zum Teil die alten, stammlich bestimmten Mundartgrenzen und läßt neue, vielfältige Aufteilungen der Großmundartgebiete entstehen. Nun entfaltet sich auch das Jiddische (Kap. 27).

Der Ostfranke Hugo von Trimberg zählt im 14. Jahrhundert Eigentümlichkeiten einzelner Mundarten auf, wobei er offenbar allerdings weniger ihre Sonderart, als die ihm auffallenden Mängel kennzeichnen will. Dabei tritt der Übergang zu den Territorialsprachen deutlich zutage.

swābe ir wörter spaltent[1],
Die Franken ein teil si valtent[2],
Die Beire si zezerrent[3],
Die Düringe si ūf sperrent[4],
Die Sahsen si bezuckent[5],
Die Rīnliute si verdruckent[6],
Die Wetereiber si würgent[7],
Die Mīsner si wol schürgent[8],
Egerlant si swenket[9],
Osterrīche si schrenket[10],
Stīrlant si baȝ lenket[11],
Kernte ein teil si senket[12] ...

1. Vorliebe für Zwielaute – 2. Zusammenziehung der Zwielaute *ie, uo, üe* zu *ī, ū, ǖ* – 3. auseinanderziehen – 4. dehnen – 5. schnelle Sprechweise der Niedersachsen – 6. gepreßte Aussprache – 7. Rauheit – 8. eigentlich stoßen; Lob der singenden obersächsich-meißnischen Aussprache? – 9. 10. 11. siehe 3. – 12. tiefe Tonlage.

Die neuen Zwielaute *ai, au, äu* wandern, soweit wir dies schriftlichen Denkmälern entnehmen können, über die Grenzen des Bairischen hinaus; sie verbreiten sich aber nicht im südlichen Teil des Alemannischen und im Niedersächsischen (Karte 5). Im schwäbischen Teil des Alemannischen erscheint *ā* seit dem 13. Jahrhundert als *au* (*raut* Rat), im Elsässischen und Schweizerischen als *ō* (*rōt* Rat). Seit dem 13. Jahrhundert entrundet das Oberdeutsche (zuerst das Bairische) zumeist die *ö*- und *ü*-Laute (vgl. *derfl* Dörflein, *ibel* übel).

Die landschaftlichen Umgangssprachen der oberen Schichten sind uns auch jetzt nicht unmittelbar zugänglich.

Spätmittelalterliche Sondersprachen

Die deutsche Hochsprache des Spätmittelalters steht im Zeichen der Zersplitterung. Sie entspricht der Aufspaltung und Schwäche des Reiches wie wohl auch der philosophischen Grundhaltung, die den Realismus abgelöst hatte, dem Nominalismus, für den nur das Einzelding Wirklichkeit hatte. Der Individualismus entwickelte sich, nicht nur im Bereich der Frömmigkeit wie der bildenden Kunst und der Dichtung, die beide nun statt Typen Individualitäten darstellen, sondern auch im Bezirk der Sprache. Dazu kommen soziale Ursachen. Im Zusammenhang mit der fortschreitenden Entwicklung des Gesellschaftsaufbaus bilden sich im Hoch- und Spätmittelalter zahlreiche ständisch bestimmte Sondersprachen. Neben den Fachsprachen der Handwerker, deren Ausbau durch das Aufblühen des Zunftwesens gefördert wird, entfalten sich „erhöhte“ Sondersprachen in der Dichtung, in der Wissenschaft, im religiösen Bereich, im Kanzlei- und Geschäftsverkehr.

Während im Hochmittelalter die verschiedenen Lebensbezirke eine enge, in sich abgestufte Einheit bildeten, die sich in der umfassenden Bedeutung der Wörter ausdrückt, werden diese nun eindeutiger. So ist der höfische Mensch *wīse*, wenn er seine ritterlichen Standespflichten erfüllt und zugleich vor Gott besteht; ihm werden *guot* und *ēre* und *gotes hulde* zuteil. Jetzt fallen die verschiedenen Bedeutungen auseinander; das Wort *wīse* bekommt den eingeschränkten Sinn der „weisen“ Haltung dem Leben gegenüber. Ebenso meint das Wort *tugent* nun nicht mehr ein ethisches „Sein“, sondern ein moralisches „Tun“.

Der Herbst des Mittelalters ist ein „bürgerlicher“. Auch die Träger der Hochsprache sind nun vorwiegend Stadtbürger und Angehörige der neuen Bettel- und Predigerorden, die stark bürgerliche Züge tragen.

Dichtung

Die Wortwahl der nachhöfischen Dichtung ist weithin bürgerlich bestimmt. Auch die Sprache ritterlicher Dichter des 14./15. Jahrhunderts wie Hugos von Montfort und Hermanns von Sachsenheim trägt ausgesprochen nüchternen Charakter. Handwerkliche und gelehrte Züge herrschen in der Sprache der Meistersänger vor.

Die *kunst* wird bei ihnen mit dem Begriff der Gelehrsamkeit verbunden und als erlernbar betrachtet; *meister* wird ein an bestimmte Voraussetzungen gebundener Titel.

Der Realismus der Zeithaltung drückt sich aber auch aus in der fortschreitenden Derbheit des Ausdrucks, in der Zunahme der volkstümlichen, mundartlichen Bestandteile (z. B. in Heinrich Wittenwilers „Ring" oder in den Volksschauspielen) sowie in dem starken Einfluß, den die Handwerkersprachen auf den allgemeinen Wortschatz auszuüben beginnen (Kap. 27). Das Wort *Minne* bekommt im späten Mittelalter einen anstößigen Klang und wird darum in jüngeren Handschriften höfischer Dichtungen oft vermieden. Für diesen Geist der Grobheit, der auch die Sprache des 16. Jahrhunderts kennzeichnet, hat Sebastian Brant im „Narrenschiff" in satirischer Weise einen eigenen Schutzheiligen, St. Grobian, geschaffen.

Die mittelhochdeutsche Kunstsprache war die Sprache der Epik und Lyrik; eine höfische Prosa gab es kaum (13. Jh. Lanzelot), so wenig wie ein höfisches Drama. Seit dem 15. Jh. gewinnt nun eine selbständige deutsche Prosa immer mehr an Raum. In der Dichtung sind es Übertragungen französischer Romane und Prosaauflösungen mittelhochdeutscher Versepen, zu denen im ausgehenden Mittelalter Historien-, Legenden- und Schwankbücher treten („Volksbücher").

Wissenschaft

Das Latein hält sich, seit dem 15. Jh. erneut durch den Humanismus gestützt, am längsten als Sprache der Wissenschaft. Doch dehnt sich andererseits jetzt auch der im Frühmittelalter begründete und im Hochmittelalter wieder aufgenommene Gebrauch einer deutschen Prosa für wissenschaftliche Zwecke bedeutend aus. Einmal im Bereich des Rechts. Eikes von Repgow stammliche Gesetzessammlung des „Sachsenspiegels" (s. o.) hatte eine große Wirkung, und es folgten ihr bald ähnliche, so etwa der „Schwabenspiegel". Die Sprache der Rechtshandhabung war deutsch, und viele Ausdrücke haben sich, zum Teil in übertragenem Sinn, erhalten (*Bann*, *Schöffe* – der Recht schafft –, *Pranger*, *foltern*); erst am Ende des Mittelalters entstanden mit der Übernahme des römischen Rechts viele Ausdrücke lateinischer Herkunft. Zu Eikes Weltchronik treten nun andere, etwa die St. Galler Chronik Christian Kuchimeisters (1335).

Predigt und Erbauung

Das Deutsche findet nun in ungleich stärkerem Umfang als seither auch in der Predigt Verwendung; Berthold von Regensburg etwa predigte deutsch; auf seine lateinischen Niederschriften gehen die erhaltenen deutschen Predigten zurück. Seit dem 14. Jh. mehren sich die deutschen Erbauungs- und Andachtsbücher, und vor Luther gab es neben vielen Übersetzungen der sonntäglichen Evangelien und Episteln schon anderthalb Dutzend gedruckte Übertragungen der Vollbibel.

Scholastik und Mystik

Die Werke der „deutschen Scholastik" sind erst seit kurzem in unser Blickfeld getreten. Seit der 2. Hälfte des 13. Jh. entstehen Übertragungen der „Väter" und der scholastischen „Meister", seit dem 14. auch selbständige Werke in deutscher Sprache.

Vor allem sind auch die Schriften der Mystiker teilweise deutsch geschrieben, namentlich die Nachschriften ihrer deutschen Predigten. Neben der ritterlichen Dichtung beeinflussen sie wohl die Hochsprache der Zeit am stärksten; sie begründen zusammen mit den scholastischen Werken die deutsche philosophische Fachsprache. In Ostmitteldeutschland wird die Sondersprache der Mystik für die dortige Schreibsprache bedeutsam. Sie steigert die Fähigkeit des Deutschen, Geistig-Seelisches und zumal die vielfältigen Abstufungen religiösen Erlebens sprachlich zu formen, weit über das im höfischen Deutsch erreichte Maß hinaus. Sie ist der Ausdruck des seelischen Ringens um den persönlichen Besitz Gottes, der ständigen Spannung zwischen dem Drang, das religiöse Erleben aussprechen zu müssen, und der Not, es nicht in Worte fassen zu können.

So sind Ausdrücke häufig wie *unwortlich, wortelōs, unsaglich, unsprech(en)lich, unsprœche.* Im Sinn der Neuplatoniker ist den Mystikern das Wesen Gottes nur negativ aussprechbar: er erscheint ihnen als *daz niht, daz nihtwesen.* Sehr häufig sind auch sonst negative Wortzusammensetzungen (*entsweben, unbegriffen(lich)* usw.), Substantivierungen von Eigenschafts- und Zeitwörtern *(daz al, ein minnen)* und, wie in der deutschen Scholastik, Abstrakta auf *-heit*, *-keit*, *-unge(drīheit, bewegunge)*; auch die Kanzlei- und Rechtssprache neigt zur Abstraktion. Die Sprache der Mystik zeigt im 13. und auch noch im 14. Jahrh. die Berührung mit der höfischen Sprache. So ist für Mechtild von Magdeburg die mystische Entrückung eine *hovereise*, Gott und die Seele sprechen miteinander die *hovesprâche*. In ihrer Spätzeit überwiegt dann bürgerliche Wirklichkeitsnähe und moralische Haltung. Zur überlandschaftlichen lautlichen Vereinheitlichung trug die Sprache der dominikanischen Mystik bei.

Kanzleideutsch

Von entscheidender Bedeutung ist es, daß das Deutsche seit der ersten Hälfte des 13. Jahrhunderts das Latein in den Kanzleien zu verdrängen beginnt. Man hat vermutet, daß die Ursache dafür beim niedern Adel zu suchen sei, der keine lateinisch schreibende Hofkapläne hatte. Doch ist die Entwicklung keineswegs nur auf Deutschland beschränkt; schon vorher, im 12. und 13. Jahrhundert, hatte die Nationalsprache in der Provence und in Frankreich ihre Geltung stark erweitert. 1235 wird, wie wir sahen (Kap. 22), von Friedrich II. das erste Reichsgesetz auch in deutscher Sprache veröffentlicht. Auch unter Rudolf von Habsburg werden teilweise deutsche Urkunden ausgefertigt. Der Gebrauch des Deutschen als Kanzleisprache breitet sich dann vom Westen her weiter aus und setzt sich mit Beginn des 14. Jahrhunderts auch im Osten und Norden durch. Seit 1300 schreibt die bayrische Kanzlei deutsch; wichtig war, daß Kaiser Ludwig der Bayer (1314–1347) die deutsche Urkundensprache auch in die kaiserliche Kanzlei einführte. Ihr schließen sich dann die fürstlichen Kanzleien langsam an. Die sprachliche Form des Urkundendeutsch war zunächst in jeder Kanzlei verschieden. Ursprünglich erwuchs in der Regel die örtliche Kanzleisprache aus der Verkehrssprache der Landschaft, doch wurde ihre Form wie einst das Frühdeutsche durch Herkunft, Bildung und Geschmack der Schreiber wie durch die Schreibstubentradition beeinflußt. Noch lange überwiegt aber das Latein.

In engstem Zusammenhang mit dem Aufblühen der Städte entwickelte sich seit dem 13. Jahrhundert ein ausgedehnter Fernhandel innerhalb des Reichs wie über seine Grenzen hinaus. So tritt bald zu dem Urkundendeutsch der Kanzleien das Deutsch der Handels- und Geschäftssprache.

Schreibung

Die Schreibung der Kanzlei- und der übrigen Standessprachen war sehr ungeregelt. So wird langes *ī* wiedergegeben durch *ii* oder *ij* bzw. *y (ÿ)* (*wyß* weiß). Seit 1300 verbreitet sich *ß* (aus *sz*). Als der umgelautete Zwielaut *üe*, geschrieben *ue* (*guete* Güte), zur einfachen Länge wurde, setzte man das *e* über das *u;* auch bei den anderen Umlauten ging man so vor, und bald deutete man das *e* nur noch durch seine beiden senkrechten Striche an *(ü, ä, ö)*. Doch wird der Umlaut keineswegs allgemein gekennzeichnet. Wie verwildert die Schreibung war, zeigt auch die Buchstabenhäufung der Kanzleisprache *(fünfftzig, funffczig)*. Die Zeichensetzung nimmt zu, ist aber ganz uneinheitlich; seit 1300 erscheint der Schrägstrich (Virgel), seit 1350 das Fragezeichen, seit dem 15. Jahrhundert hinter Abkürzungen der Doppelpunkt (neben dem Punkt). Ein Abschnitt aus der *Theologia deutsch* (um 1350) zeigt das Schwanken der Schreibung im gleichen Werk:

> *Sanktus Paulus spricht* (I. Cor. 13, 10): *wen das volkomen kumpt, ßo vernichtiget mann das unvolkommen unde das geteilte. Nun merck, was ist dass volkomen unnd das geteilte? Das volkomen ist eyn weßenn, das yn yhm und yn seynem wesen alles begryffen und beschlossen hatt . . .*

Fremde Einflüsse. Humanistendeutsch

Während die Werke der Mystiker das Lehnwort weithin vermeiden, dringt es sonst in bedeutendem Umfang ein. Die Berührung mit den Slawen im Zug der Ostkolonisation bringt eine, wenn auch schwache Einwirkung der slawischen Sprachen auf den Wortschatz mit sich: aus dem Polnischen stammen *Kummet* (schon im 12. Jahrhundert rückentlehnt) und *Grenze* (poln. *granica;* 1262 zuerst im preußischen Ordensland bezeugt), aus dem Tschechischen *Peitsche*, *Pistole*. Allerdings ist der Einfluß des Deutschen auf das Slawische ungleich stärker. Aus dem Ungarischen wandern *Dolmetsch* (ung. *tolmács*, türkisch *tilmač*), *Kutsche* herüber. Im ausgehenden Mittelalter kommen aus dem Italienischen Ausdrücke der Kaufmannssprache wie *Bank*, *tara*, im Frühneuhochdeutschen außerdem *Diskont*, *netto*. Skandinavisch sind *Daune* (seit 1350 nd. *dūne*) und *Gerfalke*.

Der schon im Hochmittelalter wirksame Einfluß des Lateins setzt sich noch in vorhumanistischer Zeit fort: bei den Meistersängern finden sich etwa *dissonanz*, *quart*, *quint*, *tenor* usw. Auch wissenschaftliche und kanzleisprachliche Entlehnungen nehmen zu: *advocat(us); imaginatio, ymaginancz; jurist; kanzellarie, kanzelie, kanzelley; universitete.*

Seit der Mitte des 15. bis tief ins 16. Jahrhundert öffnet dann der Geist der humanistischen Gelehrsamkeit der lateinischen Einwirkung auf die deutsche Sprache weit die Tore. Neben die Fraktur tritt wieder die Antiqua. Lateinische Lehnwörter im Bereich des kirchlichen Lebens, der Verwaltung, des Gesellschaftslebens, der Künste und Wissenschaften werden nun in großer Zahl eingeführt: *requiem; nation*, *regiment* (Regierung); *credentzen; comedi(a)*, *tragedi(a)*, *cantor*, *orator; axiom*, *citieren*, *patient*, *rezept*, *doctor*, *edition* usw. Die heimischen Monatsnamen wie *Hornung*, *Brachmonat* werden jetzt durch die römischen ersetzt, die vorher nur selten und mit deutschen Endungen gebraucht worden waren *(fēbrer* wird zu *Februarius)*. Außerdem dringen aus dem Latein Ableitungssilben ein wie *-ant*, *-enz*, *-ion*, *-ur (Musikant*, *Eloquenz*, *Nation*, *Natur)*, und es entstehen Neubildungen auf *-isieren (theologisieren)*. Neben dem Einfluß des Lateins treten Entlehnungen aus dem Griechischen *(Komma – Kommata*, *Thema – Themata*, heute auch *Themen)* und aus dem Italienischen zurück (*tapezerey* Tapete, *confect(ione)* Zuckergebackenes).

Aus der lateinischen Rhetorik übernimmt die deutsche Kunstprosa unter humanistischem Einfluß nicht bloß Stilmittel (so die Mehrgliedrigkeit), sondern auch lateinische Satzfügungen, Infinitiv- und Partizipialkonstruktionen. So findet sich bei Nicolaus von Wyle (15. Jahrhundert): *vergas sych selbs vermechelt* (vermählt) *sin* (25), und im Volksbuch von Doctor Faust (1587): *D. Faustus im Bett ligend*, *gedachte der Hellen nach* (91). Nach lateinischem Muster stellt man auch gern das Zeitwort an den Satzschluß: *zu kainer zyt uns wol ist* (Wyle 58, 20).

Das den Humanisten neben ihrer Verehrung der Antike eigene ausgeprägte nationale Selbstbewußtsein führt aber auch schon in ihren eigenen Reihen zur Ablehnung der Überfremdung des Deutschen. So schreibt der schwäbische Humanist Reuchlin: „Merk hie, das man sich schemmen sol in tütschen reden und predigen vil latyns darunder ze müschen." Heute wirkt der humanistendeutsche Wortschatz besonders stark in den Sondersprachen der Medizin und Naturwissenschaft (Pharmazeutik, Chemie, Physik) nach. Erhaltene Eindeutschungen sind *Seltenheit (raritas)*, *Zeitgenosse (synchronus)*.

Überlandschaftliche Schreibsprachen des Spätmittelalters
(Karte 6)

Während die mittelhochdeutsche Dichtersprache verklingt, erwachsen vor allem aus Bedürfnissen des gesteigerten Verkehrs neue Bestrebungen nach sprachlicher Vereinheitlichung. Aus den Sondersprachen des Handelsverkehrs und der Kanzleien bildeten sich überlandschaftliche Schreibsprachen in Nord- und Ostmitteldeutschland, erst gegen Ende des Mittelalters auch im Süden. Ihre Form war uneinheitlicher als die der mittelhochdeutschen höfischen Kunstsprache, und keine von ihnen galt im ganzen deutschen Bereich.

Mittelniederländisch

In den Niederlanden des 13. und des 14. Jahrhunderts entsteht in Flandern und Brabant eine Literatur- und zugleich eine Geschäftssprache; sie wird die Grundlage für die spätere niederländische Hochsprache.

Das Tierepos *Van den Vos Reinaerde* (um 1270?) setzt so ein:

Het was in eenen tsinxen daghe[1],
dat beede bosch ende haghe
met groenen loveren[2] waren bevaen.
Nobel die coninc hadde ghedaen
sijn hof crayeren[3] over al . . .

1. Pfingsttag – 2. Blätter (Laub) – 3. ausrufen.

Mittelniederdeutsch

Das Mittelniederdeutsche ist die Geschäftssprache der Hanse. Es ist vorwiegend lübeckischer Prägung und entwickelt sich seit der zweiten Hälfte des 14. Jahrhunderts aus dem Handelsverkehr der Hansestädte untereinander und mit ihren Niederlassungen in Skandinavien, in den Ländern um die Ostsee und in Rußland. Dazu tritt der weitreichende Einfluß der niederdeutschen Stadtrechte, vor allem von Lübeck, Magdeburg, Goslar, Braunschweig, Paderborn, Dortmund, Soest; die Kanzleien dieser Städte übten eine starke sprachliche Wirkung aus. Auch eine mittelniederdeutsche Dichtung und Prosaliteratur entsteht. Das Epos *van Reyneken deme vosse* (um 1490) beginnt:

Id gheschach up eynen pynxstedach[1],
Dat men de wolde[2] unde velde sach
Grone staen myt loff[3] unde gras . . .
Nobel, de konnynck van allen deren,
Held hoff unde leet den uthkreyeren[4]
Syn lant dorch over al . . .

1. Pfingsttag – 2. Wälder – 3. Laub – 4. ausrufen.

Die Kaufleute der Hanse brachten für Jahrhunderte in Skandinavien und in einem Teil des slawischen Ostens die deutsche Kultur zur Vorherrschaft. So besaß das Mittelniederdeutsche die größte Strahlungskraft, die je vom Deutschen ausging. Es beeinflußte vor allem die nordischen Sprachen aufs stärkste und war eine Zeitlang in Skandinavien geradezu die Handels- und Verkehrssprache. So übernimmt z. B. das Dänische mnd. *böm* Baum als *bom*, *kracht* Kraft als *kragt*, *kreis* Kreis als *kreds*. Aber schon im 14. Jahrhundert dringt das Hochdeutsche als Urkundensprache in den niederdeutschen Bereich ein, und im 16. Jahrhundert erliegt die Hansesprache endgültig dem Wettbewerb der ostmitteldeutschen Schreibsprache.

Ostmitteldeutsch

In Meißen-Obersachsen erwächst im 13. Jahrh., wie besonders Frings gezeigt hat, durch Mischung der Siedlermundarten eine Durchschnittssprache; sie weitet sich zur ostmitteldeutschen Siedlersprache aus, die, mit landschaftlichen Abstufungen (besonders in Schlesien), im ganzen ostmitteldeutschen Kolonialraum gilt. Über sie legt sich, von Thüringen-Obersachsen mit Erfurt als

Bildungsmitte ausgehend, im 14./15. Jahrhundert eine Verkehrs- und Geschäftssprache, die sich in enger Wechselwirkung mit der kolonialen Durchschnittssprache wie auch unter südlichem Einfluß entwickelt. Sie ist auch die Sprache der mystischen und Erbauungsliteratur Thüringens und wird die Grundlage der Sprache Luthers.

Oberdeutsch

Dem Süden fehlt lange eine Verkehrssprache. Im ausgehenden Mittelalter entsteht sie vielleicht unter dem Einfluß der kaiserlichen Kanzleisprache. Seit dem Nachfolger Ludwigs des Bayern, Karl IV. (1347–1378), hatte die Sprache der kaiserlichen Kanzlei in Prag vorwiegend ostmitteldeutsches Gepräge; aus der Prager Verkehrssprache drangen die neuen oberdeutschen Zwielaute *ei*, *au*, *eu* ein und traten an die Stelle der alten Längen. Die unter dem Kanzler Johann von Neumarkt sehr gepflegte Form der Kanzleisprache wurde nach dem Tode Karls IV. wieder schwankend. Als unter den Habsburgern (Albrecht II.) 1438 die kaiserliche Kanzlei nach Österreich und später nach Wien verlegt wurde, drangen viele österreichische sprachliche Eigentümlichkeiten in die Kanzleisprache ein. Kaiser Maximilian und sein Kanzler Niclas Ziegler erstrebten eine einheitliche, von landschaftsprachlichen Zügen freie oberdeutsche Kanzleisprache. Von der Kanzleisprache Maximilians beeinflußt wurde eine südostdeutsche, vielleicht das *Gemeine* (= allgemeine) *Deutsch* genannte Verkehrssprache, die auch stark auf das übrige Süddeutschland wirkte. Sie verdrängte in Schwaben und im Elsaß, auch in Basel (dagegen zunächst nicht in der übrigen Schweiz) die alemannischen Längen *ī, ū, iu (ǖ);* dabei spielten auch die Bedürfnisse des Buchdrucks eine gewisse Rolle (Kap. 24). Wohl von 1464 stammt die Bemerkung einer Tiroler Übersetzung des Hieronymus-Lebens: „Ich han auch das vorgenant puch . . . pracht zuo ainer schlechten gemainen theutsch . . .“ Am Schluß des ersten datierten Augsburger Bibeldrucks (1473–1475) wird bemerkt: „Diß durchleuchtigost werck der ganczen heyligen geschrifft, genandt die Bibel . . . nach rechter gemeinen teutsch dann vor gedrucket . . .“ Die oberdeutsche hochsprachliche Form wirkt noch bis tief ins 18. Jahrhundert weiter und unterliegt schließlich der ostmitteldeutschen Schriftsprache.

Während also die beiden anderen spätmittelalterlichen Verkehrssprachen untergehen, leben die ostmitteldeutsche und die niederländische allein heute als Hochsprachen weiter.

Namen

Auf dem Gebiet der Personennamen sind zwei Neuerungen von Bedeutung: die starke Zunahme nichtdeutscher Rufnamen, christlicher Heiligennamen, besonders seit dem 13. Jahrhundert und das Aufkommen der Familiennamen. Sie sind festgewordene Rufnamen (heute etwa *Ernst*, *Wilhelm*), Vaternamen *(Mommsen, Dietrichs, Schelling, Martini)*, Wohnstättennamen *(Bohnenberger, Ambach)*, Herkunftsnamen *(Dettinger, Elsässer)*, Berufsbezeichnungen *(Maurer, Schneider)*, Eigenschaftsnamen *(Weiß(e), Kuhn)*, sonstige Übernamen *(Bierhals, Schwitzgäbele)*. Es sind Schreibnamen, die nun zu den Rufnamen treten, um die Sippe zu bezeichnen. Vom Adel am Ende des 11. Jahrhunderts ausgehend, wurde die Sitte im 13./14. Jahrhundert von den Stadtbürgern übernommen, nicht zuletzt auch, weil die Bevölkerungszahl der Städte stark anwuchs und der Verkehr zunahm.

In der Zeit des Humanismus entstehen Namen mit den lateinischen Endungen *-us*, *ius (Hessus, Bergius)*, und man überträgt andere ins Lateinische oder Griechische. So begegnen *Textor* (für *Weber)*, *Melanchthon* (für *Schwarzert*) und Rufnamen wie *Claudius*, *Cornelia*, *Erasmus* (aus *Gerhart*), *Justus* (aus *Jost*).

Bezeichnend für die damals einsetzende Besiedlung der Waldgebiete sind Ortsnamen auf *-reut/-rod (Reute, Wernigerode)*, neben denen Bildungen auf *-grün*, *-hagen/-hain* stehen (*Friedrichshagen* usw.). Auch slawische Ortsnamen finden nun ins Deutsche Eingang (*Berlin*, *Dresden* usw.). Im 13./14. Jahrhundert entstehen auch die Haus- und die Burgnamen.

23. DIE NEUDEUTSCHE SPRACHPERIODE

Volks-, Umgangs- und einheitliche Hochsprache

Seit dem Anfang des 16. Jahrhunderts

Die neu(hoch)deutsche Periode ist vor allem dadurch gekennzeichnet, daß im Jahrhunderte währenden Wettstreit verschiedener

Formen eine allgemein gültige Einheitssprache entsteht, die sich über die Volkssprache, die Mundarten und Berufssprachen wie über die sich entfaltenden Umgangssprachen erhebt. Die landschaftlichen Schreibidiome spielen eine immer geringere Rolle und leben bald nur noch als gesprochene landschaftliche Sprachen, die selten – in der Form der Mundartdichtung – zum geschriebenen Wort werden. (Ein Sonderfall ist der schriftliche Gebrauch deutscher Mundarten bei Volksdeutschen, für die oft die Mundart die einzige Form der deutschen Sprache war.) Seit der 2. Hälfte des 18. Jhs. erfahren sie aber eine neue Hochschätzung. Der Gebrauch der Fraktur überwiegt bis zum 2. Weltkrieg, wo sie durch die Antiqua abgelöst wird.

Die deutsche Sprache wird in der Neuzeit in immer größerem Umfang verwendet. Die Sprache der Dichtung ist, sieht man von der lateinisch geschriebenen Humanisten- und der katholisch-oberdeutschen Barockdichtung ab, deutsch, ebenso die Amts- und Geschäftssprache; seit dem 18. Jahrhundert tritt auch in der Wissenschaft an die Stelle des Lateins und des Französischen das Deutsche. Auch die Sprache des protestantischen Gottesdienstes ist deutsch; im katholischen, in dem das übernationale Latein seinen Platz behauptet, bekommt das Deutsche in der Verkündigung und im Kirchenlied gegenüber der vorreformatorischen Zeit eine gesteigerte Bedeutung, und gerade in unseren Tagen zeigen sich Bestrebungen, es auch zumindest in die beweglichen Teile der Meßliturgie einzuführen.

24. ENTSTEHUNG EINER EINHEITLICHEN SCHRIFTSPRACHE

Vom 16. bis zur 2. Hälfte des 18. Jahrhunderts

Die Situation um 1500

Die Erfordernisse des Verkehrs hatten, wie wir sahen, schon seit dem 13. und 14. Jahrhundert im niederdeutschen wie im hochdeutschen Bereich zur Bildung überlandschaftlicher Verkehrssprachen geführt: der mittelniederländischen und der mittelniederdeutschen, der ostmitteldeutschen und der oberdeutschen. Zwischen ihnen bestand ein gewisser Austausch; so gibt es in oberdeutschen Bibelübersetzungen schon vor Luther ostmitteldeutsche Wörter. Das Bedürfnis nach einer Einheitssprache erwuchs aus den Erfordernissen des Kanzlei- und Geschäftsverkehrs wie aus der Wirkung, die von dem stets gegenwärtigen lateinischen Vorbild ausging.

Durch das Aufkommen des Buchdrucks wurde der Wunsch nach sprachlicher Vereinheitlichung zunächst nicht wesentlich verstärkt. Die Druckereien waren anfänglich noch nicht auf weiträumigen Massenabsatz eingestellt. Noch mehr als die Kanzleisprache waren auch die Druckersprachen zunächst verschieden nach der Verkehrssprache der Landschaften und nach der persönlichen Sprache der Drucker. Wohl bemühte man sich, die landschaftlichen Eigentümlichkeiten zu vermeiden, doch bestehen noch im 16. Jahrhundert im hochdeutschen Bereich verschiedene Druckersprachen nebeneinander: in Oberdeutschland ein österr.-bairischer (Wien, Ingolstadt, München), ein schwäbischer (Augsburg, Ulm, Eßlingen, Tübingen), ein oberrheinischer (Straßburg, Basel) und ein innerschweizerischer Typ (vor allem Zürich), in Mitteldeutschland ein obersächsischer (Leipzig, Wittenberg) und ein westmitteldeutscher (Mainz, Frankfurt, Worms, auch Köln); ein ostfränkischer (Nürnberg, Bamberg) nimmt eine vermittelnde Stellung zwischen den ober- und mitteldeutschen Formen ein. Erst im Laufe des 16. Jahrhunderts beginnt der Buchdruck, je mehr sich die örtlichen Unterschiede abschleifen, desto stärker zur Einheit des Deutschen beizutragen, zuerst in der Schweiz, wo schon vor der Reformation Basel, 1527 Zürich zu den neuen Zwielauten *ai, au, äu (eu)* statt den alten *ī, ū, iu (ǖ)* übergeht. War um 1500 Augsburg die führende Druckerstadt, so traten seit der Reformation im Süden Tübingen, namentlich aber in Ostmitteldeutschland Wittenberg mit ihm in Wettbewerb. Die Bibelausgaben Wittenbergs förderten die einheitssprachlichen Tendenzen; seit 1560 übernahmen die Frankfurter Prachtbibeln diese Rolle.

Aber der Wunsch nach einer Einheitssprache wurzelte noch in einem anderen Bereich. Im Spätmittelalter war ein ausgeprägtes deutsches Nationalgefühl entstanden, das an die Stelle der hochmittelalterlichen Imperiumsidee getreten war und bei den humanistischen Gelehrten die Stufe ausgeprägter Bewußtheit erreicht hatte (Kap. 4). Mit dem nationalen Stolz vertrug sich bei den Humanisten durchaus die fremde Sprache, das Latein; was aus ihm dann erwuchs, war zunächst das Streben nach Reinheit, noch nicht so sehr nach Einheit der deutschen Sprache. Diese, von Luther als Mittel der Glaubensverkündigung erstrebt, versuchte zuerst das Barockzeitalter aus nationalen Gründen bewußt zu verwirklichen. Von nun an geht vom Nationalgefühl ein überaus starker Antrieb zur Schaffung der sprachlichen Einheit aus. Die fortschreitende Entwicklung zur einheitlichen Kulturnation und schließlich die politische Einigung des größeren Teils der Deutschen führten mit Notwendigkeit zu einer Einheitssprache. Das Beispiel Frankreichs wirkt dabei wie schon im Hochmittelalter anfeuernd; dort hatte sich ja, anders als in Deutschland, die höfische Kunstsprache unter dem Einfluß des politischen Mittelpunkts zur Schriftsprache der Kanzlei und der Verwaltung entwickelt; die Verordnung Franz I. über die einheitliche Rechts- und Verwaltungssprache von 1539 war ein Ausdruck dafür. In Deutschland vollzog sich der Kampf um die sprachliche Einigung zunächst durchaus mit dem Seitenblick auf Frankreich.

So mußte also die Einheitssprache kommen. Man konnte erwarten, daß sie sich langsam bildete, daß sie, von der politischen Zentrale, der kaiserlichen Kanzlei, ausgehend und von den Augsburger Druckereien verbreitet, oberdeutschen Charakter tragen und daß sie sich allmählich das gesamte deutsche Sprachgebiet erobern würde. Luthers Wirken, besonders seine Bibelübersetzung, gaben der Entwicklung eine andere Richtung. Die Begründung der Einheitssprache erfolgte wesentlich rascher, sie bekam ostmitteldeutsch-meißnische Gestalt, und ihre Ausbreitung im deutschen Sprachgebiet ging teils schnell vor sich, so in Niederdeutschland, teils langsam, so im alemannisch-bairischen Bereich. Aus anderen Gründen verschloß sich ihr das niederländisch-flämische Gebiet.

Die Rolle Luthers

Die geschriebene Sprachform Luthers, der als Kind nieder- und mitteldeutsch lernte, geht nach seinen eigenen Äußerungen auf die kurfürstlich-meißnische Kanzleisprache zurück. Er glaubte, daß sich diese mit der kaiserlichen Kanzleisprache decke, doch kann man nur von einer Annäherung des meißnischen an den kaiserlichen Sprachgebrauch sprechen. Meißnisch wurden dagegen die Reichstagsabschiede gedruckt, seitdem Albrecht von Meißen 1480 Erzbischof von Mainz geworden war.

Wie entstand nun die meißnische Kanzleisprache? Die frühere Meinung, sie sei aus der Sprache der Prager kaiserlichen Kanzlei Karls IV. hervorgegangen (K. Müllenhoff, K. Burdach, A. Bernt), kann heute als widerlegt gelten. Th. Frings, L. E. Schmitt, E. Schwarz u. a. haben durch mundartgeographische Untersuchungen nachgewiesen, daß die Grundlage der meißnischen Kanzleisprache wie die der Kanzleien in Schlesien, Böhmen und Mähren im wesentlichen im 13. Jahrhundert entstanden war; es ist die thüringisch-obersächsische Verkehrs- und Geschäftssprache, die ostmitteldeutsche Durchschnittsschreibsprache (Kap. 22). Man hat es schon so ausgedrückt: „Die Volkssprache hat die Kanzlei erobert, nicht umgekehrt." Doch darf man nicht übersehen, daß die Volkssprache im allgemeinen nur mittelbar über die Umgangssprache der oberen Schichten auf das Deutsch der Kanzleien eingewirkt hat, und man sollte auch die Bedeutung der Kanzleien, auch des humanistischen Zentrums Prag, für den formenden Ausbau wie für die Ausbreitung der ostmitteldeutschen Form der Hochsprache nicht unterschätzen.

Im kolonialen Ostmitteldeutsch waren seit dem 13. Jahrhundert sprachliche Bestandteile aus der Mitte und aus dem fränkischen Süden Deutschlands zusammengewachsen; es zeigt viele wesentliche Eigentümlichkeiten, namentlich der Selbstlaute des Neuhochdeutschen. Vor allem weist es die Zwielaute *ei*, *au* und *eu* auf, die in Südtirol und Kärnten schon seit dem 12. Jahrh. aus den Langvokalen *ī*, *ū*, *iu (ǖ)* hervorgehen (Kap. 21) und in den einzelnen Landschaften teils im Zuge einer großen Sprachbewegung durch den Verkehr (auch durch die Kanzleien) verbreitet wurden, teils wohl auch selbständig entstanden: mhd. *īs*, *hūs*, *hiuser*, nhd. *Eis*, *Haus*, *Häuser* (Karte 5). Daß zum Teil auch eigenständige Entwicklung angenommen werden kann, zeigt der abweichende Charakter der Zwielaute im Schwäbischen *(əi*, *əu* gegenüber *ai*, *au)* wie auch der entsprechende Vorgang im Englischen, bei dem deutsche Einwirkung ausscheidet, und im Niederländischen. Ebenfalls ostmitteldeutsch waren die neuen langen *ī*, *ū*, *ǖ*, die sich seit dem

11. Jahrhundert aus den Zwielauten *ie, uo, üe* entwickelten: mhd. *liep, guot, güete* – nhd. *lieb, gut, Güte*. Das Ostmitteldeutsche zeigte auch die für das Klangbild des Neuhochdeutschen so wesentliche Dehnung altkurzer Tonvokale (die, wie wir sahen, schon im 12. Jahrhundert in der Sprache des Limburgers Heinrich von Veldeke auftritt) etwa im gleichen Umfang wie die Hochsprache: mhd. *lop* – nhd. *Lōb*, mhd. *siben* – nhd. *sieben* usw. Außerdem kennzeichnete das Ostmitteldeutsche die *ks*-Aussprache von *chs* (*waksen* gegenüber *wāsen* usw.), die Verkleinerungsform *-chen*, volle Vor- und Nachsilben in *behalten, genommen, schönes* (gegenüber obd. *bhalten, gnommen, schöns*), *ē* (gegen *ā*) in *gehen, stehen*, südliche Formen der Fürwörter auf *-r* und *-ch* (*er, wir; ihr, euch; mir, mich; dir, dich*) usw. Andere, weniger wesentliche Eigenheiten des Ostmitteldeutschen sind nicht in die neudeutsche Hochsprache eingegangen.

Die Hauptmerkmale der heutigen Einheitssprache beginnen sich also schon seit frühdeutscher Zeit auszubilden. Sie werden seit der Mitte des 14. Jahrhunderts im Ostmitteldeutschen deutlich, und ihre Entwicklung ist etwa zu Anfang des 17. Jahrhunderts abgeschlossen. Darum spricht man von einer „spätmittelhochdeutschen" und „frühneuhochdeutschen" Übergangszeit, die manche Forscher von der Mitte des 14. bis zum Beginn des 17. Jahrhunderts ansetzen wollen (vgl. dazu Kap. 18).

Auf dem Ostmitteldeutschen also gründet sich die meißnische Kanzleisprache. Die Sprache Luthers ist aber keineswegs mit dieser gleichzusetzen. Die Sprache der Kanzleien war ja eine durchaus juristisch eingestellte, formelhafte Sondersprache. Luther sieht dagegen, wie er selbst sagt, dem Volk aufs Maul; er kennt die lebendige Volkssprache wie die geschriebene Verkehrssprache der gebildeten ostmitteldeutschen Kreise und läßt vieles von deren Eigentümlichkeiten in seine Sprachform eingehen. Darüber hinaus ist er als Wortschöpfer tätig (vgl. Kap. 25), und sein lebendiger Satzbau unterscheidet sich wesentlich vom Juristendeutsch der meißnischen Kanzlei.

Im einzelnen hat man neuerdings zahlreiche sprachliche Übereinstimmungen der Evangelienübertragung Luthers mit dem künstlerisch bedeutenden mittelniederländischen „*Leven van Jezus*" festgestellt. Es ist eine Übertragung der Evangelienharmonie des Syrers Tatian (2. Jh.) aus dem Latein, die auch ins Frühdeutsche übersetzt wurde. Das niederländische Werk hat auf Umwegen auf Luther gewirkt. Zugleich wurzelt Luthers Sprache in der Erbauungsliteratur der voraufgehenden Zeit.

Luthers Sprachform ist noch lange Zeit in der Entwicklung begriffen. Bis 1524 schreibt er recht willkürlich, dann nimmt seine Sprache eine deutliche Richtung zu immer größerer Einheitlichkeit. Im ganzen aber folgt er noch der ostmitteldeutschen Druckersprache. Bis 1532 ist er damit beschäftigt, seine Sprachformen und die Rechtschreibung von Widersprüchen zu säubern (auch beginnt er Hauptwörter, zuerst die sakralen, groß zu schreiben). Noch lange ändern die Korrektoren der Druckereien nach der Gewohnheit der Zeit Wortformen und Schreibung der Sprache Luthers nach ihrem Geschmack ab. Erst später setzt es Luther durch, daß sie *seine* Sprache drucken. Eine Gegenüberstellung von zwei Stellen nach dem Text von 1522 und nach der Ausgabe letzter Hand von 1546 mag die Unterschiede verdeutlichen:

Mk. 9, 28 Vnd da er heym kam, fragten yhn seyne iunger besonders ...	Vnd da er heim kam, frageten jn seine Jünger besonders ...
Joh. 3, 16 Also hatt Gott die wellt geliebt, das er seynen eynigen son gab ...	Also hat Gott die Welt geliebet, das er seinen eingebornen Son gab ...

In der Nürnberger Bibel von 1483 hatte die Johannesstelle gelautet:

Wann (denn) also het got lieb dy welt, das er geb seinen eingeboren sun ...

Luther ist (zu diesem Ergebnis kommt im wesentlichen auch A. Bach) nicht als der Schöpfer, aber als der Begründer der neuhochdeutschen Schriftsprache in die deutsche Sprachgeschichte eingegangen. Dem 17. und 18. Jahrhundert war er der meisterhafte Übersetzer, der große Beherrscher der Sprache, nicht ihr formaler Gestalter. Tatsächlich wurzelt er in alter ostmitteldeutscher sprachlicher Überlieferung. Ihr folgt er in der Lautform, in Wortstellung, Wortwahl, Wortbildung und Satzbau, aber er verleiht ihr neues Leben und entwickelt das Überkommene schöpferisch weiter. Luther selbst dachte bescheiden von seiner sprachlichen Leistung. Er wählte die sächsische Kanzleisprache nicht als Philologe, als sprachlicher Reformer, sondern als Theologe, als religiöser Reformator, dem daran lag, daß seine Schriften überall in Deutschland gelesen und verstanden würden. Ohne es zu beabsichtigen, schafft er eine Sprachform, welche Ausgangspunkt und Grundlage der deutschen Einheitssprache werden sollte. In diesem Sinn gilt Erasmus Alberus' und Johann Walthers Wort von Luther als dem Vater deutscher Sprache.

Das Ringen um die Form der Schriftsprache

Das Verhalten der Landschaften zur Sprache Luthers

Die Lutherischen Schriften, insbesondere seine Bibelübersetzung, erlebten für die damalige Zeit unerhört hohe Auflagen (allein die Wittenbergische Druckerei von Hans Lufft soll 1534–1584 etwa 100000 Stück herausgebracht haben). Nicht nur im Zusammenhang mit der Verbreitung von Luthers Lehre, sondern auch wegen ihrer sprachlichen Vorzüge setzt sich die Luthersche Bibelverdeutschung gegenüber den früheren Übertragungen durch. Auch katholische Bibelübersetzungen übernehmen viele Wortformen und sonstige sprachliche Prägungen Luthers (dagegen ist diejenige Ecks, des Gegners Luthers, in oberdeutscher Form geschrieben), und protestantische Kirchenlieder gehen in katholische Gesangbücher ein. Außer der protestantischen Predigt und dem Gottesdienst trug auch der von Luther stark geförderte Katechismusunterricht zur Ausbreitung der Lutherschen Sprachform bei. Doch wirkten ihr außer den sprachlichen Verschiedenheiten starke landschaftliche, politische und konfessionelle Kräfte entgegen.

Wir vergegenwärtigen uns kurz einige wichtige Abweichungen der Sprache Luthers vom Gemeinen Deutsch und vom Deutsch der Schweizer Druckereien: Luthers Deutsch zeigte wie das Gemeine Deutsch die neuen Zwielaute *(ei, au, eu* bzw. *ai, au, äu)*, das Schweizerdeutsche (außer Basel) die alten Längen. Luther setzte für die oberdeutschen Zwielaute *ie, uo, üe* die Längen *ie* (gesprochen als *ī*), *u, ü.* Vielfach fehlt im Oberdeutschen der Umlaut *(stuck, beduncken).* In der Schweiz wird oft *i* hyperkorrekt zu *ü* gerundet *(wüssen, zwüschen).* Während das Oberdeutsche tonschwaches *-e* beseitigte, bewahrte es die Luthersprache oft *(Nam –*

Name, Wind – Winde). Zeigte die oberdeutsche Schreibung vielfach noch im Anlaut *p-* sowie *sn-*, *sm-*, *sl-*, *sw-*, so schrieb Luther *b-* *(Pot – Bote)*, *schn-*, *schm-*, *schl-*, *schw-* *(Swalb – Schwalbe)*. Die oberdeutsche Auslautverhärtung der Verschlußlaute kennt Luther nicht *(gap – gab)*. Das Oberdeutsche weist einen Einheitsvokal für die einfache starke Vergangenheit auf, Luther hat noch die alte Unterscheidung zwischen Einzahl und Mehrzahl *(stig, schri* – bei Luther *steig, schrei)*. Obdt. *-nuss (Empfängnuss)* entspricht bei Luther *-niss*. Dazu treten zahlreiche Unterschiede des Wortschatzes und des Geschlechts der Hauptwörter.

Im ganzen ostmitteldeutschen Raum wurde Luthers Sprache leicht aufgenommen, da sie dort als eigene Sprache empfunden wurde. Auch im westmitteldeutschen Bereich bürgerte sich das Deutsch Luthers da, wo dessen Lehre eingeführt wurde (z. B. in Hessen), rasch ein. Die mitteldeutschen Siedlungen in Siebenbürgen und in der Zips schlossen sich ebenfalls Luthers Lehre und seiner Sprache bald an.

Auf niederdeutschem Gebiet, wo das Ostmitteldeutsche schon früher eine Geltung als Hochsprache bekommen hatte (Kap. 21), setzte sich das Hochdeutsche zu Anfang des 17. Jahrhunderts endgültig durch: die großen Kanzleien gehen im 16. Jahrhundert zumeist zur hochdeutschen Sprache über, und 1621 erscheint die letzte niederdeutsche Bibel. Doch verharren die kleinen örtlichen Kanzleien, die Ortschroniken und die Predigt zum Teil noch länger beim Niederdeutschen (da und dort bis ins 19. Jahrhundert hinein).

Im niederländisch-flämischen Bereich entwickelte sich auf Grund eines Sonderbewußtseins, das politischer, kultureller und wirtschaftlicher Art war, aus dem Mittelniederländischen die neuniederländische Schriftsprache. Sie trägt im wesentlichen niederfränkischen Charakter, enthält aber auch ingwäonisch-friesische und niedersächsische Bestandteile. Im 17. Jahrhundert gingen von den Niederlanden starke kulturelle und sprachliche Wirkungen auf das im Osten angrenzende Gebiet von Emden über Bentheim bis Kleve aus. In Südafrika entstand im 17./18. Jahrhundert aus dem Niederländischen das Afrikaans (oder Kapholländische), das auch englische, französische und deutsche Bestandteile und Lehnwörter aus Eingeborenensprachen aufweist und im 19. Jahrhundert zur Schriftsprache wurde.

Am langsamsten gewann die Luthersprache Boden auf alemannisch-bairischem Gebiet. Hier war ihr Abstand von der Volkssprache bedeutend, und hier konnte man auch mit Stolz auf eine alte literarische Überlieferung hinweisen. Man war hier wenig geneigt, sich einer geistigen Vormachtstellung der Mitte zu unterwerfen. Vor allem wirkte in der zwinglianischen Schweiz und in den katholischen Gebieten Süddeutschlands auch der konfessionelle Unterschied hemmend.

Doch gingen noch im 16. Jahrhundert die Schweizer Buchdrucker, dem Beispiel Basels folgend, allgemein zu den neuhochdeutschen Zwielauten über, damit die Schweizer Schriften, vor allem Zwinglis Bibelübertragung, außerhalb der Schweiz leichter verbreitet würden. Man übernahm aber nicht unmittelbar das Lutherdeutsch, sondern ging vom Gemeinoberdeutschen aus, wobei man sich zum Teil auch an das Westmitteldeutsche anlehnte. Noch im 18. Jahrhundert sind die Unterschiede gegenüber der ostmitteldeutschen Form der Schriftsprache nicht ganz verschwunden. Doch wurde die Angleichung immer vollständiger, da die Schweizer Dichter auch im Reich gelesen werden wollten. Vor allem trugen dazu der Dichter Albrecht von Haller und die Züricher Gelehrten Bodmer und Breitinger bei.

Auch die oberdeutschen Protestanten wurzelten zunächst noch stark in einer eigenen sprachlichen Überlieferung. Die Sprache vielgelesener süddeutscher Dichter und Gelehrter wie Hans Sachsens, Johann Fischarts, Jörg Wickrams, Sebastian Francks steht dem Gemeinen Deutsch nahe. Der schwäbische lutherische Grammatiker Hieronymus Wolf erstrebt 1578 eine einheitliche Schriftsprache in Anlehnung an die Sprache des kaiserlichen Hofes; ja, noch im 18. Jahrhundert verteidigt der Württemberger Sprachforscher Fr. K. Fulda die alten schwäbischen Selbstlaute.

Vor allem aber bewahrten die oberdeutschen Katholiken, besonders in Bayern und Österreich, noch lange ihre sprachlichen Eigentümlichkeiten gegenüber dem „protestantischen Dialect“ (J. Grimm). Noch 1755 stellt der Benediktiner Dornblüth dem ostmitteldeutschen Einheitstypus Gottscheds eine auf das Schwäbische gegründete Gemeinsprache entgegen. Doch ersteht unter den oberdeutschen Jesuiten, die das auf Luthers Sprache beruhende Deutsch zunächst abgelehnt hatten, seit 1764 ein eifriger

Mitkämpfer Gottscheds, der Theologieprofessor Ignaz Weitenauer in Innsbruck, dem sich der Benediktiner Heinrich Braun in München, der schwäbische Prämonstratenser und Mundartdichter Sebastian Sailer und der pfälzische Hofkaplan Jakob Hemmer anschließen. Nach der Jahrhundertmitte wurde der Kampf auch im katholischen Oberdeutschland und im rheinischen Westen, wo man sich ebenfalls noch zum Teil an den oberdeutschen Sprachgebrauch gehalten hatte, zugunsten der ostmitteldeutschen Form entschieden; Österreich ging dabei voran.

Der Wettbewerb der schriftsprachlichen Formen

Damit war eine 250jährige Auseinandersetzung beendet, deren Ausgang zeitweilig ungewiß sein konnte. Bis ins 18. Jahrhundert gab es eine mitteldeutsche (evangelische) und eine oberdeutsche (katholische), bis zum ausgehenden 17. auch eine schweizerische (reformierte) Form der Schriftsprache, die der Notar Sebastian Helber in Freiburg im Breisgau 1593 die *Mitter Teütsche, die Donawische* und die *Höchst Reinische* nannte. Alle diese Sprachformen werden im 16. Jahrhundert von Grammatikern verfochten: die Luthersche von Fab. Frangk und Joh. Clajus, die oberdeutsche von Val. Ickelsamer und Hier. Wolf, die schweizerische von Joh. Kolroß und Konr. Gesner. Sie standen miteinander im Wettkampf um die allgemeine Geltung, sie beeinflußten sich aber auch gegenseitig. Von den starken Umwandlungen, welche die Luthersprache vor allem vom Oberdeutschen her erfährt, wird noch die Rede sein. Umgekehrt nahm dieses vor allem unter dem Einfluß der Lutherbibel und des Frankfurter Buchhandels seit der Mitte des 16. Jahrhunderts auch mitteldeutsche Bestandteile in sich auf.

Im 17. Jahrhundert geht das Ringen, nachdem das Deutsch der Schweizer als zu sehr provinziell begrenzt aus dem Wettbewerb ausgeschieden war, vor allem zwischen dem ostmitteldeutschen und dem oberdeutschen Typus in der Form des kaiserlichen Kanzleideutsch weiter, und zwar nicht nur in Süddeutschland. Die nach dem Muster der romanischen Akademien gegründeten Sprachgesellschaften schrieben, von nationalem Eifer angetrieben, die Vereinheitlichung der deutschen Sprache auf ihre Fahnen; die wichtigste war neben der Nürnberger mit Harsdörfer die Weimarer

„Fruchtbringende Gesellschaft oder der Palmenorden", der auch die Dichter Logau und Moscherosch, Opitz und der Grammatiker Schottel angehörten. Opitz nimmt im Sprachenstreit eine vermittelnde Stellung ein; er bezeichnet 1624 neben der Lutherschen Sprachform als entscheidender Richtschnur auch die „Canzelleyen", vor allem die des Kaisers, als „die rechten Lehrerinn der reinen Sprache". Das ist 1663 auch die Meinung Schottels. Der Nürnberger Harsdörfer weist ebenso wie der Hallenser Grammatiker Gueinz und später Leibniz auf die Sprache der Reichstagsabschiede als Vorbild hin; Harsdörfer sieht wie Gueinz in ihnen „in Weltlichen Dingen die Haubtbücher", während „Lutherus ... der Deutschen sprache in Kirchen Sachen Urheber" ist. Leibniz ist der Meinung, die Sprache Luthers sei teilweise veraltet. Süddeutsche Grammatiker des 17. und 18. Jahrhunderts (so auch 1755 der Gegner Gottscheds, Dornblüth) wie auch Grimmelshausen rühmen die Sprache des Reichskammergerichts zu Speyer.

Daneben greift man vor allem auf das lebendige, obersächsische Deutsch zurück. Seit Luthers Tod bis in die zweite Hälfte des 18. Jahrhunderts gilt die Gebildetensprache Obersachsens, des deutschen „Attika und Toskana" (Wieland), für viele als das vorbildliche Deutsch – vor allem unter dem Einfluß der Lutherschen Schriften, aber auch aus anderen Gründen, von denen Gottsched die Wirkung der Universitäten Wittenberg, Jena und Halle, des von Frankfurt nach Leipzig gewanderten Buchhandels und der Bücher der „Fruchtbringenden Gesellschaft" anführt; man könnte noch die des Dresdener Hofes hinzufügen. Noch Adelung vertrat am Ausgang des 18. Jahrhunderts diese Auffassung. Allerdings war jetzt der Glanz des Meißnischen schon verblaßt. Der Schweizer Bodmer hatte sich scharf gegen das Sächsische gewandt. Auch Goethe lehnt die Vorherrschaft des Meißnischen ab, und Schiller läßt in den Xenien 1796 die Elbe mit einer deutlichen Spitze gegen den in Dresden wohnenden Adelung sagen:

All ihr andern, ihr sprecht nur ein Kauderwelsch! Unter den Flüssen
Deutschlands rede nur ich, und auch in Meißen nur, deutsch.

Schon 1663 hatte der bedeutendste Barockgrammatiker Schottel die Auffassung vertreten, daß das geschriebene Deutsch nicht an eine Landschaft, auch nicht an Meißen, gebunden sein dürfe, sondern von mundartlichen Besonderheiten frei sein müsse. „Die Hochteutsche Sprache“, schreibt er in seiner „Ausführlichen Arbeit von der teutschen Haubtsprache“, „davon wir handlen, und worauf dieses Buch zielet, ist nicht ein Dialectus eigentlich, sondern Lingua ipsa Germanica, sicut viri docti, sapientes et periti eam tandem receperunt et usurpant“ (sondern die eigentliche deutsche Sprache, wie sie die gelehrten, weisen und gescheiten Männer endlich annahmen und gebrauchen). Ähnlich äußert sich um die Mitte des 18. Jahrhunderts Gottsched, dessen hauptsächliche und bleibende Leistung auf dem Gebiet der deutschen Sprache liegt. Auch er wird von der Liebe zum Vaterland angetrieben. Sein Ideal ist „das wahre *Hochdeutsche*“, d. h. „eine gewisse eklektische, oder ausgesuchte und auserlesene Art zu reden, die in keiner Provinz völlig im Schwange geht, die Mundart der Gelehrten, oder auch wohl der Höfe ...“, insbesondere „die Sprache des größten Hofes, der in der Mitte des Landes liegt.“ Das war eine Anspielung auf Dresden; in Wirklichkeit vertrat Gottsched also, wie seine Gegner, die Schweizer Bodmer und Breitinger, richtig feststellten, die meißnische Sprachform. Diese erstrebten ebenfalls eine übermundartliche deutsche Schriftsprache. Aber sie alle ließen es im allgemeinen bei der Forderung bewenden und schwiegen sich über Einzelheiten einer solchen Spracheinigung aus. Wie für Gottsched ist auch für Adelung der Sprachgebrauch entscheidend, ohne daß man diesen genauer bestimmte. Der Sprachgebrauch, im besonderen der des Hofes, als höchste Autorität – das ist der Gedanke, den Vaugelas in Frankreich schon hundert Jahre vorher vertreten hatte.

Lutherdeutsch und kaiserliches Deutsch, meißnisches und übermundartliches Deutsch standen also noch im 18. Jahrhundert als Grundlage der deutschen Schriftsprache miteinander im Wettbewerb; abgesehen davon, daß die Anhänger der Sprachform Luthers zunächst in protestantischen Kreisen zu suchen waren, gingen die Lager quer durch die deutschen Landschaften. Wenn sich schließlich die Waage im 18. Jahrhundert doch endgültig auf die Seite der von Luther begründeten Form der Schriftsprache neigte, dann trugen verschiedene Umstände dazu bei. Einmal war das Deutsch der oberdeutschen Katholiken nach Lauten und Wortformen zu uneinheitlich und schwankend (z. B. Mehrzahl *Kirch*, *Kirche*,

Kirchen; Lefz(e), Lebs(e), Lesp(e) für Lippe); auch haftete ihm zu sehr der Geruch der Kanzlei an. Wie stark es landschaftlich gefärbt war, mag eine der wenigen deutschen Strophen des lateinisch schreibenden elsässischen Barockdichters Jacob Balde zeigen:

Nichts kan ich seh'n / das ewig werth[1] /
Nichts sichers kan ich finden.
Zerschlagen wird das Gstreiß[2] vom Pferd /
Gantz Wälder von den Winden.

Donaw und Rhein / reißt Brucken ein /
Das Thal versinckt im Nebel:
Reichs-Stätt und Märck / auch hohe Berg
Förcht Donnerklapff und Schwebel.

1. währt – 2. Gesträuß, Gesträuch.

Aus: De Vanitate Mundi

Diese sprachliche Sonderstellung ergibt sich aus der gegenreformatorischen Einstellung, der es vor allem um die Erhaltung des alten Glaubens ging; vielleicht ist es auch eine Folge der sprachlichen Verhältnisse, daß im 18. Jahrhundert die Kultur des katholischen Südens vorwiegend bildhaft-musikalisch, die des protestantischen Nordens bildlos-literarisch ist.

Dazu kam, daß die bedeutenden Grammatiker, vor allem Gottsched, und die Verfasser von Wörterbüchern im 17. und 18. Jahrhundert zum größten Teil aus Norddeutschland stammten und sich zum Ostmitteldeutschen bekannten. Besonders Gottscheds „Deutsche Sprachkunst" (1748) machte bei allen Vorbehalten auch auf die Schweizer und auf die oberdeutschen Katholiken einen starken Eindruck: sie führte über die Luthersprache hinaus und konnte daher auch auf nichtprotestantische Kreise wirken. Namentlich in Wien hatte sie großen Erfolg, und der Schwabe Seb. Sailer verteidigte sie gegen die Angriffe Dornblüths in temperamentvoller Weise.

Entscheidend aber war, daß die Dichtung Klopstocks, vor allem aber Wielands und der Klassik und Romantik die deutschen Gebildeten in ihren Bann zog (Romantiker wie Eichendorff, Uhland wirkten auch auf weitere Kreise), und diese Dichtung war im wesentlichen in der ostmitteldeutschen Sprachform geschrieben. Jetzt war die Frage des Sprachgebrauchs entschieden. Daß auch die südwestdeutschen Dichter (neben Wieland vor allem Goethe und Schiller) die ostmitteldeutsche Schriftsprache annahmen, war besonders bedeutsam.

Das sich seit der Jahrhundertmitte stark entfaltende Nationalgefühl, das eine politische und eine kulturelle Seite hatte, förderte die Entwicklung in bedeutender Weise. Ohne Zweifel trug auch das sich seit dem 18. Jahrh. stärker entfaltende Zeitungswesen zur Vereinheitlichung der Schriftsprache viel bei.

Die Auseinandersetzung mit dem Lateinischen und Französischen

Der Kampf geht aber nicht nur um den Typus der Schriftsprache, sondern auch um die Geltung der deutschen Sprache überhaupt. Im 16. Jahrhundert erhebt Luther das Deutsche auf die gleiche Stufe wie die „heiligen Sprachen" des Mittelalters, und Sprachforscher wie Ickelsamer und Übersetzer wie Fischart betonen, daß die deutsche Sprache den anderen ebenbürtig sei. Die Sprachgesellschaften kennzeichnet eine neue Einstellung zur Muttersprache: sie wenden sich ihr nicht nur aus nationalem Stolz zu wie die Humanisten – Ausdruck dafür ist etwa der flammende, noch lateinisch geschriebene Protest des jungen Opitz gegen die Verachtung der Muttersprache „Aristarchus sive de contemptu Linguae Teutonicae" (1617) –, sondern sie gehen auch ihren Schönheiten nach, und sie beschäftigen sich mit ihren früheren Entwicklungsstufen (Kap. 4). Schottel schrieb 1640 die aufschlußreichen, echt empfundenen Verse:

> Seht ewre schönste Sprach, ein Zeichen der Freyheiten,
> Voll Pracht, voll Süßigkeit, voll der Glückseligkeiten
> Die jemals eine Sprach gehabt hat in der Welt . . .

Diese Haltung kennzeichnet auch die übrigen Sprachforscher des 17. und 18. Jahrhunderts. So beginnt um die Wende vom 16. zum 17. Jahrhundert auch die große Reihe der Ausgaben altdeutscher und sonstiger germanischer Texte; diese Überlieferung wird im 18. Jahrhundert fortgesetzt und mündet in die altdeutsche Erneuerungsbewegung der Romantik.

Noch war ja in Deutschland das Latein die Sprache der Wissenschaft, daneben, zur Zeit des Humanismus und des Barocks, auch teilweise der Dichtung. Aber die Stellung des Lateins als übernationaler Einheitssprache war in Europa durch die Nationalsprachen ins Wanken gekommen. Die deutschen Sprachgesellschaften bemühen sich, es zugunsten des Deutschen zurückzudrängen. Opitz erstrebt eine neue Dichtung in deutscher Sprache. In der Vorrede zu seinen „Teutschen Poemata" (1624) lesen wir:

Wir Teutschen allein vndanckbar gegen vnserm Lande, vndanckbar gegen vnserer alten Sprache, haben jhr noch zur Zeit die Ehr nicht angethan, daß die angenehme *Poësie* auch durch sie hette reden mögen. Vnd weren nicht etliche wenig Bücher vor vilen hundert Jahren in Teutschen reimen geschrieben, mir zu handen kommen, dörffte ich zweiffeln, ob jemahls dergleichen bey vns vblich gewesen.

Friedrich von Spee will mit seinen Gedichten beweisen, „daß aber nicht allein in Lateinischer sprach / sondern auch so gar in der Teutschen / man recht gut Poetisch reden vnnd dichten könne . . .". 1687 hält Thomasius an der Universität Halle (wie 1526/27 schon Paracelsus in Basel) Vorlesungen in deutscher statt in lateinischer Sprache. (Doch faßt etwa noch in der ersten Hälfte des 19. Jahrhunderts der Mathematiker Gauß seine Werke lateinisch ab.)

Die Stelle des Lateins nimmt aber immer mehr das Französische ein. Seitdem im Spätmittelalter die Nationalsprachen gleichberechtigt neben die übernationale lateinische Bildungssprache zu treten begonnen hatten, waren auf Grund ihrer kulturellen Bedeutung zunächst das Italienische und das Spanische in Europa im Vordergrund gestanden. Als die am besten entwickelte und besonders seit Ludwig XIV. durch eine politische und kulturelle Vormachtstellung gestützte Nationalsprache wird das Französische seit der Mitte des 17. Jahrhunderts die europäische Umgangssprache der Höfe und bald der Gebildeten überhaupt, seit dem Anfang des 18. Jahrhunderts auch die übernationale Sprache der Wissenschaft. In Deutschland tritt im 17. Jahrhundert neben dem französischen Einfluß der im 16. Jahrhundert noch bedeutsame italienische und spanische zurück. Seit den Tagen der Sprachgesellschaften führen die deutschen Sprachforscher den Kampf gegen die Herrschaft des Französischen; ihren Bestrebungen kommt das

Lesebedürfnis entgegen, das nun auch außerhalb der gelehrten Kreise stark anwächst. Um 1680 schreibt Leibniz, der sich allerdings in seinen Schriften aus Gründen der Zweckmäßigkeit selbst noch weithin des Französischen und des Lateins bedient, seine „Ermahnung an die Teutsche, ihren Verstand und ihre Sprache besser zu üben ..." Er verkündet die Überzeugung, die Muttersprache sei für das wissenschaftliche Denken nicht nur geeignet, sondern am günstigsten. Im 18. Jahrhundert wendet sich vor allem Gottsched gegen den Vorrang des Französischen. Doch gelingt es erst Dichtern wie Klopstock und namentlich Wieland, das gebildete Deutschland der Muttersprache zurückzugewinnen.

Bei dem Wettbewerb des Deutschen mit dem Lateinischen und Französischen war es von entscheidender Bedeutung, daß es immer mehr als einheitliche Schriftsprache in Erscheinung trat. Der ostmitteldeutsche Typus, der sich schließlich durchsetzte, war allerdings nicht mehr die ursprüngliche Sprachform Luthers, sondern eine in vieler Hinsicht gewandelte.

25. DIE ENTFALTUNG DER SCHRIFTSPRACHE OSTMITTELDEUTSCHEN GEPRÄGES

Die Weiterentwicklung von Luthers Sprachform führte keineswegs geradlinig zu der allgemein anerkannten neuhochdeutschen Schriftsprache des ausgehenden 18. Jahrhunderts. Diese war in vielem sehr weit entfernt vom Lutherdeutsch, und man kann sagen, daß Luther in Deutschland vor allem die Herrschaft des ostmitteldeutschen schriftsprachlichen Typus als solchen einleitete, während seine eigene Sprachform starke Umwandlungen erfuhr. Schon dem 17. stand wie dem 18. Jahrhundert die von Opitz begründete Barocksprache teilweise näher als das Lutherdeutsch, und neben oberdeutschen, zumal kanzleisprachlichen, und anderen landschaftlichen Einflüssen wirkte die Dichtersprache des 18. Jahrhunderts stark auf die Entwicklung der ostmitteldeutschen Schriftsprache. Im Sturm und Drang und in der Romantik erfolgte dann zum Teil eine bewußte Rückwendung zum Lutherdeutsch.

Entwicklung der Laute und Formen

Noch zu Luthers Lebzeiten, vor allem aber nach seinem Tod, gewannen auch das Ober- und das Niederdeutsche sowie das Westmitteldeutsche Einfluß auf die Gestalt des Lutherdeutsch, besonders auf die Laute und Formen. Die ober- und westmitteldeutsche Einwirkung erfolgte zum Teil auf dem Weg über die Frankfurter rheinfränkische, oberdeutsch gefärbte Druckersprache: mit der Wittenberger stand ja seit 1560 die Frankfurter Bibelausgabe in gefährlichem Wettbewerb, den Wittenberg ein Jahrhundert später verloren hatte. Zu Anfang des 17. Jahrhunderts ist die Entwicklung des Lautstandes der ostmitteldeutschen Schriftsprache im wesentlichen abgeschlossen.

Umgelautete ostmitteldeutsche Formen wurden unter dem Einfluß des Oberdeutschen durch solche ohne Umlaut ersetzt. So schrieb Luther anfänglich noch *gleuben*, *teufen*, *Heupt (gleubet Ihr nicht, so bleibet Ihr nicht!)*, später *glauben*, *taufen*, *Haupt*. Ebenso fehlt der Umlaut heute etwa auch in *drucken*, *Rucksack*. Statt *-is*, *vor-* der ostmitteldeutschen Kanzleisprache gebraucht Luther später oberdeutsches *-es*, *ver-* *(Gottis – Gottes)*. Bald nach Luthers Tod drangen die oberdeutschen Zeichen *ä*, *äu* statt der ursprünglichen *e*, *eu* in die Sprache der Lutherbibel ein; auch *ai* fand zum Teil Eingang, vor allem weil die kaiserliche Kanzlei *Kaiser* mit *ai (ay)* schrieb. Dagegen wendet sich Opitz gegen die oberdeutsche Unterdrückung des unbetonten *-e (Nam, Has)* und regelt dessen Gebrauch; Gottsched vertritt die Opitzsche Regelung gegenüber seinem schwäbischen katholischen Gegner Dornblüth, wobei ihn Weitenauer von Innsbruck aus unterstützt („Was hat immermehr die Glaubenslehre mit dem E zu tun?").

Dazu tritt der Einfluß einzelner westmitteldeutscher Mundarten. In manchen Wörtern wurden mhd. *i*, *e*, wohl unter ostfränkischem Einfluß, durch hyperkorrekte *ü*, *ö* ersetzt: *Würde*, *Würze*, *flüstern*, *Hölle*, *Löffel*, *löschen*, *schwören*. Ebenso hat sich der in einem kleinen westmitteldeutschen Gebiet beheimatete Laut *au*, der einem mhd. *iu* entspricht (etwa in *Nauheim*), gelegentlich statt *äu*, *eu* durchgesetzt: *kauen* (aber *wiederkäuen*).

Mittelfränkisch und niederdeutsch ist *ht* < *ft* in Wörtern wie *Nichte* (hd. *Niftel*), *sacht* (hd. *sanft*), *Gerücht*, *berüchtigt* (zu hd.

rufen) und erhaltenes *wr* in *wringen*, nd. *Wrack;* westmitteldeutsch wie niederdeutsch wird *r* oft umgestellt (*Born*, hd. *Brunnen; bersten*, hd. *Gebresten)*. Niederdeutsch sind verschiedene Wörter ohne die zweite Lautverschiebung: *Klippe*, *Schuppen* (hd. *Schopf*), *fett* (hd. *feist*), *Bake*, *Laken; Dogge*, *Bagger* (niederländisch), *flügge* zeigen nd. *gg* statt hd. *ck*.

Der Formenbau der neuhochdeutschen Einheitssprache ist gekennzeichnet durch weitere, schon im Mittelalter eingeleitete Vereinfachungen. Die alten Klassen der Beugung des Hauptworts lösen sich weitgehend auf und gehen in die drei Gruppen der starken, der schwachen und der Mischdeklination über (starke Einzahl, schwache Mehrzahl; vgl. *Gabe – Gaben*). Nicht mehr der ursprüngliche Stammauslaut (Kap. 14), sondern der Geschlechtsunterschied wird nun das Kennzeichen ihrer Struktur, der Umlaut ein wichtiges Bildungsmittel (vgl. mhd. *hof – hofe*, nhd. *Hof – Höfe;* mhd. *grabe – graben*, *nhd. Graben – Gräben*). Die Mehrzahl auf *-er*, die im Frühdeutschen noch auf einige sächliche Hauptwörter beschränkt war, breitet sich immer mehr aus, auch bei männlichen Wörtern (ahd./mhd. *wort*, nhd. *Worte/Wörter;* mhd. *geiste*, nhd. *Geister*). Wahrscheinlich geht der wohl ursprünglich germanische *s*-Plural, wie er etwa in *Kerls*, *Jungens*, *Mädels* auftritt, auf niederländischen Einfluß zurück.

Auch bei der Beugung der Zeitwörter ergeben sich große Veränderungen durch Übertritte der starken in die schwache Klasse und umgekehrt. Namentlich verschwindet unter oberdeutschem Einfluß der Unterschied zwischen Einzahl- und Mehrzahlbildung bei der starken einfachen Vergangenheit; Opitz vor allem setzte sich für den oberdeutschen Gebrauch ein.

Inneres Werden der ostmitteldeutschen Sprachform

Lutherdeutsch

Luthers Sprache steht im Gegensatz zum gelehrten, lateinisch beeinflußten Humanistendeutsch, wie es sich seit der zweiten Hälfte des 15. Jahrhunderts entwickelte. Luther sucht die Volksnähe und vermeidet Fremdes. Sein Wortschatz steht in enger Beziehung zur spätmittelalterlichen Bibel- und Erbauungsliteratur;

seine Wirkung war schon deshalb so groß, weil viele Teile der Lutherbibel durch Predigt, Katechese und Kirchenlied zum Gedächtnisbesitz weiter Volksteile wurden. So verdrängte das Wort *Balken* der Luthersprache das sehr verbreitete *trām (drām)*, Ausdrücke wie md./nd. *Lippe*, *Stoppel*, *beben* und md. *Topf*, *Töpfer* treten an die Stelle von obd. *Lefze*, *Stupfel*, *bidmen*, *Hafen*, *Hafner* usw. Auch zusammengesetzte Wortschöpfungen Luthers wie *Lückenbüßer*, *Machtwort* und Lehnübersetzungen wie *Linsengericht*, *Gegenbild* wurden Allgemeinbesitz. Wörter wie *Glaube*, *Gnade*, *Sünde* prägt Luther inhaltlich um. Die Zunahme der Zusammensetzungen, namentlich der „unechten", ist überhaupt für die neuhochdeutsche Wortbildung bezeichnend; auch Eigenschaftswörter wachsen nun häufig mit Hauptwörtern und anderen Eigenschaftswörtern zusammen. So finden sich bei Luther *Hochmut*, *Wolgefallen*, *rottwelsch* (Gaunersprache).

Luthers Satzfügung ist unter dem Gesichtspunkt ihrer Wirkung auf den ostmitteldeutschen schriftsprachlichen Typus noch wenig untersucht worden. Sie ist die der mündlichen Rede; Freiheit der Wortstellung und der Folge der Haupt- und Nebensätze sowie Anakoluthe kennzeichnen sie.

Barocksprache

Schon im 16. Jahrhundert entstanden, wie wir sahen, Grammatiken der deutschen Sprache. Vor allem aber seit dem 17. Jahrhundert geschah der formale Ausbau der Schriftsprache nicht so sehr auf dem Weg natürlichen Wachstums von unten her, sondern von oben: nicht nur durch den Einfluß der Dichtung, sondern durch bewußte Regelung – durch die Arbeit von Sprachforschern und, seit dem letzten Viertel des 19. Jahrhunderts, durch Abmachungen. Das ist etwas Neues in der Entwicklung der deutschen Sprache; es erwächst aus dem Streben nach der richtigen Sprache (Kap. 4, 5). Sie teilt es mit anderen europäischen Sprachen: in Frankreich vor allem spielt die Sprachregelung eine noch viel größere Rolle (Académie Française). Während aber dort die ganze gebildete Oberschicht zur Entfaltung der Nationalsprache beitrug, geht diese in Deutschland, wie wir sahen, für mehr als ein Jahrhundert der Muttersprache weithin verloren.

Überzeugt von der Berufung der Deutschen und der Eignung

des Deutschen zur Dichtung schafft der Schlesier Opitz (1597 bis 1639) auf der Grundlage des Lutherdeutsch eine barocke, oft gekünstelte, von der Alltagssprache streng geschiedene, prunkhafte Gebildeten- und Dichtersprache. Sie liebt Zusammensetzungen. Neben heute noch lebendigen Bildungen der metaphernreichen barocken Dichtersprache wie *Liebesblick*, *Lebenstau* stehen andere, die sich nicht erhalten haben: *Andachtszucker*, *Nectar-küssichin.* Häufig sind Doppelbildungen wie *loderndhell*, *schimmerndlicht* und Scheinpartizipien wie *bepalmt*, *bepurpurt*. Daß Opitz auch auf die Entwicklung der Laute und der Wortbeugung Einfluß nimmt, sahen wir schon. Er ist also nicht nur der bedeutende, wenngleich oft pedantische Erneuerer der deutschen Poetik (er verbannte vor allem die bloß abgezählten Verse des 16. Jahrhunderts, bei denen der Akzent auch auf unbetonten Silben lag), sondern er gilt bis ins 18. Jahrhundert auch als maßgebend für die Form der ostmitteldeutschen Schriftsprache. Grammatiker des 17. Jahrhunderts gründen ihre Regeln auf seinen vom Lutherdeutsch im Wortschatz wie im Stil stark abweichenden Sprachgebrauch, und Gottsched, ja auch Bodmer berufen sich 1748 bzw. 1768 auf ihn als den Urheber der Sprache, die sie grammatikalisch darstellen. Nach Opitz vertreten die Grammatiker Gueinz und vor allem Schottel den Grundsatz, die Schriftsprache müsse sich nach der Grammatik richten; auch sie beziehen sich ja wie Opitz nicht nur auf Luther, sondern zugleich auf die kaiserliche Kanzleisprache. Die Sprachgesellschaften bemühen sich um eine volle Hochsprache, bei der auch die Aussprache einheitlich geregelt sein sollte.

Neben den Bestrebungen, die Einheit der Sprache zu erreichen, erwachsen seit dem 17. Jahrhundert auf dem Boden des nationalen Selbstbewußtseins andere, sie von den überhandnehmenden fremden Bestandteilen zu reinigen. Der Kampf der Sprachgesellschaften richtet sich nicht so sehr gegen die Lehnwörter der voraufgegangenen humanistischen Zeit: seit dem 16. Jahrhundert hatte ja, wie wir sahen, ein sehr starker Zustrom hauptsächlich romanischen Wortguts eingesetzt, der fast alle Bereiche des Lebens betraf. Aus dem Niederländischen kommen nun etwa *Börse*, *Matrose*, aber auch *krakeelen*. Dem Spanischen entstammen z. B. *Gala*, *Galan* und *galant*, *Infanterie*, *bizarr*, aber auch amerikanische Wörter wie *Tabak*, *Schokolade* (nachdem schon im 16. Jahrhundert Ausdrücke wie *Mais, Kakao* ins Deutsche aufgenommen worden waren); dem Italienischen *Bankett, Pokal, Kartoffel,* außerdem vor allem Ausdrücke der Baukunst, der Dichtkunst und der Musik sowie des Heerwesens: *Altan, Kuppel; Sonett; Oper, Konzert, Bratsche; Soldat.* Am stärksten ist aber der Einfluß des Französischen: *Garderobe, Möbel, rasieren, frisieren; Marmelade, Soße; Kompliment; kokett, scharmant; Leutnant, Dragoner* usw. Ein wohl von Hille verfaßtes Gedicht verspottet 1647 satirisch-übertreibend die „neue unteutsche Art zu parliren" der Alamode-Zeit. Es beginnt:

Reverirte Dame,
Phoenix meiner *ame,*
Gebt mir *audientz:*
Euer Gunst *meriten,*
Machen zu *falliten*
Meine *patientz.*

Zahlreiche Eindeutschungen sollten der Überfremdung steuern. Die hauptsächlichen Verdeutscher sind der Grammatiker Schottel und der Dichter Zesen. Auf Schottel gehen grammatikalische Bezeichnungen wie *Sprachlehre, Einzahl, Mehrzahl, Zeitwort, Beistrich* usw. zurück. Von Zesen wurden geprägt *Zweikampf, Anschrift, Bücherei, Mundart, Wörterbuch* u. a. Auf Vorschlag von Leibniz entstand 1700 eine Preußische Akademie der Wissenschaften zur Pflege der Reinheit des Deutschen. Thomasius begründet die nhd. philosophische Fachsprache.

Die Einwirkung des Französischen erstreckt sich wie im Hochmittelalter weniger auf den Satzbau; doch geht wohl das historische Präsens (Gegenwartsform mit Vergangenheitsbedeutung), das jetzt immer mehr Boden gewinnt, auf französisches Muster zurück. Gegen das Ende des 17. Jahrhunderts ist entsprechend dem Rückgang des Lateins dessen Einfluß auf die deutsche Satzfügung endgültig gebrochen.

Von Gottsched zu Wieland

Die Grammatiker des 18. Jahrhunderts, vor allem Gottsched und Adelung, versuchen, nach dem Vorbild Schottels die Sprache in Regeln zu fassen. Gottscheds Ziel ist es, auf der Grundlage des lebendigen Meißnischen eine geschriebene wie gesprochene Einheitssprache der Nation zu schaffen, die ebenso fein und geschmeidig sein sollte wie das Französische der Pariser Akademie. Sein Bestreben geht aus demselben Nationalstolz des 18. Jahrhunderts hervor wie Lessings Idee einer deutschen Nationalbühne oder Klopstocks Gedanke einer deutschen Akademie, eines deutschen Rechts usw. Nach dem Vorbild der Französischen Akademie plant er ein deutsches Wörterbuch; es sollte erst später verwirklicht werden. Was ein Jahrhundert zuvor in Frankreich geschehen war, wiederholt sich nun ähnlich in Deutschland: die Regelung der neuzeitlichen Schriftsprache durch die Grammatiker und ihre Verwirklichung in der Dichtung der folgenden fünfzig Jahre. Es entsprechen sich in dieser Hinsicht Vaugelas' „Remarques sur la langue française" (1647) und Gottscheds für das Deutsche so entscheidende „Deutsche Sprachkunst" (1748), die Dichtung der französischen Klassiker und die Wielands und der deutschen Klassik und Romantik.

Gottsched kämpft gegen den umständlichen Satzbau der Kanzleisprache und gegen mundartliche Einflüsse. Er greift nicht auf Luthers Schriften zurück, sondern, wir wir sahen, auf die Werke von Opitz; da er für den deutschen Geschmack und die deutsche Dichtkunst eine Angleichung an das französische Vorbild für nötig hielt, erschienen ihm die Werke des 16. Jahrhunderts als zu wenig geschliffen. Als echter Aufklärer ist er überzeugt, daß die Sprache seiner Zeit die beste sei (Kap. 4). Aber er ist zugleich historisch eingestellt: er wendet sich gegen ungewohnte Neubildungen und empfiehlt altertümliche Formen wie *kreucht*, *fleucht* usw. sowie die historische Unterscheidung des Geschlechts beim Zahlwort zwei *(zween, zwo, zwei)*.

Gottscheds Werk bedeutete eine Neuordnung der Schriftsprache ostmitteldeutschen Gepräges. Was dem von Gottsched allzu pedantisch geregelten Deutsch an Kraft, Frische und Anschaulichkeit fehlte, sollte es in reicher Fülle durch die Dichtung der zweiten Hälfte des Jahrhunderts empfangen, welche die von Gottsched vertretene Sprachform zum Sieg führte.

Im 18. Jahrhundert hinterlassen die verschiedenen geistigen Strömungen deutliche Spuren im Wortschatz. Auf den Einfluß pietistischer Kreise gehen wohl Ausdrücke wie *Selbstbetrug*, *Selbst-*

verleugnung, *selbstgefällig* zurück. Neubildungen der Aufklärer sind *Aufklärung*, *Humanität*, *Toleranz*. In die Sphäre der Empfindsamkeit weisen Klopstocksche Ausdrücke wie *seelenvoll*, *sanftleuchtend*. Voß bildet nach griechischem Vorbild zusammengesetzte Beiwörter wie *schöngeharnischt*, *waldumschattet*. Der Dichtung der Anakreontiker entstammen z. B. *Elysium*, *Grazie*.

Die Dichter des Sturms und Drangs liebten starke, leidenschaftliche Ausdrücke wie *Genie*, *Kraft-*, *Originalgenie*, *genialisch*. Sie nehmen aber auch Gedanken Bodmers auf, der den Verlust vieler Ausdrücke und Formen der Minnesänger beklagt hatte, wenn sie bestrebt sind, aus der historischen deutschen Sprache, nicht nur aus der mittelhochdeutschen Dichtersprache, sondern auch aus dem Deutsch Luthers, Hans Sachsens und des Volksliedes sowie aus den Mundarten Bereicherung für die lebende Sprache zu schöpfen. So nimmt Gleim das Wort *Aar* auf, nachdem Lessing *Degen* (Kämpfer) und Klopstock *Hain* erneuert hatten. Herder prägt Zusammensetzungen wie *Nationalgefühl*, *Nationalstolz*, nach französischen Vorbildern *Nationalcharakter*, *Geist eines Volkes*, *Volkslied* (als Lehnübersetzung des englischen *popular song*). Wohl unter englischer Einwirkung läßt man seit dem Sturm und Drang gern das Geschlechtswort weg: *Fürcht mich weder vor Höll noch Teufel* (Urfaust); *Wanderers Sturmlied*.

Das Englische gewinnt nun auf dem Weg über die Literatur zum ersten Mal größeren Einfluß auf den Wortschatz und Stil: Bodmer, Breitinger, Klopstock, Lessing, Herder wandten sich der englischen Literatur zu. So wird 1742 *Elfe* (von Bodmer), 1770 *Ballade* entlehnt. Klopstock bildet Zusammensetzungen wie *blütenumduftet*, *wahnsinntrunken* nach dem Vorbild Miltons (*earthborn* usw.).

Auch die Französische Revolution wirkt auf das Deutsche. Es wandern Ausdrücke wie *Demokrat*, *Proletarier*, *Zivilisation* herüber, und es entstehen Lehnübersetzungen wie *Abgeordneter*, *Tagesordnung*, *Abstimmung*. Aus dem Niederländischen kommen *Aktie*, *Gas*, *Makler*, *baggern*, aus dem Skandinavischen auf literarischem Weg *Skalde*, *Walküre* u. a. Auch aus überseeischen Sprachen dringen Lehnwörter ein *(Bonze*, *Tee*, *Zigarre)*.

Nachdem sich schon Gottsched nachdrücklich gegen die Überfremdung des deutschen Wortschatzes gewandt hatte, bekommen die Bemühungen um eine Sprachreinigung im letzten Viertel des

18. Jahrhunderts wieder eine besondere Bedeutung. Eindeutschung des Fremden und Weiterentwicklung des Heimischen – das sind die Ziele, die Adelung, Campe und Radlof unter dem Zeichen der „Vernunftsprache" (d. h. der Vernunft angepaßten Sprache) in ihren Schriften anstreben. Die beiden ersten sind die Verfasser großer wissenschaftlicher Wörterbücher. Während Adelungs Wörterbuch (1774–1786) den deutschen Wortschatz der Jahrhundertmitte sammelt und ihn nach Rechtschreibung, Aussprache, Wortbeugung und Bedeutung darstellt, veröffentlicht Campe 1801 ein Verdeutschungswörterbuch; die Brüder Grimm führen dann die Reihe der Wörterbücher weiter. Auf Campe gehen viele Eindeutschungen zurück. Aufnahme fanden etwa *Einzelwesen (Individuum)*, *Feingefühl (Delikatesse)*, *Lehrgang (Kursus)*, *Minderheit (Minorität)*, *folgerichtig (konsequent)*, *gefallsüchtig (kokett)*, *mattblau (bleu mourant)*, *schöngeistig (belletristisch)*, *verwirklichen (realisieren)*.

Gleichzeitig bereichern die „Vernunftsprachler" den Wortschatz durch neue Zusammensetzungen wie *Erziehungsanstalt*, *-geschichte*, *-kunst*, *-plan*, *wechselwirksam* usw. sowie durch Wortbildungen mit *ur-* und auf *-ling (Urerkenntnis*, *Schwächling*, *Abkömmling)*. Daneben werden aber auch seit dem 18. Jahrhundert, teilweise unter englischem Einfluß, Wörter gekürzt (so *Schaubühne* zu *Bühne*, *Bewegungsgrund* zu *Beweggrund*).

Auch die Sondersprachen beeinflussen die Hochsprache weiterhin. So dringen Wörter und Wortbildungen der Studentensprache ein wie *famos*, *fidel* usw.

Das entscheidende Ereignis für die Entfaltung der deutschen Sprache wie für ihre Geltung vollzieht sich jedoch im Bereich der Dichtung. Wieland erfüllt selbst die von ihm den „guten Schriftstellern" zugewiesene Aufgabe, „die wahre Schriftsprache eines Volkes" zu bilden. Er schafft endlich der deutschen Dichtung in noch höherem Maß als Klopstock ein sprachliches Gewand, das diese befähigt, sich in den Werken Goethes und Schillers zu europäischem Rang zu erheben.

Neudeutsche Namenbildung

Nur im Vorbeigehen können noch einige Entwicklungen in der neuhochdeutschen Namengebung berührt werden, die auf die Oberschicht zurückgehen.

Seit dem 18. Jahrhundert entstehen neue Formen von Ortsnamen, die mit Namen von Regenten, zum Teil mit abstrakten Grundwörtern gebildet werden: *Karlsruhe*, *Ludwigslust; Ludwigsburg*, *Friedrichshafen*, *Freudenstadt* (aus *Friedrichs Freudenstadt*).

Bei der Wahl der Rufnamen griffen die Protestanten als Ersatz für die Heiligennamen gerne zu alttestamentlichen Namen *(Daniel, Elias, Eva, Rachel)*. Schon im 16. Jahrhundert wies man auch auf den „kostbaren Schatz bedeutungsvoller alter Namen“ hin (Aventin) und meinte damit die altdeutschen. Teilweise nach ihrem Vorbild entstehen seit dem 17. Jahrhundert im protestantischen Deutschland auch neue deutsche Namen wie *Gottlob*, *Leberecht; Timotheus* übersetzte man im Zusammenhang mit den Bestrebungen der Sprachreiniger als *Fürchtegott*, *Amadeus* als *Gottlieb*. Seit dem 18. Jahrhundert, namentlich aber seit der Romantik, da man bewußt auf den älteren Wortschatz zurückzugreifen begann, fanden die altdeutschen Rufnamen dann eine dauernde Wiederbelebung (*Bernhard*, *Hugo*, *Hildegard*, *Irmgard* usw.).

Auf der anderen Seite fanden als Folge allgemeiner Kulturströmungen und vielfach in engem Zusammenhang mit der Literatur auch fremde Namen in großer Zahl Aufnahme. So übernahm man etwa im 17./18. Jahrhundert aus dem Italienischen *Guido* und *Laura*, aus dem Spanischen *Ferdinand* (ursprünglich westgotisch) und *Isabella*, aus dem Französischen *Louis*, *Louise*, *Annette*, *Charlotte*. Aus dem Englischen kamen seit dem 18. Jahrhundert *Edgar*, *Richard*, *Harry*, *Willy*, *Mary*, *Maud*. Seit dem Beginn unseres Jahrhunderts drangen aus Skandinavien Namen ein wie *Gustav (-Adolf)*, *Hjalmar*, *Ingrid*, *Sigrid*, aus dem Russischen *Alexander*, *Feodor*, *Feodora*, *Olga* (< anord. *Helga)*. Slawisch sind auch etwa *Kasimir*, *Wenzel*, *Ludmilla*, *Wanda*.

Vor allem werden die Familiennamen, die noch im 16. Jahrhundert oft gewechselt wurden, nun fest. Bayern verbietet Namensänderungen 1677, Österreich 1776, Preußen 1794. Am längsten fehlten feste Familiennamen in Nordwestdeutschland (wie den nördlichen Niederlanden), manchen Alpengegenden und bei den Juden. Am Ende des 18. Jahrhunderts werden die Juden, zu Beginn des 19. Jahrhunderts schließlich auch die Friesen gesetzlich gezwungen, Familiennamen anzunehmen.

26. ALLGEMEINE GELTUNG EINER SCHRIFTSPRACHE UND ENTWICKLUNG ZUR VOLLEN EINHEITSSPRACHE

Seit dem Ende des 18. Jahrhunderts

Zeit der Klassik und Romantik

Durch die Werke der deutschen Klassik und Romantik erfüllt sich das Schicksal der deutschen Schriftsprache in jener dreifachen Weise, die uns bei der Betrachtung ihrer Entwicklung seit der Neuzeit bedeutsam erschien: sie wird in ostmitteldeutscher Form in ihrer allgemeinen Geltung endgültig gegenüber der oberdeutschen Gemeinsprache wie dem Französischen und Lateinischen befestigt, und sie erlebt eine wesentliche Ausformung. Die große Zeit der deutschen Dichtung um 1800 bedeutet also für die deutsche Sprache Ähnliches wie die hochmittelalterliche um 1200, und zugleich viel mehr: ihre Sprache tritt nicht zurück wie die mittelhochdeutsche Kunstsprache, sondern sie setzt sich fort in der Form einer allgemeinen Schriftsprache. Das gilt auch in einem sozialen Sinn. Waren vorher die schriftsprachlichen Formen auf die gebildete Oberschicht beschränkt gewesen, so findet die Schriftsprache jetzt auch Eingang bei der Mittel- und Grundschicht, vor allem auf Grund der allgemeinen Schulpflicht, der Zunahme des Verkehrs und des Ausbaus der Kommunikationsmittel (Buch, Zeitung, Rundfunk). Jetzt beginnt auch, eingeleitet durch die Deutsche Grammatik Jacob Grimms, die systematische historische und vergleichende Erforschung der deutschen Sprache (Kap. 5) und damit eine Zeit gesteigerten Sprachbewußtseins.

Die Romantik knüpft an Herder und die Dichter des Sturms und Drangs an. Auch sie erneuert Wörter früherer Sprachstufen *(Ahn, Minne, kosen)* und schätzt die Mundarten. Sie baut die Wortfamilie *Volk* aus (*Volkstum*, *volkstümlich*, *Volksleben*, *Mittler-*

volk usw.) und schränkt das Wort *Stamm*, das zunächst noch *Volk* meint, auf die heutige Bedeutung ein. Die neue Sprachauffassung drückt sich aus in Wörtern wie *Sprachbewußtsein*, *Sprachgefühl*, *Sprachgewalt*. Eine besondere Rolle aber spielen die Wortfamilien *Gefühl*, *Wunder*, *Zauber*, *Nacht* (*Angstgefühl*, *Wunderhorn*, *Zaubergarten*, *Nachtgesang* usw.). Von Jean Paul (der hier angeschlossen sei) stammen besonders zahlreiche Neubildungen, so *Doppelgänger*, *Jetztzeit*, *Weltschmerz*.

Schiller besingt „das köstliche Gut der deutschen Sprache, die alles ausdrückt, das tiefste und das flüchtigste, den Geist, die Seele", aber zugleich beklagt er es ebenso wie der Romantiker Adam Müller, daß die Sprache seiner Zeit nicht immer ausreiche, um den Gedanken festzuhalten: „Spricht die Seele, so spricht, ach schon die Seele nicht mehr;" freilich gilt diese Klage für die Sprache aller Zeiten. Schiller bildete nach griechischem Vorbild Zusammensetzungen wie *Gedankenfreiheit*, *Wohllaut*, *Seelenfrieden*, *leichtgeschürzt*. Solche Bildungen finden sich auch bei Hölderlin (*Allgewalt*, *Festgesang*, *tiefverschlossen*) und bei Grillparzer (*Erdenbürger*, *Grabessehnsucht*, *gottverlassen*). Durch Schillers „Tell" werden schweizerdeutsche Wörter wie *Föhn*, *Gletscher* gemeindeutsch.

Goethe liebt wie Voß und Klopstock zusammengesetzte Beiwörter wie *erdgeboren*, *göttergleich*, *vielgewandt*, *hochgetürmt*. Von ihm stammen auch Zusammensetzungen gegensätzlicher Haupt- und Eigenschaftswörter wie *dunkelhell*, *zartkräftig* und Neubildungen wie *Kleinleben*, *Weltliteratur*. Er macht orientalische Wörter wie *Oase*, *Karawane*, *Moschus* im Deutschen heimisch.

Neuere Zeit

Eine zeitliche Aufgliederung der deutschen Sprachentwicklung seit den 30er Jahren des letzten Jahrhunderts ist noch kaum möglich. Doch lassen sich Entwicklungstendenzen und gewisse Einschnitte aufzeigen.

Allgemein läßt sich sagen, daß der Einfluß der Dichtung auf das sprachliche Werden abnimmt. Das hängt einerseits damit zusammen, daß die Dichtung seit der Zeit des poetischen Realismus, vor allem dann im Naturalismus, und zumal im Bereich des Romans, weithin bewußt die Anwendung einer Sondersprache ablehnt und die Alltagssprache benützt, zum andern aber damit, daß seit dem 19. Jahrhundert neben das Buch eine andere literarische Großmacht tritt, die Zeitung, deren Sprache nun eine wachsende Bedeutung bekommt. Seit den 20er Jahren unseres Jahrhunderts tritt dazu in steigendem Maße die Einwirkung der Rundfunksprache.

Kennzeichnend für die neuere Zeit der deutschen Sprache ist die weiter fortschreitende sprachliche Bewußtheit. Die seit den 80er Jahren organisierten Bemühungen, das Leben der Sprache zu überwachen, vor allem sie zu reinigen, sind dafür ebenso ein Ausdruck wie die neuere Richtung der Sprachwissenschaft, welche die Sprache als Seiendes, als Struktur begreifen will (Kap. 6). Teilweise von hier aus, teilweise aus den praktischen Bedürfnissen des Verkehrs erklären sich die Bestrebungen nach weiterer Vereinheitlichung der Hochsprache auf dem Gebiet der Schreibung, aber auch der Aussprache: die Schriftsprache ist auf dem Weg zur vollen Einheitssprache. Diese Bemühungen erhalten einen starken Auftrieb durch die Entstehung des kleindeutschen Reichs und das dadurch erstarkende, wenn auch teilweise verengte Nationalgefühl. War ähnlich wie in Italien und im Gegensatz zu Frankreich die bewußte Sprachregelung in Deutschland bis jetzt ausschließlich eine Angelegenheit der Grammatiker und Sprachforscher gewesen, so beteiligt sich bei der Festlegung der Rechtschreibung (1876) zum ersten Mal auch der Staat an der Regelung der sprachlichen Einheit (in Frankreich, wie wir sahen, schon 1539). Nach dem Einschnitt der 70er Jahre (der ja auch durch die Zunahme der Eindeutschungsbemühungen gekennzeichnet ist) bedeutet die Schaffung einer Einheitsaussprache 1898 einen weiteren Abschnitt der Entwicklung.

Einheit der Rechtschreibung

Sehr lange dauerte es, bis eine Vereinheitlichung der Schreibung erreicht wurde. Das Komma verdrängte in der Barockzeit den Schrägstrich (Virgel), das Ausrufezeichen breitete sich etwa 1600 aus. Der Doppelpunkt bekam im 18. Jahrhundert seine heutige Aufgabe. Aus dem 16. Jahrhundert stammen die Klammern und Anführungszeichen.

Gleiche Rechtschreibung wurde zunächst keineswegs immer erstrebt: im Gegenteil, man liebte es lange Zeit geradezu, ein Wort in ein und derselben Niederschrift bei mehrmaligem Auftreten verschieden zu schreiben (Kap. 22). Zwar hatten sich seit dem Humanismus gewisse Regeln der Rechtschreibung entwickelt. So gebrauchte man das zwischen Vokalen verstummte *h* als Dehnungszeichen: mhd. *gemahel*, nhd. *Gemahl*. Wenn ein *t* in der Nähe stand, trat *h* zu diesem *(thut, Rath)*. Auch den Umlaut begann man nun allgemein zu bezeichnen. Zu Anfang des 16. Jahrhunderts bürgerte sich die Großschreibung der Hauptwörter, zunächst bei den Protestanten, ein (das zeigte uns die Entwicklung der Texte Luthers), nachdem schon im ritterlichen Deutsch des Mittelalters Namen groß geschrieben worden waren; um 1650 hatte sich eine meist sehr ungeregelte Großschreibung fast überall durchgesetzt. Auch sonst war die Uneinheitlichkeit der Schreibung überaus groß: *j* steht oft für *i (jm* ihm, aber *in* in), *v* weiter für *u* und umgekehrt *(vnd, valsch; du, beuolgt)*, auch *w* für *u (fraw* Frau, *fewer* Feuer usw.; so noch heute in *Ew. Exzellenz* u. ä., *Owen* (Württemberg) = *Auen* usw.

Die Buchdrucker bemühten sich um eine allgemein gültige Regelung, und seit dem 17. Jahrhundert verstummt auch die Forderung der Grammatiker nach einer einheitlichen Schreibweise nicht mehr: Schottel erhebt sie im 17. Jahrhundert ebenso wie Gottsched und Adelung im 18. und Campe um die Wende des 18./19. Jhs. Gottsched setzt generell die Großschreibung der „Hauptwörter“ durch. 1722 erschien im Verlag des Waisenhauses in Halle Hieronymus Freyers „Anweisung zur teutschen Orthographie“; sie bekam große Bedeutung, zumal die viel benützten, im gleichen Verlag erscheinenden Schulbücher sich nach ihr richteten. An ihre Stelle trat dann 1788 Adelungs nur wenig abweichende „Vollständige Anweisung zur Deutschen Orthographie“, die auf Gottsched zurückgriff und noch 1835 aufgelegt wurde; Adelung begründet die Notwendigkeit der richtigen Rechtschreibung nicht nur von den Bedürfnissen des Verkehrs her, sondern auch mit ästhetischen Gründen.

Diese Versuche sind etymologisch eingestellt: man will die gleichstämmigen Wörter auch durch die Schreibung als zusammengehörig kennzeichnen und schreibt so den Umlaut von *a* durchweg nicht mehr als *e*, sondern als *ä: älter, Fähre, Hände, Häuser* usw. (dagegen *Eltern, fertig, behende*; hier erkannte man den Zusammenhang nicht mehr). Daneben war man bestrebt, gleichlautende Wörter zu unterscheiden: *Leib – Laib, Lerche – Lärche, Tau* (Schiffseil) – *Thau* (Niederschlag), *meine* (Fürwort) – *meyne* (Zeitwort) usw.

Im 19. Jahrhundert fordert Jacob Grimm eine historisch-etymologische Rechtschreibung. Demgegenüber vertritt Rudolf von Raumer eine phonetische Richtung, die eine Schreibweise nach dem Lautbild bevorzugt. Raumers Auffassung sollte sich dann im großen und ganzen durchsetzen: 1876 erreichte die Berliner Konferenz „zur Herstellung größerer Einigung der deutschen Rechtschreibung" eine weitgehende Annäherung der Schreibweise. Aber auch jetzt noch hatte jedes deutsche Land seine eigenen Rechtschreibvorschriften. Erst 1901 erfolgte für das Deutsche Reich eine einheitliche Regelung der Schreibung, an die sich Österreich und die Schweiz anschlossen. Ausgenommen von dieser Vereinheitlichung waren nur die Namen (Personennamen, Ortsnamen, Flurnamen und sonstige Örtlichkeitsnamen), weshalb hier bis heute noch die verschiedensten Formen nebeneinander auftreten (*Hans, Hanns; Schulz, Schultz; Bärental* in Württemberg, *Bärenthal* in Hohenzollern usw.). Die geltende Orthographie ist im Rechtschreib-Duden auf Grund der Regelung von 1901 festgelegt.

Aber das heutige System der Rechtschreibung ist auch in sich nicht einheitlich. Es verwirklicht das zugrunde gelegte phonetische Prinzip keineswegs in folgerichtiger Weise. Wie in den anderen europäischen Sprachen sind viele Buchstaben nicht eindeutig. So steht etwa *c* für die Laute *k, z* und *tsch (Cape, Cäcilia, Cello), h* für *h* oder als Dehnungszeichen *(hohl), ch* für *ch, k, sch (ich/ach, wachsen, Chaise), s* für stimmhaften und stimmlosen *s*-Laut, *v* für *f* und *w (Vogel, Violine)*. Ebenso bezeichnen geschriebenes *e* und *o* sowohl geschlossene wie offene *e*- und *o*-Laute, während *y* als *ü, i, j* gesprochen wird *(Mythos, Zylinder, Yorck)*. Bei den Selbstlauten werden Länge und Kürze teils durch die Schreibung nicht ausgedrückt, teils wird Kürze durch doppelte Mitlaute, Länge durch doppelte Selbstlaute oder *h* gekennzeichnet: *eng, Neffe – heben, Seele, Hehler; lacht, Hammel – Wal, Waal* (Mündungsarm des Rheins), *Wahl*. Der Zwielaut *ie* wird noch geschrieben, obwohl die Aussprache in der Gemeinsprache längst *ī* ist *(Liebe)*. *ai* und *ei* werden in der Bühnensprache gleich ausgesprochen: *Kaiser – Eisen*. Zum Teil stimmt die Schreibung nicht mit der Lautnorm der Bühnensprache überein, die etwa für *König* die Aussprache *Könich* (aber *Könige*) vorsieht. Besonders starke Kritik wird an der heutigen Regelung der Groß- und Kleinschreibung geübt; die sog. „gemäßigte Kleinschreibung“ ist 1958 von dem amtlichen Arbeitskreis für Rechtschreibregelung empfohlen worden.

An diesem Punkt hatten seit Jacob Grimm die Forderungen eingesetzt, die eine Reform der Rechtschreibung zum Ziel haben. Tatsächlich sind auch manche Regelungen der Groß- und Kleinschreibung sehr verwickelt (vgl. *der einzelne* und *im einzelnen* aber *vom Einzelnen ins Ganze gehend*). Die Orthographie ist überfordert, wenn sie eine Wortart anzeigen soll, die zudem so wenig abgrenzbar ist wie das „Hauptwort“. Auch in anderen Punkten ist der Ruf nach einer Reform verständlich, obwohl nicht übersehen werden darf, daß der „Erdenrest“ auch hier immer bleiben wird. Notwendig ist vor allem, daß Veränderungen der derzeitigen Rechtschreibung allgemein im ganzen deutschen Sprachgebiet durchgeführt werden, da sonst die Gefahr bestünde, daß sprachliche Sonderentwicklungen einsetzen, wie dies etwa beim Afrikaans im Verhältnis zum europäischen Niederländischen eingetreten ist.

Einheit der Aussprache

Die neuhochdeutsche Gemeinsprache war zunächst nur eine einheitliche Schriftsprache. Doch gehört zum Begriff der Einheitssprache ja auch die gleiche Aussprache. Ihre Regelung ließ noch länger auf sich warten als die der Rechtschreibung. Zwar hatten die Sprachgesellschaften im 17. Jahrhundert ebenso wie später Gottsched auch schon eine Vereinheitlichung des gesprochenen Deutsch auf der Grundlage der ostmitteldeutschen Schriftsprache bzw. des Obersächsischen angestrebt. Aber im 18. und noch im 19. Jahrhundert ist die Aussprache des Hochdeutschen, besonders im Westen und Süden, selbst in feierlicher Rede durchaus landschaftlich. Noch Goethe reimte: „Ach neige, du Schmerzensreiche ...“, da er *neiche* sprach, oder *Philosophie* auf *Müh.* Bei Schiller finden sich Reimwörter wie *Szene – Bühne*, *Himmel – Getümmel* (er sprach gut altwürttembergisch *Behne*, *Hemmel*, *Getemmel*).

Zu Anfang des 18. Jahrhunderts war auf niederdeutschem Gebiet der Grundsatz entstanden: „Man muß sprechen, wie man schreibet" (Brockes). Er erwuchs aus der Hochschätzung der geschriebenen Sprache und aus dem in Niederdeutschland besonders großen Abstand zwischen Schriftsprache und Volkssprache; man trennte hier beide scharf voneinander und bemühte sich, die hochsprachlichen Formen rein, d. h. „nach der Schrift", auszusprechen. Vom Norden ausgehend wurde die schriftgerechte Aussprache zur Richtschnur für die gesprochene Einheitssprache. Nachdem Goethe 1803 mit den „Regeln für Schauspieler" und W. Viëtor 1885 mit einem Aussprachewörterbuch vorangegangen waren, wurde 1898 für die Bühne, aber auch für sonstige öffentliche Sprecher, auf Grund der Arbeiten von Theodor Siebs eine Einheitsaussprache, die deutsche Bühnenaussprache, geschaffen. Siebs' Bühnensprache richtet sich in vielem nach dem norddeutschen Gebrauch, der als feiner galt. So kennt sie etwa die nördlichen stimmhaften *b*, *d*, *g*, *s*, die dem Oberdeutschen meist fremd sind. Von Niederdeutschland geht damit neuerdings ein bedeutender Einfluß auf die deutsche Hochsprache, näherhin auf die Hochlautung, aus.

Die Vorzüge der Einheitsaussprache liegen auf der Hand. Sie hat aber auch eine Schattenseite: es besteht die Gefahr, daß die lebendige Entwicklung der Aussprache abgeschnürt wird und daß eine Erstarrung der gesprochenen Sprachform einsetzt. Es hat sich aber gezeigt, daß das sprachliche Leben auch im Bereich der geregelten Aussprache immer wieder die künstlich gesetzten Normen sprengt. So mußte denn die Neuauflage des Siebs (1957) das Zäpfchen-*r* neben dem Zungen-*r* erlauben. Daß von der Einheitsaussprache, vor allem über den Rundfunk, starke Wirkungen auf die landschaftlichen Umgangssprachen und (teils über diese, teils unmittelbar) auf die Mundarten ausgehen, wird in anderem Zusammenhang noch besprochen werden.

27. WANDLUNGEN IN DER HOCHSPRACHE DER GEGENWART

Die heutige deutsche Hochsprache ist nicht nur durch Bestrebungen gekennzeichnet, in den Bereichen bewußter Regelung, der Schreibung und daneben der Aussprache, eine größere Einheit zu erreichen, sondern auch durch zahlreiche andere Wandlungen, die bewußten, teil- und unbewußten Charakter haben; besonders die Veränderungen des Wortschatzes sind in hohem Maße beabsichtigte Neuprägungen und Neubedeutungen. Die Entwicklungen, die sich vielfach erst in der Form von Tendenzen zeigen, sind ausgleichender wie differenzierender Art. Sie zeigen vor allem die Neigung zur sprachlichen Ökonomie und zur Systematisierung, zur Verdeutlichung und zur Abstraktion.

Das Wort

Neuprägungen

Ständig entstehen neue hochsprachliche Ausdrücke nicht nur durch Wortbildung, sondern auch durch Entlehnung aus anderen Sprachschichten und aus Sonder- und Fachsprachen wie aus fremden Sprachen. Vor allem wird der Wortbestand erweitert durch Ausdrücke, die sich mit neuen Sachen bilden, sehr selten auch durch onomatopoetische Neuschöpfungen.

Aus den Landschaftssprachen werden im 19. Jahrhundert verschiedene Wörter übernommen: aus dem Schweizerdeutschen, das im Zusammenhang mit Schillers Tell und mit der Entwicklung des Reiseverkehrs zu einem besonderen Einfluß gelangte, z. B. *Gletscher*, *Heimweh* (schon in Schillers Tell: *Föhn*, *Lawine*); aus dem Schwäbischen *Eigenbrötler;* aus dem Alemannischen *Löß;* aus dem Tirolischen *Sommerfrische* (wozu die Gegenbildung *Winterfrische* geschaffen wird); aus dem Wienerischen *Gigerl* (eigentlich Hahn), *Schlager* (vom Einschlagen des Blitzes); aus der Sprache Berlins alltagssprachlich *Fatzke, Radau, keß.*

Auf literarische Einflüsse gehen etwa zurück *Hinterwäldler, taufrisch, zeitgemäß* (Junges Deutschland), *Leitmotiv, Musikdrama* (R. Wagner), *Dekadenz, die Moderne* (Naturalismus). Bei Stefan George finden sich die Wortbildungen *Eingefühl, welthaft,* bei Rilke *Luftgewürz, aufsingen* usw.

Besonders stark wurde der Wortschatz natürlich bereichert auf dem Gebiet der Technik und der Industrie, des Verkehrs und des Nachrichtenwesens, aber auch im Bereich der Wissenschaften, der Politik, der Mode und des Gemeinschaftslebens. Hier zeigt sich der wachsende Einfluß der Sonder- und Fachsprachen, zu denen auch die Sportsprache gehört. Er rührt nicht nur daher, daß sich diese

Sprachformen nun außerordentlich stark entfalten, sondern auch daher, daß ihr Wortschatz durch die Popularisierung vor allem der Naturwissenschaften und der Technik auf dem Weg über das Buch, die Zeitung und den Rundfunk ungleich stärker als früher Allgemeinbesitz wird. Vielfach greift man zunächst zu Entlehnungen aus Fremdsprachen, vor allem aus dem Englischen und Französischen, aber auch aus den alten Sprachen. Seit den 70er Jahren des letzten Jahrhunderts zeigt sich dann wie hundert Jahre vorher und noch früher in der Barockzeit (und zum Teil bei den Humanisten) ein starker Wille zur Verdeutschung des einströmenden fremden Wortbestands. Er steht nunmehr in deutlichem Zusammenhang mit den politischen Ereignissen (Gründung des kleindeutschen Reiches) und wird vor allem von dem 1885 gegründeten „Allgemeinen deutschen Sprachverein" getragen. Schoß man dabei auch nicht selten übers Ziel hinaus, so wurde doch sehr viel Bleibendes geschaffen.

Neue Ausdrücke des 19. und 20. Jahrhunderts sind z. B. *Industrialismus, Großindustrie, Arbeitgeber, Arbeitnehmer; Siedlung, Bausparkasse; Eisenbahn, Auto(mobil), Flugzeug; Reißverschluß, Dampfheizung; Bundesstaat, Bundestag, Selbstbestimmungsrecht; Jugendbund, Jugendbewegung; Sporthemd, Sportsmann, Wintersport.* Ganze Wortfamilien haben sich z. B. auch um die Wörter *Film* und *Rundfunk, Rakete* und *Atom* gebildet: *Kurzfilm, Stumm-* und *Sprechfilm, Kulturfilm, Filmindustrie, filmen, verfilmen; Rundfunkdeutsch, Funkreportage, Funkindustrie, Rundfunkempfänger; Raketenantrieb, -geschoß, -flugzeug; Atomkern, -kraft, -kraftwerk, -zertrümmerung.* Der Rundfunk hat außerdem Neubildungen hervorgebracht wie *Hörspiel, Wellenplan, Ultrakurzwellenprogramm, Fernsehsender.* Auch im politischen Bereich ergeben sich ständig neue Wortbildungen, so in Westdeutschland *Soforthilfe, Lastenausgleich,* in Mitteldeutschland *Aktivist, Volkskammer.* Mit Recht spricht man von einer „Versportung" des heutigen Deutsch: *Briefmarkensport, Denksport, er hatte einen guten Start, das ist ein Sprungbrett für ihn, er war in Hochform.*

Das Wort *Sport* stammt wie *Tennis* aus dem Englischen (*sport* ursprünglich Spiel, *lawn-tennis* Rasen-Ballspiel); auch Ausdrücke wie *starten, stoppen, Film, Lokomotive, Tunnel* kommen von dort. Französischer Herkunft sind *Beton, Kostüm, Krawatte* usw. Daneben finden auch weiterhin Entlehnungen aus anderen Sprachen statt (z. B. aus dem Tschechischen *Polka*, aus dem Russischen *Bolschewismus*, aus dem Mexikanischen *Tomate*, aus dem Australischen *Bumerang*, *Emu*).

Zahlreich sind die Eindeutschungen, z. B. *Fußball* (für engl. *football*), *Straßenbahn (tramway)*, *Bahnsteig* (für franz. *perron*), *postlagernd (poste restante)*, *eingeschrieben (recommandé, rekommandiert)*, *Briefumschlag (Couvert)*, *Mundtuch (Serviette)* usw. Heute besteht in Deutschland im gepflegten Stil und bei den jüngeren Altersschichten die Neigung, an die Stelle entbehrlicher Fremdwörter gutgebildete deutsche Ausdrücke zu setzen. Doch wäre ein radikaler Kampf gegen das Wort fremder Wurzel ein Zeichen der Enge; er bedeutete eine Gefahr für den Reichtum an sprachlichen Ausdrucksmöglichkeiten. Oft ist das Wort fremder Herkunft nicht zu ersetzen, oder es gestattet feinere Bedeutungsschattierungen. Soweit es nach dem Grad der inneren und äußeren Aneignung (Betonung, Lautung, Schreibung, Biegung, Geschlecht) zum Lehnwort geworden ist (z. B. *Dämon*, *Nation*), scheidet Eindeutschung sowieso aus. Man muß auch Unterschiede der sondersprachlichen Verwendung in Betracht ziehen: die Lyrik war schon in der staufischen Zeit im Unterschied zur Epik weithin frei von nichtheimischen Wörtern; das wissenschaftliche Schrifttum verwendet heute das Wort fremder Wurzel ungleich häufiger als andere Bereiche der Literatur. Dies ist insoweit berechtigt, als es sich eines übernationalen Wortschatzes bedient.

Umgekehrt gingen in der Neuzeit vom deutschen Wortschatz aber auch Einflüsse auf Fremdsprachen aus (s. u.).

Zur Wortbildung

Bei der Bildung des Substantivs wirken zwei entgegengesetzte Tendenzen: die zur Synthese und eine andere zur Verkürzung. Seit dem 17. Jahrhundert nehmen die zweigliedrigen Wortzusammensetzungen stark zu, seit dem 19. Jahrhundert die dreigliedrigen *(Oberbürgermeister*, *Hauptbahnhof)*, und neuerdings zeigen sich schon in weitem Umfang vier- und mehrgliedrige: *Vizegeneralstaatsanwalt*, *Lichtbildaufnahmegerät*, *Flüchtlingsobmännerdienstbesprechung*. Die gegenteilige Tendenz zur Verkürzung läßt sich schon seit dem 18. Jahrhundert beobachten. Damals wurde *Be-*

wegungsgrund zu *Beweggrund*, in neuerer Zeit *Klavierspiellehrerin* zu *Klavierlehrerin*, *Kreuzzugslyrik* zu *Kreuzlyrik*. Besonders stark greifen in unseren Tagen die Abkürzungen um sich, vgl. *Ober(kellner)*, *Eurasien*, *U-Bahn* (Kap. 8). Die Ursache für beide Tendenzen ist wohl das Streben nach Kürze und das Gefühl, Macht über die Sprache zu haben.

Dieses ist auch wirksam bei der Bildung neuer Zeitwörter aus Substantiven; der Einfluß des Englischen wird dazutreten. So wie von Personennamen neue Abstrakta wie *Luthertum*, *Zwinglianismus*, *Eulenspiegelei* abgeleitet werden, entstehen aus ihnen auch Zeitwörter wie *röntgen*, aus sonstigen Hauptwörtern die Ableitungen *drahten*, *filmen* oder mit Vorsilbe *beschallen*, *verstädtern*. Es ist also eine unrichtige Vereinfachung, wenn man schon gesagt hat, das Zeitwort sterbe. Allerdings besteht andererseits eine starke Neigung zur Umschreibung durch Substantive auf Kosten des einfachen Zeitworts; auch unsere Sprache zeigt die Entwicklung von der Verbalsprache zur Nominalsprache. So setzt man für *beweisen* heute vielfach *unter Beweis stellen*, für *erklären* oft *die Erklärung abgeben*, für *überweisen* gern *die Überweisung vornehmen*, *durchführen*, für *anordnen* häufig *eine Anordnung erlassen* usw.

Neben einer Neigung zur Synthese steht also auch beim Zeitwort wieder die entgegengesetzte zur Analyse. Sie hat beim Zeitwort noch eine besondere Ursache: im Deutschen erschwert die Stellung des Zeitworts am Schluß des Satzes den Überblick über das Satzganze, da das Entscheidende oft erst am Ende steht. Durch die substantivische Umschreibung wird der Inhalt des Zeitworts vorausgenommen, und dieses hat am Satzende nur noch die Funktion eines Hilfszeitworts. Man vergleiche etwa: *Wir bitten Sie, das Fernsprechbuch, das schon lange für Sie bereitliegt, nun abholen zu lassen*, und *wir bitten Sie, die Abholung des Fernsprechbuchs, das schon lange für Sie bereitliegt, nun vornehmen zu lassen*. (Einfacher wäre: *Bitte holen Sie . . . ab!*)

Auch bewußte Anwendung der Analyse läßt sich heute häufig beobachten; man will damit den ursprünglichen Gehalt von Wortableitungen deutlicher werden lassen: *An-regung*, *Er-füllung*, *er-greifen*. Es besteht die Gefahr, daß solche bewußte Trennungen nach Heideggers Vorbild zur Manier werden.

Beim Umstandswort zeigen sich heute neue Bildungen durch

Zusammensetzung. So breiten sich Umstandswörter auf *-weise* aus: *wahrscheinlicherweise* usw. (der Ausgangspunkt ist *möglicherweise*); hier ist das Streben nach Verdeutlichung wirksam. Besonders auffallend ist die Vorliebe für die Bildungsweise auf *-mäßig*, nicht mehr bloß in der Umgangssprache, sondern mehr und mehr auch schon in der geschriebenen Sprache: *wohnungsmäßig geht es ihm schlecht* statt *was die Wohnung angeht . . ., lebensmittelmäßig hatte er große Vorteile* statt *was die Lebensmittel angeht . . .* Hier handelt es sich also um eine verkürzte Ausdrucksweise, aber zugleich um eine der Vorausnahme des Wichtigen, vgl. die einfachere Ausdrucksweise: *Er hat eine schlechte Wohnung*. Beide Bildungsarten für Umstandswörter, die auf *-weise* wie die auf *-mäßig*, werden in steigendem Maße auch als Eigenschaftswörter gebraucht: *eine teilweise Erfüllung des Vertrags*, aber auch schon: *die krankenhausmäßige Versorgung der Bevölkerung*.

Veränderungen der Sprachinhalte

Von den Sprachinhalten her fallen als Kennzeichen der heutigen Situation besonders ins Auge: Neigung zur Abstraktion, fortschreitende Differenzierung der Vorstellungen und Begriffe und damit auch des Wortschatzes, raschere Sinnentleerung, Unbestimmtheit der Aussage.

Fortschreitende *Abstraktion*, zunehmende Vergeistigung ist charakteristisch für die Entfaltung jeder Bildungssprache.

Heute besteht die allgemeine Neigung, statt kurzer, konkreter Hauptwörter zusammengesetzte oder umschreibende Abstrakta zu gebrauchen. Den einfachen Wörtern *Wohnung*, *Wirtschaft*, *Straße* zieht man gerne die Wortbildungen *Wohnungs-*, *Wirtschafts-*, *Straßenverhältnisse* vor, statt von der *Ernährung* und dem *Baugewerbe* spricht man lieber vom *Ernährungssektor* und vom *baugewerblichen Sektor*, statt von *Bundes- und Ländergesetzen* von *Gesetzen auf Bundes- und Landesebene*. Ständig werden neue Abstrakta durch Substantivierung gebildet: durch Substantivierung von zusammengesetzten Infinitiven wie *das Entgegensetzen*, *das Sichfinden*, *das Gegeneinanderstehen*, durch die Nachsilbe *-ung* aus dem zusammengesetzten Infinitiv (*die Ineinssetzung* usw.). Aus dem Mittelwort der Vergangenheit entstehen neue Bildungen auf *-heit: Bezogenheit*, *Zugeordnetheit*, aus Eigenschaftswörtern solche auf

-heit und *-keit: Differenziertheit, Durchgängigkeit, Bearbeitbarkeit.* Immer zahlreicher werden die Ableitungen mit *-ung: Bevorratung, Begradigung, Landpostverkraftung.*

Werden durch diesen Vorgang die sprachlichen Ausdrucksmöglichkeiten unablässig erweitert, so liegt darin aber auch eine große Gefahr. Es ist die Gefahr der Blutleere, der mangelnden Anschaulichkeit. Das haben die Romantiker richtig empfunden, wenngleich man darin nicht wie sie nur einen Abstieg der Sprache sehen muß. Noch größer aber ist eine andere Gefährdung, die vor allem von den Forschern auf dem Gebiet der heutigen Physik, Chemie und Technik so stark gefühlt wird, nämlich die, daß die Fähigkeit der Sprache, neue Inhalte in sich aufzunehmen, nachläßt.

Auch die fortschreitende *Differenzierung* der Wortinhalte und des Wortschatzes ist ein Wesenszug in der Entwicklung jeder Kultursprache. Das Wort *Lied* stand im Mittelalter für heute immer feiner geschiedene Dichtgattungen und -arten wie *höfisches Epos, Heldenepos, Liebeslied, Spruch* (im Sinn der Weisheitsdichtung), *Preislied, Totenklage, Rügelied, Scherzlyrik, Gebetsdichtung, Heischelied, persönliche Lyrik* (vgl. Kap. 22). Ein wichtiges Mittel ist bei diesem Vorgang die Zusammensetzung und die Ableitung, vgl. auch *Herrenmannschaft, Damenmannschaft; absinken* (langsam sinken), *aufsteigen.*

Der Vorgang der *Bedeutungsentleerung,* wie er etwa in dem eben genannten Beispiel *Damenmannschaft* vorliegt, ist keineswegs nur ein Kennzeichen unserer Sprachstufe, sondern läßt sich in jedem Abschnitt der sprachlichen Entwicklung beobachten. Allerdings geschieht er heute rascher und in ausgedehnterem Maße als früher. Noch mehr als in älterer Zeit ist unser Wortschatz durch sinnentleerte Modewörter bestimmt: *Anliegen, Begriff, Frage, Gespräch, Problem, Ebene, Raum, Sektor; durchführen, vollziehen, vornehmen; echt* usw. Das hängt nicht nur mit dem beschleunigten Lebensrhythmus unserer Zeit zusammen, sondern auch damit, daß in unseren Tagen Buchdruck und Rundfunk solche Erscheinungen sehr rasch in weiteste Kreise tragen. Häufig werden auch Begriffe für bestimmte, zeitlich festgelegte, einmalige geistige Erscheinungen wie *Renaissance, Humanismus, Barock, Romantik* als Appellative gebraucht. Bemerkenswert ist auch die Entleerung der Positivformen des Eigenschaftsworts, die gerne durch Superlative ersetzt werden: *das grundlegendste Werk, das konkurrenzloseste Angebot.* Auch die Verwendung der absoluten Steigerung nimmt, zumal in der Umgangssprache stark zu: *furchtbar nett, schrecklich groß, fabelhaft gut;* es darf allerdings nicht übersehen werden, daß ein ähnlicher Vorgang auch schon für das Altdeutsche bezeugt ist: *sehr* hieß ahd. *sēro* und meinte *schmerzlich* (vgl. *versehren*), mhd. *sêr(e)* bedeutete daneben aber schon *sehr.*

Der Satz

Wortbeugungsformen

Manche Entwicklungen zeichnen sich im Bereich der Wortbeugung ab.

Substantiv. Das *s* des männlichen und sächlichen starken Genitivs ist schon seit längerem im Schwinden (die Ansätze reichen bis ins Spätmittelalter zurück). Goethe schrieb noch *Die Leiden des jungen Werthers,* heute lesen wir *die Schriften des alten Uhland, die Männer des neuen Europa.*

Das *s* bleibt zunächst weg bei den eigentlichen Eigennamen, zumal wenn sie mit einem Eigenschaftswort verbunden sind, immer mehr aber auch bei Titeln und anderen Namen. So begegnet *ein Lehrbuch des Latein* und schon bei Schiller *bis in die Mitte des Mai.* Nicht nur das Gefühl für die Form des zweiten Falls geht also zurück, sondern dieser selbst ist in der Neuzeit sehr geschrumpft. In erstarrten Resten ist noch der sogenannte partitive Genitiv erhalten, vgl. *Manns genug,* in dichterischer Sprache *ein Becher Weins.* Vor allem stand früher der Genitiv des Ziels nach vielen Zeitwörtern; heute ist er z. B. noch lebendig bei *bedürfen, sich erfreuen, sich erinnern, ich bin es satt, ich bin es zufrieden, Vergißmeinnicht.* So zeigt sich im Deutschen ein starker Rückgang der partitiven Ausdrucksform.

Auch der dritte Fall wird zumeist nicht mehr am Wortstamm bezeichnet, sondern durch das Geschlechtswort: *dem Tag(e)* usw.: beim Genitiv wie beim Dativ des starken Maskulinums und Neutrums tritt das unbetonte *e* zurück. Das österreichische Deutsch ist hierin beharrender geblieben.

Es offenbart sich also die allen europäischen Kultursprachen seit Jahrhunderten eigene Tendenz, die synthetische Bildungsweise in der Wortbeugung zugunsten der analytischen aufzugeben. Das Geschlechtswort übernimmt immer mehr die Funktion, die Stellung eines Wortes im Satz zu kennzeichnen. Dem widerspricht es nicht, daß es seit dem Sturm und Drang üblich geworden ist, in der Dichtung die Titel ohne Geschlechtswort zu setzen; damit soll heute vor allem das Unbestimmte oder das Überpersönliche, Allgemeingültige des Gehalts angedeutet werden: *Dorfkirche im Sommer* (Liliencron), *Sichel am Himmel* (Billinger). Noch stärker ist diese Erscheinung bei den Schlagzeilen der Zeitungen entwikkelt (vgl. unten).

Zeitwort. Dieselbe Grundlinie der Entwicklung weist das Zeitwort auf. So gerät die einfache Möglichkeitsform der Vergangenheit immer mehr in Verlust und macht der mit *werden* umschriebenen Form Platz, vgl. *wenn ich fortginge – wenn ich fortgehen würde.* In der Einzahl der Befehlsform zeigt sich (zunächst noch in der Umgangssprache) bei Zeitwörtern, die in der Gegenwart infolge des *i-ë*-Wechsels (Kap. 14) verschiedenen Selbstlaut aufweisen, die Neigung, den Selbstlaut der ersten Person und der Grundform zu übernehmen: *esse* statt *iß*, *lese* statt *lies;* diese Angleichung setzt nur einen Vorgang fort, der aus mhd. *ich iʒʒe*, *lise* nhd. *ich esse*, *lese* werden ließ.

Zur Syntax

Schon oben wurden Fragen der Syntax berührt. Als hervorstechendstes Merkmal der neueren Entwicklung tritt die Tendenz zur Nominalsprache hervor. Immer häufiger werden substantivische Konstruktionen mit Hilfe der Nachsilben *-ung*, *-heit* und *-keit.* So schrieb eine Zeitung, es bestehe *ein Recht der Grundbesitzer auf Feststellung einer Baulinie an ihren zerstörten Grundstücken.* Übersichtlicher wäre eine Verbalkonstruktion: *Die Grundbesitzer haben ein Recht (darauf), daß an ihren zerstörten Grundstücken eine Baulinie festgelegt wird.* Mit der Nominalkonstruktion gibt uns die moderne Sprache ein Stilmittel an die Hand, das an sich seinem Wert nach neutral ist, das aber oft zu unelegantem Stil führt. Die Ursachen für solche Konstruktionen sind wieder das Streben nach Knappheit und nach Vorausnahme des Wichtigen wie die Neigung zur Abstraktion, daneben aber sicher auch der Einfluß der Amtssprache und des angelsächsischen Vorbilds. Dieses ist auch wirksam geworden bei den Überschriften der Zeitungen, die weithin im Telegrammstil abgefaßt sind: *Volksbegehren für Frauenstimmrecht in der Schweiz, Nobelpreis für Medizin verliehen.*

Unbestimmtheit der Aussage

Heute besteht, auch in der Wissenschaft, eine deutliche Neigung, der Aussage etwas Unverbindliches zu geben, ihren Gehalt einzuschränken. Auch dieses Bestreben steht hinter der Vorliebe für Umschreibungen (etwa des einfachen Zeitworts), hinter der Neubildung von abstrakten Ausdrücken, vor allem aber hinter der auch im wissenschaftlichen Stil so häufigen Bevorzugung konjunktivischer Sätze mit *möchte, dürfte (ich möchte meinen, daß ..., wenn man es so nennen möchte, wenn man so sagen dürfte,* usw.). Dies ist ein Ausdruck für eine heute sehr verbreitete innere Haltung der mangelnden Sicherheit, des fehlenden Vertrauens in die Gültigkeit der eigenen Erkenntnisse, aber auch bewußter, höflicher Vorsicht im subjektiven Urteil.

Überblickt man die Entwicklungstendenzen im Bezirk der heutigen deutschen Hochsprache, so erweisen sie sich teilweise als einander entgegengesetzt; sie zeigen das spannungserfüllte Bild allen geistigen Lebens. Auch heute ist die deutsche Hochsprache weithin ein Ausdruck der Gesamtsituation auf kulturellem, religiösem, politischem und wirtschaftlichem Gebiet – auch da, wo fremde Einflüsse wirksam sind, werden diese (wie zumeist) nur aufgenommen, wo ihnen der Boden bereitet ist.

Landschaftliche Verschiedenheiten der heutigen Hochsprache

Die heutige Gemeinsprache weist keine vollständige Einheitlichkeit auf. Im Wortschatz, in der Wortbeugung und besonders in der Aussprache des Neuhochdeutschen zeigen sich starke landschaftliche und soziale Unterschiede. So finden sich landschaftlich *Metzger – Fleischer – Schlächter – Fleischhauer; Kamin – Schornstein – Esse; Samstag – Sonnabend; andernfalls – ansonst(en).* Im Süden sagt man *er ist gesessen, gestanden,* im Norden *er hat gesessen, gestanden;* im Süden *sitzt, steht man auf den Stuhl,* im Norden *setzt, stellt man sich auf den Stuhl.* Doch bestehen heute, zumindest in

Westdeutschland, Ausgleichstendenzen, und zwar meist zugunsten der nördlichen Formen.

Seit der politischen Teilung Deutschlands im Jahre 1945 besteht die Gefahr einer neuen Sonderung innerhalb der deutschen Sprachgemeinschaft. Sie betrifft den Wortschatz, namentlich auf politischem, sozialem, wirtschaftlichem und kulturellem Gebiet. Sie ist nicht nur Folge der Tatsache, daß sich seit 1945 zwei verschiedene Verkehrsgemeinschaften entwickelt haben, sondern beruht vor allem auf bewußten Eingriffen in die Sprache im östlichen Teile Deutschlands. Dabei ist russischer Einfluß von großer Bedeutung, wenngleich sich dieser weniger in unmittelbarer Weise auswirkt, als vielmehr auf mittelbare Art. Westdeutschen Neuprägungen wie *Bundestag, Heimatvertriebener* stehen in Mitteldeutschland solche wie *Volkskammer, Umsiedler* gegenüber, und zu ihnen kommen dort sehr viele andere Neuwörter wie *Friedensfront, Friedensgrenze, Friedenslager, Volksarmee, Volkspolizei, volkseigen, Eiersoll, Weizen-, Lern-, Patienten-, Tagessoll.* Die neueren westdeutschen Entlehnungen aus dem Angelsächsischen haben größtenteils auch im Osten Deutschlands Eingang gefunden. Russische Fremdwörter sind dort sehr selten (vgl. *Kombinat, Exponat* = Ausstellungsstück). Viel häufiger sind Lehnübersetzungen wie etwa *Volkssolidarität, Friedenspflicht, Schnelldreher.* Westdeutschen Abkürzungswörtern wie *MdB* (Mitglied des Bundestags), *DGB* (Deutscher Gewerkschaftsbund) stehen drüben solche wie *MdV* (Mitglied der Volkskammer), *FdGB* (Freier deutscher Gewerkschaftsbund), *VEB* (Volkseigener Betrieb) gegenüber. Viele gemeindeutsche Wörter werden in Mitteldeutschland in der offiziellen Sprache nicht mehr gebraucht.

Vor allem aber sind viele Wörter, in der Regel nach dem direkten oder indirekten Vorbild des Russischen des Kommunismus, begrifflich verändert worden. So meint *Brigade* eine politische Arbeitsgruppe, *Kader* eine Gruppe politischer Nachwuchskräfte (beide Wörter haben daneben ihre militärische Bedeutung beibehalten). Unter *Freiheit* versteht man determinierte Freiheit, ein Wort wie *Masse* wird positiv gefaßt, *Eigentum* negativ gewertet, soweit es Privateigentum meint, positiv nur als „Volkseigentum", *gesellschaftlich* meint ausgerichtet am Interesse der Arbeiterklasse. Neben Veränderungen des Wertgehalts sind es vorwiegend Wandlungen, die in der Richtung der begrifflichen Eindeutigmachung liegen.

Anders als bei „natürlichem“ Wachstum der Sprache (Kapitel 8) greift also hier eine führende Schicht unmittelbar in die Sprachentwicklung durch Schaffung von Neuerungen und durch eine Sprachregelung ein, die sonst ein Zeichen von Sonder- und Fachsprachen (z B. der Technik, der Chemie, der Physik usw.) ist, hier aber auch die allgemeine Hochsprache erfassen will. Freilich wäre es falsch, von einer Sprachspaltung zu reden. Gemeinsam sind weiterhin nicht nur die Regeln der Rechtschreibung und der Hochlautung, sondern der Satzbau einschließlich der Formenlehre und der allergrößte Teil des Wortschatzes. Vom Standpunkt der deutschen Sprachgemeinschaft aus ist zu wünschen, daß die Gefahr einer neuen Sonderung nicht Wirklichkeit wird.

Schon lange zeigen sich nicht unbedeutende Abweichungen namentlich des binnendeutschen Wortgebrauchs von dem der deutschen Schweiz und Luxemburgs, Österreichs und deutsch schreibender Kreise Nordamerikas. Vor allem sind viele Eindeutschungen der letzten Jahrzehnte nicht in allen deutschsprachigen Gebieten übernommen worden (vgl. *Fernsprecher – Telefon*, *Abteil – Coupé*, *Anzeige – Annonce*, *Fernsehen – Television* usw.).

Dazu treten Verschiedenheiten der Rechtschreibung. In Deutschland schreibt man *Böller*, *Donquichotterie*, in Österreich *Pöller*, *Donquichoterie;* nach den bayerischen und österreichischen Regelbüchern heißt es *Waage*, nach dem preußischen galt *Wage* oder *Waage* (nach Duden nur *Waage*).

Besonders begegnen auch beim Sprechen der Hochsprache immer noch landschaftliche Besonderheiten. Bekannt sind etwa die schwäbischen *əi*- und *ou*-Laute, die auf die mittelhochdeutschen Langvokale *ī, ū* zurückgehen: *zəit, həus* (statt *zaet, haos*). Auch hinsichtlich der Länge und Kürze unterscheiden sich die Selbstlaute in der Aussprache der Landschaften: der Süden spricht z. B. wie die Bühnensprache *Gās*, *Glās*, *Rād*, aber entgegen dieser kurz *Mond*, *Spaß*, umgekehrt der Norden mit alter Kürze *Gas*, *Glas*, *Rad*, jedoch *Mōnd*, *Spāß*.

Doch ist die Einheitlichkeit der Aussprache ungleich größer als früher. Heute versucht man in den meisten deutschen Landschaften, bei öffentlichen Reden allzu ausgeprägte landschaftliche Besonderheiten der Aussprache zu vermeiden. Besonders bemerkenswert ist aber auch das Streben der Dichtung nach reinen Reimen; das war ja auch in der mittelhochdeutschen Dichtersprache das Zeichen dafür, daß man sich um eine möglichst weitgehende Einheit der Sprache bemühte. Völlige Übereinstimmung der Aussprache ist, abgesehen von der Sprache der Bühne und der Rezitation, im übrigen gar nicht unbedingt erstrebenswert; vor allem im Gespräch darf sich zeigen, daß die Sprache eine Heimat hat.

Ähnliche Verschiedenheiten landschaftlicher Art wie im Deutschen finden sich auch in anderen Einheitssprachen. So kann man die Abweichungen zwischen dem Binnendeutschen und den übrigen Gebieten deutscher Sprache mit den Besonderheiten des Insel- und des amerikanischen Englisch, des europäischen und des amerikanischen Spanischen und Portugiesischen vergleichen, wenngleich diese im Unterschied zum Deutschen keine geschlossene Sprachfläche darstellen.

Das Deutsche im anderssprachigen Ausland

Mit dem Französischen, das im 18. Jahrhundert noch durchaus die Vorherrschaft in Europa gehabt hatte, trat im 19. Jahrhundert neben dem Englischen auch das Deutsche in Wettbewerb. Dabei waren kulturelle, wirtschaftliche und politische Ursachen maßgebend. Der Erste Weltkrieg brachte für die Geltung des Deutschen einen Rückschlag, nicht nur in Europa, sondern vor allem auch in den USA. Seit den 30er Jahren konnte es aber seine Stellung in Europa wieder wesentlich verbessern, und 1937 nahm es hier mit 34,2 v. H. neben Französisch mit 33,4 v. H. und Englisch mit 32,4 v. H. unter den internationalen Verkehrssprachen den ersten Platz ein; dabei sind die volksdeutschen Sprachgruppen nicht berücksichtigt. In der übrigen Welt freilich hatte das Englische einen großen Vorsprung.

Der Zweite Weltkrieg hat die Stellung des Deutschen zunächst ähnlich, wenn auch nicht ganz so stark beeinträchtigt wie der Erste. Zwar wirkt sich das Verschwinden der meisten volksdeutschen Gruppen wie die Katastrophe der Jiddisch sprechenden Bevölkerung in Europa ungünstig aus, aber der Besuch des Deutschunterrichts und der deutschen germanistischen Institute läßt annehmen, daß die Entwicklung nicht länger rückläufig ist. In Nordamerika hat das Deutsche sogar Fortschritte gemacht.

Die Gründe, die den Ausländer zur Erlernung des Deutschen führen, waren und sind verschiedener Art: Ein großer Teil wichtiger wissenschaftlicher Veröffentlichungen sind deutsch geschrieben; sie kommen besonders aus Deutschland, Österreich und der Schweiz. Die Anwesenheit bedeutender deutschsprachiger Gruppen aus diesen Ländern war und ist in Europa wie in Übersee ein Anreiz, sich das Deutsche anzueignen. Dazu kommt der starke Anteil der deutschsprachigen Länder und Landesteile am Welthandel.

Nicht unbedeutend sind auch in neuerer Zeit die deutschen Einflüsse auf andere Sprachen. So entstammen dem Deutschen etwa die französischen Ausdrücke *bivouac* (nd. *bīwake* Beiwache), *choucroute* Sauerkraut, *képi* Käppi, *vasistas* (Guckfenster an der Tür; „was ist das?"), neuerdings auch *ersatz*, *leitmotif*. Andere Nachbarsprachen, so das Niederländische, sind gleichfalls von deutschem Einfluß berührt. Ins Englische wurden vor allem zahlreiche deutsche Gesteinsnamen übernommen, vgl. *cobalt*, *feldspath*, *gneiss*, *quartz*, dazu *zinc*, *lager* (Lager-) Bier, *kindergarten* usw.; ins amerikanische Englisch unter dem Einfluß deutscher Einwanderer etwa *dollar* (Joachims-)Taler, *noodle* Nudel, *sauerkraut*, *schnitzel*, *schnapps*. Von den deutschen Elementen in der Kolonialsprache des Afrikaans wurde schon gesprochen. Ebenfalls teilweise durch deutsche Siedler gelangte seit dem Mittelalter Deutsches in die osteuropäischen Sprachen, so ins Ungarische Ausdrücke wie *próba* Probe, *szemlye* Semmel und zahlreiche Wörter der Bergmannssprache wie *perekmester* Bergmeister usw., ins Russische *buchgálteru* Buchhalter, *jármarka* Jahrmarkt usw.

28. DEUTSCHE LANDSCHAFTSSPRACHEN

Deutsche Mundarten

(Karten 3, 4, 5 und 14)

Die Mundarten sind die landschaftlichen Sonderformen der deutschen Sprache. Sie treten uns in einer überquellenden Mannigfaltigkeit entgegen; so kennt man z. B. fast 140 landschaftlich verschiedene Möglichkeiten, den Begriff *laut* auszudrücken, oder 70 lautliche Formen für das Wort *ich*.

Mundartgrenzen

Nicht nur durch die Vielfalt der politischen, kulturellen, wirtschaftlichen und natürlichen Ursachen ist die Abgrenzung der Mundarträume oder -landschaften erschwert (Kap. 9), sondern vor allem auch durch die Eigenart der Mundartscheiden selbst. Die Grenzen für die Unterschiede der Laute, der Wortbildung, der Wortformen und der Wortbedeutung, auch der Wortbeugung und der Satzbildung lassen sich im allgemeinen nur für die Einzelerscheinungen einigermaßen scharf ziehen (wenngleich oft der Gebrauch bei den verschiedenen sozialen und Altersschichten innerhalb derselben Ortsgemeinschaft abweicht). Solche Grenzlinien für lautliche und wortgeographische Erscheinungen zeigen der Deutsche Sprachatlas (Wenker - Wrede - Martin - Mitzka) und Wortatlas (Mitzka - Schmitt), daneben landschaftliche Atlanten und Wörterbücher. So ergeben sich etwa Linien für die Grenzen zwischen nd. *k* und hd. *ch* in *maken/machen* und *ik/ich*. Aber schon diese beiden Scheiden für dieselbe lautliche Erscheinung (Verschiebung von *k* zu *ch*) fallen nur zum Teil zusammen: die mundartlichen Grenzlinien vereinigen sich wohl stellenweise zu Linienbündeln, sie trennen sich aber dann wieder und gehen ihre eigenen Wege (vgl. Karte 4).

Es gibt auch in der Regel kein Merkmal, welches für den ganzen Bereich einer Mundart Gültigkeit hätte; auch wenn man verschiedene, in ihren Grenzen mehr oder weniger voneinander abweichende Kennzeichen zusammenfaßt, treffen sie zumeist nur für den Kern einer Sprachlandschaft zu, während an den Rändern schon andere, zum Nachbargebiet hinüberführende Eigentümlichkeiten auftreten. So gilt etwa die vielberufene schwäbische Näselung nicht in den Randgebieten. Sprach man in frühdeutscher Zeit im gesamtalemannischen Gebiet *gān*, *stān* für *gehen*, *stehen* (heute *gau'*, *gō*, *gā;* ebenso *štau'*, *štō*, *štā*), während bei den bairischen Nachbarn und vorwiegend auch im Fränkischen die in die heutige Hochsprache eingegangenen Formen *gēn*, *stēn* herrschten, so ist inzwischen die fränkische Form *štē* von Norden her ins Elsaß und ins westliche Baden eingedrungen, während etwa im nordöstlichen Schwäbischen die Vollformen *gange*, *štande* (ahd. *gangan*, *stantan*) üblich sind, die ebenfalls schon ins Fränkische hinüberreichen.

So gibt es nirgendwo feste Grenzlinien, welche die Mundartgebiete trennen, sondern nur fließende Übergänge, Grenzzonen. Es nimmt daher nicht wunder, daß die deutschen Mundarten verschieden eingeteilt werden. Für praktische Zwecke hat es sich als notwendig erwiesen, feste Mundartlandschaften herauszustellen, deren zonenhafte Umrisse auf kleineren Karten vereinfacht als Linien dargestellt werden. Man unterscheidet Großmundartgebiete und Bereiche von Einzelmundarten. Herkömmlicherweise schließt man sich an die Stammeslandschaften und deren Benennungen an. Wrede und B. Martin gaben in neuerer Zeit eine Gliederung, die sich an die Grenzen von Einzelerscheinungen hält (*euch*-, *enk*-Mundarten usw.). Mitzka geht einen anderen Weg, indem er sich an die überkommenen Volkstumsbezeichnungen hält, aber die „Stammesmundarten" weiter aufgliedert. Schon im Hinblick auf die notwendige Verbindung mit anderen, vor allem den geschichtlichen Wissenschaften muß man den Bemühungen den Vorzug geben, welche die alten eingebürgerten Benennungen bewahren wollen. Allerdings haben sich Mundartgrenzen schon im Mittelalter mannigfach verschoben, und die alten Stammesmundarten sind in sich vielfach aufgegliedert worden (Kap. 22). Trotzdem ist anzustreben, daß eine heutige Einteilung soweit als möglich auch die frühere mundartliche Gliederung berücksichtigt. Den Versuch einer räumlichen Einteilung der deutschen Mundarten, teilweise im Anschluß an Mitzka, gibt Karte 14. Die darauf eingezeichneten Grenzen sind verschiedenen Alters: es mischt sich in ihnen Frühdeutsches, Hoch- und Spätmittelalterliches und Neuzeitliches.

Die hauptsächliche Grenze zwischen den deutschen Mundarten ist die für die zweite Lautverschiebung (Kap. 20), die ostwestlich verläuft. Sie besteht aus einem Bündel von Sprachlinien, das besonders im Westen stark gefächert ist (Karte 4). Auf ihren Verlauf gründet sich zum großen Teil die Einteilung der deutschen Mundarten. Für diese wie für alle andern als mundartscheidend angesprochenen Grenzlinien gilt im übrigen, daß sie jeweils (zum Teil mit gewissen Abweichungen) für eine ganze Gruppe von Beispielen zutreffen: so etwa die Linie für *ik*/*ich* auch für andere unbetonte Wörter wie *dik/dich*, *sik/sich*, *ōk/ōch* auch; die für *maken/machen* auch für *brechen*, *sprechen*, *suchen*, *Buch* usw.

Wie Karte 4 zeigt, hat die hochdeutsch-niederdeutsche Sprachgrenze eine ständige Veränderung erfahren: erst im 14. bzw. 15. Jahrhundert ging man in Dessau, Halle, Merseburg, Eisleben, Mansfeld zum Hochdeutschen über. Die *ik/ich*-Linie ist am Rhein, wie wir sahen, erst unter dem Einfluß des Territoriums Kölns so weit nach Norden gewandert. Auch die anderen Linien des „rheinischen Fächers" (*dorp/dorf* und *dat/das*) sind in ihrem jetzigen Verlauf, wie Frings nachgewiesen hat, im wesentlichen das Ergebnis einer Entwicklung von 1000 bis 1500. Man wird sich an die neueren Grenzen halten, zumal der Verlauf der früheren nicht genau zu bestimmen ist. Für die Scheidung zwischen Niederdeutsch und Hochdeutsch wählen wir die Linie für *maken/machen*, die zwischen der Elbe und der östlichen Reichsgrenze von 1938 etwas weiter nach Norden vorgeschoben ist als die *ik/ich*-Linie, die aber im Westen ältere Verhältnisse bewahrt hat als diese.

Zwischen dem Nieder- und dem Mitteldeutschen verläuft also die Grenze heute nördlich Aachen, Köln (südlich Krefeld, Düsseldorf), Kassel, Nordhausen, Dessau, Wittenberg (südlich Aschersleben, Magdeburg), Frankfurt a. O. Die Scheide zwischen Mittel- und Oberdeutsch erstreckt sich nördlich Zabern, Karlsruhe, Heilbronn (südlich Heidelberg), Würzburg, Meiningen, Koburg, Plauen, früher Eger (Karte 14).

Altstämme

1. *Niederdeutsch.* Das Niederdeutsche ist uns teils das ganze Gebiet nördlich der Grenze der zweiten Lautverschiebung, also das Niedersächsische und das Niederfränkische, teils nur das Niedersächsische, das man auch Plattdeutsch nennt (von ndl. *plat* deutlich, verständlich).

Niedersächsisch, Niederfränkisch und Friesisch haben seit der frühdeutschen Zeit gemeinsam, daß bei ihnen die von Süden vordringende zweite Lautverschiebung nicht Fuß gefaßt hat. Es heißt also *maken*, *ik*, *dorp*, *dat*, *pund*, *appel*. Im Süden des niederfränkischen Bereichs entstand allerdings später durch das Vordringen der hochdeutschen *ich*-Form eine Übergangszone nördlich Köln, wo neben *maken ich* steht. Das Niedersächsische hat sich auch, ebenso wie teilweise das Niederfränkische, einer anderen, späteren südlichen Neuerung verschlossen, der neuhochdeutschen Diphthongierung von *ī, ū, iu (ǖ)* zu *ei, au, äu (eu)*. Während aber das Niedersächsische wie das Anglofriesische in der Mehrzahl der Wirklichkeitsform der Gegenwart schon im Frühmittelalter für alle drei Personen eine Einheitsform zeigt, kennt das Niederfränkische bis heute drei verschiedene Formen; die Grenze für diese Verschiedenheit ist nicht nur die zwischen zwei Mundarten, sondern zugleich die alte Scheide zwischen Nordseegermanisch und Weser-Rhein-Germanisch (Ingwäonisch und Istwäonisch; Kap. 16). Außerdem hat das Niedersächsische alte *ē, ō* mit bestimmten Abwandlungen bewahrt, das Niederfränkische zeigt dagegen wie der Hauptteil des Fränkischen die Veränderung zu *ī, ū* (über *ie, uo;* Kap. 20). Das Niederfränkische hat wie das Mittelfränkische seit frühdeutscher Zeit germ. *ƀ* nach Selbstlauten als Reibelaut erhalten: *geven* geben, *lof* Lob. In Niederdeutschland finden sich mitteldeutsche Inseln bei Kleve (Pfälzer, 20. Jh.) und Klausthal (16. Jh.).

Auf die heutige Binnengliederung des Niedersächsischen kann hier nicht eingegangen werden, ebensowenig auf das Niederländische, das aus einer Mischung des Niederfränkischen mit friesischen und niedersächsischen Bestandteilen entstand und eine eigene Hochsprache entwickelte.

Das Friesische ist eine eigene Gruppe des Nordseegermanischen und wird noch in Restgebieten innerhalb des Niedersächsischen und Niederfränkischen gesprochen: in den Niederlanden zwischen Zuidersee (Ysselsee) und Groningen und auf den westfriesischen Inseln, in Deutschland zum Teil noch auf den nordfriesischen Inseln und in einem schmalen Küstenstreifen zwischen Husum und der dänischen Grenze sowie in einer Sprachinsel westlich Oldenburg. Früher galt es vielleicht in einem geschlossenen Gebiet nördlich Oldenburg bis zur Scheldemündung.

2. *Hochdeutsch.* a) Mitteldeutsch. Zum Mitteldeutschen (Westmitteldeutschen) rechnen wir das Mittelfränkische, das Rheinfränkische und das Thüringische, im ganzen also den Hauptteil des Weser-Rhein-Germanischen. Die heutigen Grenzen des Westmitteldeutschen haben sich unter südlichem Einfluß zwischen 500 und 1500 entwickelt.

Die mitteldeutschen Mundarten haben die zweite Lautverschiebung nur teilweise mitgemacht. Bei der Abgrenzung der Bereiche des Mittelfränkischen und des Rheinfränkischen ergeben sich Schwierigkeiten, da die heutigen Grenzen der Lautverschiebung für die einzelnen Erscheinungen zu verschiedenen Zeiten entstanden sind (Karte 4). Auch nach dem durch territoriale Grenzen bedingten Stand um 1500 hat das Mittelfränkische am wenigsten Anteil an der zweiten Lautverschiebung: zwar wurde schon im Frühdeutschen germ. *t* zu *z* (*zëhan* zehn), dagegen erhielt es sich in einigen häufig gebrauchten Wörtern, besonders Fürwörtern. So heißt es mittelfränkisch seit frühdeutscher Zeit bis heute *dat*, *wat*, *dit*, *it*, *allet* das, was, dies, es, alles. Dagegen wurde *p* nur zwischen Selbstlauten verschoben (*slāfen* schlafen), nicht in anderen Stellungen (*pund* Pfund); von dem nördlichen, sog. ripuarischen Teil unterscheidet sich der südliche, das Moselfränkische, dadurch, daß es zwischen 800 und 1200 auch *lp* und *rp* zu *lf* und *rf* gewandelt hat. Man spricht also mittelfränkisch heute *machen*, *ich*, *dat*, *pund*, *appel*, ripuarisch auch *dorp*, *helpen*, aber moselfränkisch *dorf*, *helfen*.

Das Rheinfränkische, also das Hessische und das Rheinpfälzische, geht im wesentlichen mit dem Moselfränkischen zusammen, nur daß es die Ausnahmen bei der Verschiebung des *t* nicht kennt. Es heißt also dort z. B. schon in frühdeutscher Zeit *daȝ*, *waȝ* usw., und man sagt heute *machen*, *ich*, *dorf*, *das*, aber *pund*, *appel*. Im Hessischen ist die neuhochdeutsche Diphthongierung nur teilweise durchgeführt.

Die Westgrenze des Thüringischen gegen das Rheinfränkische (Hessische) bildet die Linie für *pund/pfund*, wobei das Thüringische unter dem Einfluß des Obersächsischen das ostmitteldeutsche Merkmal *f-* (*fund*) aufweist; nur der Südwesten hat *pf*. Als Südgrenze betrachten wir heute die Linie für *appel/apfel* (Karte 4): im Thüringischen heißt es *appel*. Südthüringen diesseits des Thüringer Waldes rechnet nach dieser Einteilung heute zum Ostfränkischen; hier ist in manchen Gebieten die neuhochdeutsche Diphthongierung nicht erfolgt.

b) Oberdeutsch. Das Südrheinfränkische hat wie das Ostfränkische und das Alemannisch-Bairische schon frühdeutsch inlautendes *pp* und später auch anlautendes *p* zu *pf* gewandelt; es sagt heute *pfund, apfel.* Das Ostfränkische hat allgemein schon in frühdeutscher Zeit anlautendes *p* zu *pf* verschoben. Während das Mittelfränkische wie das Rheinfränkische germ. *d* nicht zu *t* wandelten (ahd. *dohter* Tochter), hat es auch diese Verschiebung vorgenommen *(tohter)*. Es heißt also im Ostfränkischen heute *machen, ich, dorf, das, pfund, apfel.* In neuhochdeutscher Zeit unterscheidet sich das Ostfränkische vom Rheinfränkischen vor allem auch durch die Behandlung der *a*-Laute: mhd. *a* erscheint gedehnt rheinfränkisch als *ā* (*lādə* laden), ostfränkisch als geschlossenes oder offenes *ō (lōdə);* mhd. *ā* umgekehrt rheinfränkisch als geschlossenes *ō* (*rōtə* raten), ostfränkisch als offenes *ōa* oder *ō (rōate, rōtə)*.

Das Alemannische und Bairische hatten in frühdeutscher Zeit die zweite Lautverschiebung am folgerichtigsten durchgeführt (Kap. 20). Noch im Althochdeutschen scheint man dazu übergegangen zu sein, *ch* statt *kch* zu sprechen. Heute hat noch das Südalemannische *ch*, das Südostschwäbische und das Südbairische *kch*, besonders vor Vokal *(chalt, kchalt)*. Für das Bairische sind, wie wir sahen, von jeher die Formen *gēn, stēn* (gehen, stehen) bezeichnend, für das Alemannische (wie für das Niedersächsische) *gān, stān*, die aber nicht überall erhalten sind.

In neuhochdeutscher Zeit bewahren beide Mundarten die mhd. Zwielaute *ie, uo* und *üe (tief, guot, hüeten);* beide neigen zur Diphthongierung und entrunden zumeist die *ö*- und *ü*-Laute. Im heutigen Bairischen erscheinen *ī, ū, iu (ǖ)* als *ai, au, äu*, im Alemannischen dagegen teils als *əi, əu, öu (əi)* (im Schwäbischen), teils als Längen *ī, ū, ǖ (ī)* (im Nieder- und Südalemannischen). Während unbetontes *-en* im Alemannischen als Neutrallaut auftritt (*kaštə* Kasten), erscheint im Bairischen *-n (kostn);* die Verkleinerungssilbe *-līn* lautet bairisch *-l*, alemannisch *-le, -li, -la* (*kastl;* aber *käštle, -li, -la* Kästlein).

Das Alemannische ist heute dreigeteilt: das Südalemannische hat besonders vor Vokal *ch* für *k* und *ī, ū, iu (ǖ)*, also *chalt, īs, hūs, hǖser/hīser* kalt, Eis, Haus, Häuser; die niederalemannische Zwischenzone *kh* und *ī, ū, iu (ǖ); (khalt, īs, hūs, hǖser/hīser);* das Nordalemannische oder Schwäbische *kh* (im SO *kch*) und die Zwielaute *(khalt, zəit, həus, həiser)*. Kennzeichnend ist für den Großteil des Schwäbischen die Näselung („die Schwaben, möcht Einen bedunken, brauchen die Nase auch zu ihrer Aussprache", schrieb Grimmelhausen), für das Elsässische die Palatalisierung der *u*-Laute (*hüs* Haus, *fües* Fuß, *löufə* laufen).

Auch für das Bairische pflegt man eine Dreiteilung anzusetzen: das Südbairische zeigt für anlautendes *k kch (kchalt)*, das Mittelbairische und das Nordbairische oder Oberpfälzische *kh (khalt)*; das Oberfälzische wandelt *ie* zu *ei* und *uo* zu *ao* (*teif* tief, *gaot* gut).

Die Mundarten Österreichs zählen, sieht man vom Niederalemannischen Voralbergs ab, zum Mittel- und Südbairischen. Als einzige deutsche Mundartlandschaft hat das Bairische bis heute alte Dualformen erhalten (*ös*, *enk* ihr, euch; ursprünglich ihr beide, euch beiden, später Mehrzahlbedeutung).

Neustämme

Die Siedler des ostdeutschen Kolonisationsgebiets jenseits von Elbe und Saale kamen vor allem aus Mittel- und Niederdeutschland; die Mundarten der Neustämme sind teils niederdeutsch, teils mitteldeutsch (ostmitteldeutsch). Im niederdeutschen Bereich befand sich bis 1945 eine größere ostmitteldeutsche Insel zwischen Allenstein, Elbing und Heilsberg und eine kleinere, südrheinfränkische („schwäbische") aus neuerer Zeit zwischen Thorn und Kulm. Im Brandenburgischen zeigen sich deutliche sprachliche Spuren „flandrischer", also niederfränkisch-niederländischer Einwanderer des Mittelalters, während das Niederländische im Weichselgebiet in das Niederpreußische aufgegangen war. Im östlichen Ostpreußen wiesen gewisse Restformen auf die Sprache der in der Neuzeit eingewanderten Salzburger und Nassauer zurück.

Im ostmitteldeutschen Gebiet bildet das Obersächsische heute mit dem Thüringischen im wesentlichen eine sprachliche Einheit, so daß man das Thüringische heute oft zum Ostmitteldeutschen rechnet. Kennzeichen des Ostmitteldeutschen ist im allgemeinen das anlautende *f-* (statt *pf-*) etwa in *fund* Pfund. Es ist zwischen 1100 und 1500 erwachsen aus dem Mitteldeutschen von Thüringen her, zu dem sich Niedersächsisches und Niederfränkisches (Niederländisches) aus dem Nordwesten und dem Rheingebiet und Mitteldeutsches, vor allem Ostfränkisches, und Bairisches gesellten. Es dringt seit Jahrhunderten nach Norden gegen Magdeburg und Berlin vor und schiebt die niederdeutsche Sprachgrenze zurück; Berlin selbst spricht heute mitteldeutsch. In der Verkehrssprache Obersachsens und Thüringens fand die Forschung der letzten Jahrzehnte die Grundlage für die neuhochdeutsche Einheitssprache (Kap. 24). An das Obersächsische schließt sich östlich das Schlesische an, das *ē* zu *ī* und *ō* zu *ū* wandelt (*schnī* Schnee, *rūt* rot). Im Sudetenschlesischen ging das Schlesische eine Mischung mit ostfränkischen und bairischen Mundarten ein.

In den „sudetendeutschen" Randgebieten Böhmens und Mährens setzten sich die anstoßenden binnendeutschen Mundarten fort, sie gehörten also teils zum Schlesischen, Obersächsischen, Ostfränkischen, teils zum Bairischen.

Sprachinseln

Die außendeutschen Sprachgruppen in Europa bestehen bis auf größere Reste seit dem 2. Weltkrieg nicht mehr (Kap. 19). Ihre Mundarten sind gekennzeichnet durch die Erhaltung alten Sprachguts (die räumliche Trennung vom Mutterland und das Wohnen unter Fremdvölkischen bewirkte, daß sie die mitgebrachten Volksüberlieferungen bewahrten und von den Neuerungen der alten Heimat nicht berührt wurden), zugleich aber auch durch die Aufnahme fremder Bestandteile. Diese betreffen vorwiegend den Wortschatz, dagegen nur selten die Laute und noch weniger die Wortbildung und die Satzfügung. Dazu kommen Veränderungen des heimischen Spracherbes. Die Sprachinseln in Mitteleuropa zeigt Karte 14.

Niederdeutsch sprachen ursprünglich die seit etwa 1200 eingewanderten Baltendeutschen, und zwar, entsprechend ihrer gesellschaftlichen Gliederung (Oberschicht ohne eigentliche Mittelschicht und ohne Grundschicht) die mittelniederdeutsche Verkehrssprache. Später, nach 1600, wurde auch bei ihnen als Kanzleisprache das Hochdeutsche eingeführt, das dann in den mündlichen Gebrauch überging.

Bis zum Zweiten Weltkrieg sprach man auch niederdeutsch in manchen kleineren Sprachinseln östlich der Sprachgrenze im Norden sowie in verschiedenen Gemeinden Bessarabiens und in deren Tochtersiedlungen in der Dobrudscha. Die Mundart der rußlanddeutschen Mennoniten war das Niederpreußische; durch

Sekundärwanderung gelangte die Mundart nach Kanada in die Gegend von Winnipeg und nach dem ersten Weltkrieg auch nach Südamerika, z. B. in den Gran Chaco.

Ostmitteldeutsch war die Sprache in den Sprachinseln entlang der Grenze des Mitteldeutschen gegen das Slawische in Polen (so in den mittelalterlichen Gründungen bei Bielitz), in Mähren, außerdem in der Slowakei (Kremnitz, Deutsch-Proben, Zips).

Westmitteldeutsch sprechen die Siebenbürger Sachsen, die seit der Mitte des 12. Jahrhunderts in den Karpathenbogen einwanderten. Ihre Sprache weist in das heutige mittelfränkische Gebiet, näherhin nach Luxemburg. Doch ist Luxemburg sprachliches Rückzugsgebiet; dieser Umstand berechtigt zusammen mit den Ergebnissen der Ortsnamenvergleichung zu der Annahme, daß die Einwanderer aus einem wesentlich größeren Heimatgebiet im rheinischen Land stammen. Die siebenbürgisch-sächsischen Siedlungen um Bistritz, Hermannstadt, Kronstadt bestehen noch.

Rheinpfälzischer Mundart sind die im 18. Jahrhundert gegründeten wolgadeutschen Siedlungen und ihre Tochtergründungen aus der Zeit nach dem Ersten Weltkrieg in Südamerika, so in der Pampa Argentiniens. Auch die Pennsylvaniendeutschen in den USA haben ihre vorwiegend rheinfränkische Mundart, das Pennsilfaanische, bewahrt; ihr Wortschatz zeigt starken englischen Einfluß.

In Südosteuropa wohnten westmitteldeutsch, vor allem rheinpfälzisch sprechende Siedler mit oberdeutschen, namentlich schwäbisch-alemannischen Kolonisten um Budapest, in der Schwäbischen Türkei, in der Batschka, im Banat, in Syrmien und in der Karpathenukraine wie in Galizien und im Buchenland (Bukowina); heute befinden sich dort, abgesehen vom rumänischen Teil des Banats und von den ungarischen Gebieten, nur noch wenige Deutsche. Hier hatte sich meist eine deutliche Entwicklung zu einer rheinfränkischen (rheinpfälzischen) Einheitsmundart angebahnt.

Auch das Schwarzmeerdeutschtum um Odessa setzte sich aus westmitteldeutschen und oberdeutschen (schwäbischen, elsässischen) Siedlern zusammen. Es wurde im zweiten Weltkrieg nach Sibirien umgesiedelt.

Aber auch viele oberdeutsch sprechende Siedlungen gab es.

Bairische Sprachinseln befanden sich entlang der Sprachgrenze im Süden in den romanisierten Sieben und Dreizehn Gemeinden am Gardasee sowie in der altkärntnisch sprechenden Gottschee; außerdem in Ungarn an der Westgrenze bei Ödenburg (Burgenland) in den Ofener Bergen und im Bakonywald (zum Teil noch heute), früher in Mähren um Brünn, Wischau und Iglau.

Schwäbisch-alemannisch waren oder sind in Südosteuropa vereinzelte Gemeinden der Schwäbischen Türkei, Syrmiens und des Banats sowie sonstige Streudörfer in Ungarn; vor allem aber sprechen die meisten deutschen Gemeinden in Sathmar schwäbisch. Bei den Bessarabiendeutschen herrschte ebenso wie bei ihren Tochtersiedlungen in der Dobrudscha neben dem Niederdeutschen ein teilweise ins Fränkische übergehendes Schwäbisch vor; es war in der Form des „Neuschwäbischen" im Begriff, die Einheitsmundart zu werden. Am Schwarzen Meer und im Kaukasus gab es ebenfalls schwäbisch sprechende Gemeinden, ebenso in Palästina und den USA; dort ist bei Ann Arbor (Michigan) noch ein verklingendes Schwäbisch zu finden.

Mundart und Siedlungsgeschichte

Aus den mundartlichen Verhältnissen lassen sich, zumal in Verbindung mit den Örtlichkeits- und Personennamen, wichtige Schlüsse auf die Siedlungsgeschichte ziehen. Dies wird besonders bei den Mundarten der ostelbischen Neustämme und der Sprachinseln deutlich. Hier weist die Volkssprache auf die Herkunft der Siedler hin, aus deren Heimatmundarten sie entstanden ist. Allerdings erlaubt sie in der Regel nicht, ein ganz genaues Heimatgebiet zu bestimmen. Die Kolonialmundarten sind eigene sprachliche Gebilde, die bei der Mischung der Siedlersprachen im allgemeinen Merkmale verschiedener Mundarten aufgenommen haben und dann eine Eigenentwicklung durchmachen; dazu kommt, daß sich die Volkssprache in den Ausgangslandschaften ebenfalls in eigener Art weiterentwickelt. Darum führt ein Vergleich zwischen den Siedlungsmundarten und denen der Herkunftsgebiete fast immer nur zu einer ungefähren Heimatbestimmung. Auch die soziale und berufliche Gliederung der Siedler wird durch die Sprache erhellt. Umfang und Art der fremdsprachlichen Bestandteile in der Mundart, namentlich auch in den Namen, geben Antwort auf die Frage, mit welchen fremdvölkischen Umwohnern oder mit welcher Vorbevölkerung die Siedler in Berührung kamen und in welchem Verhältnis sie zu ihnen standen (innere Einstellung, Kulturgefälle).

Die heutigen Mischungsvorgänge

Die meisten außendeutschen Siedler in Europa sind ebenso wie ein großer Teil der ostelbischen Neustämme seit dem Zweiten Weltkrieg teils als Rücksiedler, vor allem aber als Heimatverwiesene nach Binnendeutschland gekommen. So vollziehen sich heute vor unseren Augen stammliche und sprachliche Mischungsvorgänge größten Ausmaßes. Im allgemeinen erweisen sich dabei schon auf Grund der zahlenmäßigen Überlegenheit der Eingesessenen, aber auch wegen der Aufsplitterung der früheren dörflichen und landschaftlichen Gemeinschaften der Zugewanderten die Kräfte der Aufnahmeräume als die stärkeren. Die Mundarten und volkstümlichen Überlieferungen der Heimatvertriebenen gleichen sich immer mehr an, wobei sie ihrerseits den binnendeutschen Bestand vor allem in der Richtung beeinflussen, daß die Ausgleichstendenzen im volkssprachlichen Bereich verstärkt und die Umgangssprachen in ihrer Entwicklung gefördert werden (Kap. 28).

Landschaftliche Umgangssprachen

Über den Mundarten erheben sich zumeist landschaftliche Umgangssprachen, die zwischen diesen und der Hochsprache stehen. Ihnen fehlen weithin die primären wie die örtlichen Merkmale der Mundarten; sie sind landschaftliche Ausgleichssprachen. Sie pflegen sich in städtischen Mittelpunkten zu entwickeln und sich von dort auszubreiten. Ihre Besonderheiten kommen teils von unten, teils von oben. Sie sind wie ihre räumlich-soziale Gliederung noch wenig erforscht. Neben örtlichen stehen klein- und großlandschaftliche Umgangssprachen; eine überlandschaftliche ist im Werden. Großlandschaftlich sind etwa eine württembergische Umgangssprache, eine bayerisch-schwäbische, pfälzische, obersächsische, berlinische, ostpreußische, deutschbaltische, siebenbürgische, das mecklenburgische hd. – nd. Missingsch. Die landschaftlichen Umgangssprachen sind heute infolge des gesteigerten Verkehrs und unter der durch Schulpflicht, Buch, Zeitung, Film und Funk so verstärkten Einwirkung der Hochsprache fast überall in Bewegung nach aufwärts, zur Hochsprache hin. Die Mundarten zeigen die Tendenz, sich nach ihnen auszurichten, in ihnen aufzugehen.

Die Umgangssprachen sind heute meist die Lautgestalt, in der die Alltagssprache auftritt. Doch kann sich diese, die eine Stilform darstellt, auch der Hochsprache oder der Mundart bedienen.

29. FACH- UND SONDERSPRACHEN

Fachsprachen

Mit der räumlichen Gliederung der Landschaftssprachen kreuzt sich eine soziologische. Heute vereinigt sich in den Fachsprachen, die sich z. T. auch landschaftlich unterscheiden, altes Sprachgut mit Lehnwörtern und Neubildungen. In der heutigen Jägersprache z. B. begegnen uns viele Wörter aus altdeutscher Zeit: *Schweiß* Blut des Wildes, *Koppel* Hundeschar (aus afz. *co(u)ple*). Andere Waidmannsausdrücke, die zum Teil in die Schriftsprache übergingen, sind: *Lauf*, *Löffel*, *Pranke*, *Ruder; Fallstrick*, *Pechvogel* (der Vogel, der an der Leimrute hängenbleibt); *berücken* (beim Fangen der Tiere mit dem Netz über sein Opfer rücken), *nachspüren*. Auf die Jagdhunde bezogen sich *bärbeißig* (zur Bärenhatz abgerichtet), *naseweis* (spürkräftig), *unbändig* (durch kein Band, d. i. Leitseil, gehalten), *vorlaut*.

Die Sprache der am Ausgang des Mittelalters aufkommenden Söldnerheere bildet die Bezeichnungen für die verschiedenen Dienstgrade aus (*Obrist*, *Feldwebel*, *Wachtmeister* usw.) und liefert der Gemeinsprache viele andere Ausdrücke wie *Lärm* (aus *Alarm*), *Ausflucht* (Rettung aus schwieriger Lage durch *Flucht*), *Lunte riechen*. Neben der Fach- besteht eine Soldatensprache als Jargon. So heißt der Soldat im Ersten Weltkrieg *Muskot* (> Musketier), im Zweiten *Landser* (> Landsknecht).

In der Bergmannssprache sind gleichfalls zahlreiche eigene Ausdrücke entstanden, so z. B. *Ausbeute*, *Fundgrube*, *Schicht*, *Schlacke* (ursprünglich ein beim Schlagen abspringender Metallsplitter), *Stichprobe* (Probe aus einem Schmelzofen), *reichhaltig* (reich an Erz).

Der Wortschatz der deutschen Seemannssprache ist naturgemäß niederdeutsch bestimmt. Er nahm im Mittelalter, wo sich die Seefahrt vor allem auf dem Mittelmeer abwickelte, auch italienisches, spanisches und arabisches Sprachgut, in der Neuzeit, wo der Atlantische Ozean in den Vordergrund trat, vor allem niederländische und englische Lehnwörter auf. Das Wort *Büse* (Boot zum Heringsfang) stammt aus dem Mittelniederländischen *(būse*, spr. *büse)*, *Boot* (13. Jahrhundert) aus dem Mittelenglischen, *Flagge* (wohl 16. Jahrhundert) und *Lotse* (17. Jahrhundert) ebenfalls aus dem Englischen (*flag*, *loadsman* Steuermann).

Die Sprache der Buchdrucker entstand in enger Verbindung mit der Welt der humanistischen Wissenschaft und hat darum in ihrer Frühzeit viele lateinische Wörter aufgenommen: *Alinea* (Absatz), *Faksimile*, *Kolumne*, *Korpus* (für die Buchstabengruppe), *Pagina*, *Spatium* usw. Unter dem Einfluß französischer Schriftgießereien bürgerten sich dann seit dem 18. Jahrhundert Ausdrücke ein wie *Garmond*, *Nonpareille*, *Petit*. Andere Fachausdrücke sind dagegen volkssprachlichen Ursprungs. So ist für den Setzer ein *Fliegenkopf* ein verkehrt stehender Buchstabe, *Hochzeit* ein doppelt gesetztes, *Leiche* ein fehlendes Wort.

Maurer und Steinmetze übernahmen mit der fremden Technik früh Fremdes: *Fenster*, *Kalk*, *Keller*, *Pforte*, später etwa *Gips*, *Kamin*, *Portal*, *Turm*. Dagegen ist das Handwerk der Zimmerleute bodenständig und sein Wortschatz darum vorwiegend heimischer Herkunft, vgl. *Gerüst*, *Fuchsschwanz*.

Besonders aber zeigt auch die Sprache der Bauern in allen deutschen Landschaften eine große Zahl von Sonderausdrücken. Wörter wie *Nachbarschaft*, *Kameradschaft*, *Hoch-*, *Licht-* und *Spinnstube* bezeichnen bäuerliche Gemeinschaftsformen. Auf die landschaftlichen Verschiedenheiten der Benennungen für Haus und Hof, Flur und Gerät kann hier nur hingewiesen werden.

Ausgeprägte Eigenheiten hat die Sprache der Wissenschaften und der Technik, die in zwei verschiedenen Sprachschichten, der konkreten Handwerker- und der abstrakten Wissenschaftssprache, zu Hause ist. Noch heute zeigt die schwerfällige und oft unübersichtliche Satzfügung des Juristendeutsch, das sich allerdings zumeist durch erschöpfende Begriffsbestimmungen auszeichnet, die Herkunft aus der Kanzlei. Auch das Amts- und das Kaufmannsdeutsch haben ihr eigenes Gepräge. Besonders stark wirken heute die Fachsprachen, namentlich die der popularisierten Naturwissenschaften und der Technik, auf die Durchschnittshochsprache.

Sondersprachen

Neben den fachsprachlichen stehen Unterschiede der Sondersprachen in der Wortwahl und im Satzbau. Die Dichtersprache als gehobene Form der Einheitssprache nimmt eine besondere Stellung ein; hatte sie sich im Barock zu einer Sondersprache entwickelt, so nähert sie sich, wie wir sahen, seit der Mitte des letzten Jahrhunderts zum Teil bewußt der Alltagssprache an.

Die Eigenprägung der religiösen Sondersprache rührt vor allem daher, daß sie ständig Wörter für menschliche Verhältnisse auf eine übernatürliche Welt anwendet und sie dabei inhaltlich und oft auch gestaltlich verwandelt *(Herr, Himmel, allmächtig)*.

Ein starker Einfluß auf die Durchschnittshochsprache geht heute von den Sondersprachen der Werbung und des Sports (s. o.) aus. Andere Sondersprachen sind verhüllender Art und wirken eher auf die Alltagssprache.

Eine eigene Sprache, das sog. Rotwelsche (mhd. *rotwelsch;* von dem Gaunerwort *rot* Bettler und *welsch* fremd) oder Jenische (zu hebräisch *jōnēh* Betrüger), haben seit dem Mittelalter die asozialen Elemente entwickelt, von denen sie zum Teil auch die Wandergewerbe (Kesselflicker, Scherenschleifer, Hausierer usw.) übernommen haben. In Deutschland ist die Gesamtstruktur dieser Geheimsprache deutsch. Der Wortschatz umfaßt neben deutschen Mundartwörtern sehr viele verhüllende Umschreibungen (z. B. *Feldglocke* für Galgen, *Obermann* für Hut, *Windfang* für Mantel) und zahlreiche Entlehnungen aus dem Französischen, Italienischen, Zigeunerischen und vor allem auch dem Jüdisch-Deutschen. Vieles ist in andere Sondersprachen, so in die Studenten- und Soldatensprache, manches von dort wieder in die Alltagssprache eingedrungen: *Kohldampf* Hunger, *Trittling* Schuh, *Stromer; blechen, foppen, schwänzen*, was eigentlich herumschlendern bedeutet.

Das Jiddische

Eine eigene Stellung nimmt das Jiddische, die Umgangssprache der mittel- und osteuropäischen Juden, ein. Es wird heute vor allem gesprochen in Polen, im Baltikum, in Südwestrußland, in der

Slowakei, in Ungarn und in Nordrumänien, außerdem auch in England (London-Whitechapel) und vor allem in Palästina, in Südafrika und in Amerika (New York, Buenos Aires). Bis ins 18. Jahrhundert war es auch in Deutschland, Österreich, in der Schweiz und in der Lombardei verbreitet.

Die Entstehung des Jiddischen geht zurück in die Zeit der Ansiedlung der Juden in Deutschland im frühen Mittelalter; das erste jiddische Schriftstück stammt aus dem 14. Jahrhundert. Es wird als Schriftsprache bis heute auch im Druck verwendet. Geschrieben und gedruckt wird es in hebräischen Buchstaben. Es ist eine Mischsprache ostmitteldeutschen Charakters. Mit den deutschen sind romanische, slawische und hebräisch-aramäische Bestandteile zu einer Einheit zusammengewachsen. Man scheidet heute zwischen Westjiddisch oder Jüdisch-Deutsch und Ostjiddisch; ihre Grenze nördlich der Karpathen fällt mit der Ostgrenze des alten Reiches gegen das Königreich Polen zusammen. Das Ostjiddische ist seit dem 18. Jahrhundert bei weitem der größere Bereich; auch die außereuropäischen jüdischen Siedlungen sprechen ostjiddisch. Es gliedert sich seinerseits wieder in verschiedene Teilsprachen. Bis zum Zweiten Weltkrieg wurde Jiddisch von etwa zwei Dritteln der Weltjudenheit, d. h. etwa von 12 Millionen Menschen, gesprochen. Heute, nach der Katastrophe des Zweiten Weltkrieges, ist der Weiterbestand des Jiddischen in Frage gestellt. Das nordamerikanische Judentum ist im Begriff, es wie einst die deutschen Juden aufzugeben, und der Zionismus verkündet für Palästina die Alleinherrschaft des Hebräischen.

Aus dem Jüdisch-Deutschen kamen, teilweise auf dem Wege über das Jenische (s. u.), Wörter wie *Schlamassel*, *Schmu machen*, *betucht*, *schofel*, nachdem schon im 18. Jahrhundert *Gauner*, *Schmiere stehen*, *Stuß*, *kapores*, *flöten gehen*, *schäkern* (eigentlich lügen), *schmusen* (schwatzen) bezeugt sind.

30. DEUTSCHE VOLKSSPRACHE, UMGANGSSPRACHE UND HOCHSPRACHE

Volkssprache und Hochsprache haben ihre Sonderart. Die Tatsache, daß die Volkssprache im allgemeinen nicht mehr zur Schrift- und Literatursprache aufsteigt, darf nicht zu ihrer Unterschätzung verleiten. Andererseits wird man sich aber auch vor einer Überbewertung hüten, die ein Erbe Herders und der Romantik ist. Die Umgangssprache steht, wie wir sahen, zwischen der Hoch- und der Volkssprache.

Die vorwiegend gesprochene Volkssprache hat eine andere, einfachere Struktur und folgt anderen Entwicklungsbahnen als die Hochsprache, die neben dem Zweck der Mitteilung noch ganz andere Funktionen erfüllt und ganz andere Bereiche sprachlich ausdrückt und gestaltet. Ihre Sehweise, ihre Art, die Welt sprachlich zu bewältigen, ist darum in sehr vielem von derjenigen der Hochsprache verschieden. Man hat an den Mundarten und beruflichen Fachsprachen, deren Eigenart vor allem von Fr. Maurer und Fr. Stroh untersucht wurde, besonders den Reichtum des Wortschatzes gegenüber der Hochsprache gerühmt. Sicher besitzen die Mundarten und Fachsprachen eine große Zahl von Bezeichnungen für dieselbe Sache. Aber man kann von Fülle nur sprechen, wenn es sich um Wörter in ein und derselben Ortsmundart, in ein und derselben Landschaft handelt. So gelten z. B. in der Schweiz verschiedene Ausdrücke für den abendlichen Besuch besonders der Burschen *(z Hengert, z Kilt, z Liecht, z Spinne)* nicht für das Gesamtgebiet der deutschen Schweiz, sondern jeweils nur in bestimmten Einzelmundarten. Außerdem benennen die sogenannten Synonyme in der Volkssprache (wie auch in den anderen Sprachschichten) meist gar nicht das gleiche, sondern Abwandlungen derselben Sache, also Verschiedenes. So heißt etwa im Rheinischen der Stiel beim Hammer *Stiel*, bei der Sense *Wurf*, bei der Axt *Holm*. Und wenn die niederdeutsche Zimmermannssprache *Brett*, *Diele*, *Planke* und *Bohle* nebeneinander gebraucht, so meint sie jeweils verschiedene Arten von Brettern. Man kann also in diesen Fällen nur bedingt von sprachlichem Reichtum sprechen.

Es offenbart sich hier auch eine andere Eigenart der Volkssprache: sie ist nur in beschränkterem Umfang als die Hochsprache imstande, die Einzelheiten zu einem höheren Ganzen zusammenzufassen, von den Arten zur Gattung aufzusteigen. Daraus darf man allerdings noch nicht unbedingt schließen, daß den Mundartsprechern auch die Vorstellung der Gattungen ganz fehle. Man hat etwa für eine rheinische Ortsmundart neben über 4000 Ausdrücken konkreter Bedeutung nur etwas mehr als 200 abstrakter

Art festgestellt. Die Volkssprache trägt wie die Umgangssprache im Unterschied zur Gemeinsprache viel mehr dinglich-anschaulichen als abstrakten Charakter. So sagt man nicht, jemand sei schlecht gekleidet *aus Sparsamkeit*, sondern *weil er sparsam ist*. Dagegen ist die Volkssprache wirklich reich an Ausdrücken, die in den Bereich des Gefühls und der Phantasie gehören; hier ist sie schöpferisch. So sind etwa in allen Landschaften die Ausdrücke für *schlagen* außerordentlich zahlreich (Kap. 8), und Schimpfwörter besitzen sämtliche Mundarten im Überfluß. Auch die Übernamen für die Berufe sind überall stark vertetren; so heißt man etwa im Schwäbischen die Weingärtner *Hoope* (Hapen, von dem gekrümmten Rebmesser), *Talkrappe*, *Raupe*, *Furchekrebsler*, *Furcherutscher* usw. Bezeichnend sind auch anschauliche Wortbildungen wie *Reißmichum* (starker Schnaps), *kohlrabenschwarz*, *schloßenweiß* (Hessen-Nassau).

Schon diese Beispiele zeigen die Bildhaftigkeit der Volkssprache; sie ist ja auch ein Kennzeichen der Umgangssprache. Von einem schräg eingemauerten Stein sagt der Pfälzer Maurer: *Dem is's Wasser in de Kopp geschosse!* Bei den Druckern heißt das Gestell zum Tragen des Druckpapiers *Esel*, Anführungszeichen sind *Hasenfüßchen*, *Gänsefüßchen*, *Gänseaugen*. Der Ausdruck *Kopf* kann im Schwäbischen, wie Fischers Schwäbisches Wörterbuch zeigt, mindestens ein Dutzend Begriffe meinen: *Haupt; Tasse, Pfeifenkopf, Krautkopf, Salatkopf, Teil des Rebstocks gleich am Boden, oberer Teil des Filzhuts, Kopf des Nagels, oberer Rand des Krugs, gußeiserner Teil des Pflugs, Bergkuppe, oberer Teil des Ackers*. Dies ist zugleich ein Beispiel für einen Überreichtum an Bedeutungen, für eine Überlastung eines Wortes, wie sie in der Volkssprache nicht selten ist.

Wie die Volksdichtung durch die Wiederholung gleicher Motive und Formeln gekennzeichnet ist, so die Volkssprache überhaupt – in viel höherem Grad als die Einheitssprache – durch die häufige Verwendung formelhafter Wendungen und durch die Vorliebe für Sprichwörter und Redensarten. Der Satzbau der Volkssprache ist (ebenso wie in der Umgangssprache) einfacher als in der Hochsprache: beigeordnete Sätze werden untergeordneten vorgezogen. So heißt es etwa: *Er hat gesagt, er kommt morgen*, statt *er komme morgen* oder *daß er morgen komme*. Das anschaulichere

Aktiv ist beliebter als das Passiv. In manchen Landschaften zeigt der volkstümliche Erzählstil eine ungleich größere Breite als die Hochsprache. Mischungen verschiedener Satzkonstruktionen sind zahlreich; auf der Linie Wiesbaden-Mainz-Frankfurt entstand z. B. aus nördlichem *ich war* und südlichem *ich bin gewesen* die Mischform *ich war gewesen*. In Österreich sagt man in der Umgangssprache *auf etwas vergessen* als Entsprechung zu *sich auf etwas besinnen*. Mit Recht hat man dafür das Fehlen verstandesmäßiger Kontrolle verantwortlich gemacht und daraus auch die zahlreichen Wortkreuzungen der Mundart erklärt (Fr. Maurer). So entsteht etwa im Hessischen aus *Deichsel* und *Geißel*, was beides die Wagendeichsel bedeutet, die Mischform *Geichsel*.

Der Einordnungstrieb, das Streben, an Bekanntes anzuknüpfen, ist wirksam bei der Entstehung der sog. volksetymologischen Bildungen. So kann in der Volkssprache *Château Morelle* zu *Schattenmorelle* werden, *radikal* zu *ratzenkahl*, im Hessen-Nassauischen *Chauffeur* zu *Schaffer*. In der Druckersprache erscheint franz. *harangue* als *Häring* (Verweis). Auch der Spieltrieb ist in der Volkssprache wirksam: das bewußte Spiel mit der Sprache ist keineswegs nur eine Angelegenheit der Oberschicht. Das zeigt sich besonders bei der scherzhaften Umwandlung von Namen. So wird in Württemberg der Ortsname *Isny* zum Necknamen *Trinkviel*, *Gerabronn* zu *Gerstenbrunn* usw.

Besonders auffällig ist die Derbheit der Volkssprache. *Naturalia non sunt turpia*. Das ist keineswegs ein Zeichen für sittliche Verderbtheit, sondern meist eher für Unbefangenheit. Bezeichnend für die Volks- wie für die Umgangssprache ist auch die Neigung zu Übertreibungen: *sich totlachen*, *sich den Kopf herunterreißen lassen* usw.

Daß die Mundart dynamischer, veränderlicher als die in ihrer Entwicklung durch Regeln gehemmte Hochsprache ist, wurde schon gesagt. So sind die Mundarten auf dem Weg von der synthetischen zur analytischen Form schon wesentlich weiter vorangeschritten als die Einheitssprache. Sie haben beispielsweise weithin die einfache Vergangenheit *(ich kam, ich sagte)* aufgegeben, (sie dringt aber besonders für *sein* aus der Hochsprache neuerdings wieder ein); der zweite Fall ist fast ganz geschwunden, der vierte und zum Teil der dritte sind bedroht.

Es ist also nicht richtig, wenn man in den heutigen Mundarten nur bewahrte ältere Sprachstufen gesehen hat: sie haben konservativen und fortschrittlichen Charakter zugleich. Was den Lautstand und die Satzfügung anlangt, so sind die Mundarten zwar weithin auf der mittelalterlichen Stufe stehengeblieben. So ist etwa in den niederdeutschen Mundarten, trotz dem jahrhundertelangen Einfluß des Hochdeutschen, der vor allem in der Neuzeit in der Form der Gemeinsprache gewirkt hat, noch heute altes germanisches Erbe lebendig, wenn sie in den von der zweiten Lautverschiebung nicht erfaßten Verschlußlauten mit dem Gotischen übereinstimmen: nd. *pund*, *ik*, *dag;* got. *pund*, *ik*, *dags* Pfund, ich, Tag. Auf der anderen Seite aber sind die Mundarten in ihren lautlichen Entwicklungen auch weit über die Schriftsprache hinausgegangen, die in manchem altertümlicher geblieben ist. So sind unbetonte und nebenbetonte Silben in weit größerem Umfang geschwächt als in der Hochsprache, vgl. schwäbisch *zsämed* zusammen, *zwanzg* zwanzig, *Kranket* Krankheit.

Im volkssprachlichen Wortschatz hat sich viel altes Gut erhalten. So tritt *Wodan* im Niederdeutschen als *Wode*, im Rheinischen in dem Ausdruck *Gudestag*, im Schwäbischen in der Bezeichnung *Muotesheer* (wildes Heer) auf; mhd. *hæȝ* Kleidung ist im Schwäbisch-Alemannischen als *häs*, mhd. *eiȝ* Geschwür in vielen Mundarten als *eise* erhalten. Aber im Wortschatz und in der Bedeutung, zum Teil auch im Lautlichen und in der Satzfügung werden die Mundarten, wie sich zeigte, stark von der Hochsprache oder der Umgangssprache beeinflußt, die sich seit der Neuzeit immer mehr nach der Schriftsprache ausrichtet. Ausdrücke der Politik und der Verwaltung sowie für technische Neuerungen werden meist aus der Hochsprache übernommen. Die neuhochdeutsche Diphthongierung drang zum Teil auf dem Weg über die Kanzleisprache und dann durch den Einfluß der neuhochdeutschen Schriftsprache in viele deutsche Mundarten ein; das Zäpfchen-*r* wurde teilweise aus dem Französischen übernommen und nahm dann seit dem 17. Jahrh. den Weg von den Städten in die Dörfer. Die mundartliche Anrede *Ihr*, die auf mittelalterliche ritterliche Sitte zurückgeht und an die Stelle des frühdeutschen *du* getreten ist, wird heute immer mehr ersetzt durch das hochsprachliche *Sie* (Kap. 9). Doch ist dieses Neue ja nicht unbedingt neu; zwar ist vieles jüngeren und jüngsten Ursprungs, aber oft genug ist es altes Sprachgut, das ursprünglich in den Mundarten gelebt hatte und von dort in die Hochsprache eingedrungen war. Eine mittelbare Wirkung geht von der Einheitssprache aus, wenn bei Mundartenmischung sich schriftnähere Formen als stärker erweisen und durchsetzen.

Andererseits übt die Volkssprache ständig ihren Einfluß auf die Einheitssprache aus – teils unmittelbar, teils mittelbar über die Umgangssprache. Zwar ist er mit der fortschreitenden Vereinheitlichung der Hochsprache geringer geworden, doch fanden gerade seit dem 18. Jahrhundert Mundartwörter in größerem Umfang in die Gemeinsprache Eingang; auch durch fachsprachliche Ausdrücke wurde sie bereichert (Kap. 25, 26).

Werden die Mundarten untergehen? Sie haben wie alle volkstümlichen Überlieferungen schon viel von ihrem ursprünglichen Bestand verloren. Mit einer weiteren Einebnung ist zu rechnen: durch die modernen Nachrichtenmittel hat sich der Einfluß der Hochsprache erheblich verstärkt, und der gesteigerte Verkehr läßt die mundartlichen Verschiedenheiten zurücktreten. Vor allem schwindet in wachsendem Maße das Selbstbewußtsein der Träger der Mundarten, nicht mehr bloß im niederdeutschen, sondern auch im hochdeutschen Bereich, und man richtet sich in der Wahl der Sprachschicht nach dem jeweiligen Partner. Der Maßstab für die Sprachrichtigkeit ist in steigendem Maße nicht mehr die örtliche Sprachsitte, sondern die Umgangs- und die Hochsprache. Die Anwesenheit der Evakuierten und Heimatverwiesenen fördert diese Entwicklung. Im gleichen Maße, in dem das örtliche Sonderbewußtsein einem größeren, landschaftlichen Platz macht oder schwindet, tritt auch die Mundart, die Sprache der Intimität, der Heimat, zurück. Die deutsche Hochsprache aber hat sich, seitdem sie trotz den Unterschieden landschaftlicher wie fach- und sondersprachlicher Art im geographisch-sozialen Sinn als Gemeinsprache und in ihrem System als Einheitssprache gelten darf, im 19. und vor allem im 20. Jahrhundert in wachsendem Maße zum Leitbild auch für die anderen Sprachschichten entwickelt.

Die Hochsprache ist also heute zur großen Feindin der Mundarten geworden. Aber nicht sie ist es im allgemeinen, die zunächst deren Platz einnimmt, sondern großräumigere landschaftliche Umgangssprachen; sie werden wohl früher oder später (das Tempo der Entwicklung ist landschaftlich verschieden) die Mundarten verdrängen. Ähnliches hat sich schon in England und in USA ereignet, wo *medium languages*, landschaftliche Durchschnittssprachen, an dic Stelle der Mundarten getreten sind. Zugleich wächst der umgangssprachliche Einfluß auf die Hochsprache: der *s*-Plural dringt vor *(Jungens)*, Genitiv- und Dativformen ohne *-e (Tags, Tag)*, die Umschreibung des Konj. der Verg. *(ich würde kommen* statt *ich käme)*. So sind wir heute in Deutschland Zeugen einer einschneidenden sprachlichen Umschichtung: die Grundschicht unserer Sprache ist im Vergehen, das Grundstockwerk, das seither den vielstöckigen Bau trug, ist im Schwinden, und die Folgen lassen sich noch nicht übersehen. Wenn auch der seitherige Lautreichtum unserer Mundarten offenbar unaufhaltsam abstirbt, so muß man doch wünschen, daß die Umgangssprachen sich möglichst viel von der volkssprachlichen Anschaulichkeit und Bildhaftigkeit erhalten können; nur so ist es möglich, den Gefahren entgegenzuwirken, die für unsere Hochsprache (in ungleich höherem Maße als etwa für das Englische oder das Niederländische) in der Entwicklung zur Begriffssprache, in der zunehmenden Vergeistigung liegen.

SCHRIFTTUMSHINWEISE

Zusammengestellt von Klaus Brinker

Sprachgeschichte

Adolf Bach, Geschichte der deutschen Sprache, ^{7}1961. – Otto Behaghel, Geschichte der deutschen Sprache, ^{5}1928. – Hugo Moser, Arno Schirokauer und August Langen, Deutsche Sprachgeschichte. In: Deutsche Philologie im Aufriß I, ^{2}1957, Sp. 621–1396. – Franz Thierfelder, Deutsche Sprache im Ausland. In: Ebd., Sp. 1397–1480. – Leo Weisgerber, Von den Kräften der deutschen Sprache, I, II ^{3}1962; III ^{2} 1957; IV ^{2}1959. – Hugo Moser, Annalen der deutschen Sprache, ^{2}1963. – Ders., Probleme der Periodisierung des Deutschen. In: GRM N.F. 1 (32), 1950/51, S. 296–308. – Hans Sperber und Wolfgang Fleischhauer, Geschichte der deutschen Sprache, ^{4}1963 (Slg. Göschen). – Theodor Frings, Grundlegung einer Geschichte der deutschen Sprache, ^{3}1957. – Ders., Zur Grundlegung einer Geschichte der deutschen Sprache 1. In: PBB (Halle) 76, 1955, S. 401–534 (auch als Sonderdruck 1955). – Ders., Sprache und Geschichte I–III, 1956. – Ders., Die Stellung der Niederlande im Aufbau des Germanischen, 1944. – C.G.N. De Vooys, Geschiedenis van de Nederlandse Taal, ^{5}1952.

Friedrich Maurer, Nordgermanen und Alemannen (Bibliotheca Germanica 3), ^{3}1952. – Ernst Schwarz, Goten, Nordgermanen, Angelsachsen. Studien zur Ausgliederung der germanischen Sprachen, 1951. – Theodor Frings, Germania Romana, 1932, S. 10f. – Ernst Gamillscheg, Romania Germanica I–III, 1934ff. – Ders., Germanische Siedlung in Belgien und Nordfrankreich, 1938. – Franz Petri, Germanisches Volkserbe in Wallonien und Nordfrankreich, 1937. – Ders., Zum Stand der Diskussion über die fränkische Landnahme und die Entstehung der germanisch-romanischen Sprachgrenze, 1954. – Franz Steinbach, Studien zur westdeutschen Stammes- und Volksgeschichte, 1926 (Nachdruck 1962). – Walther v. Wartburg, Umfang und Bedeutung der germanischen Siedlung in Nordgallien im 5. und 6. Jahrhundert im Spiegel der Sprache und der Ortsnamen (Vorträge und Schriften der Deutschen Akademie der Wissenschaften zu Berlin, Heft 36), 1950. – Leo Weisgerber, Deutsch als Volksname. Ursprung und Bedeutung, 1953. – Hennig Brinkmann, Sprachwandel und Sprachbewegungen in althochdeutscher Zeit, 1931. – Friedrich Maurer, Leid. Studien zur Bedeutungs- und Problemgeschichte ... (Bibliotheca Germanica 1), ^{2}1961. – Werner Betz, Deutsch und Lateinisch. Die Lehnbildungen der althochdeutschen Benediktinerregel, 1949. – Friedrich Wilhelm, Corpus der altdeutschen Originalurkunden bis zum Jahre 1300, fortgeführt von Richard Newald, I–III, 1931–57. – Bruno Boesch, Untersuchungen zur alemannischen Urkundensprache des 13. Jahrhunderts, 1946. – H(einrich) Bach, Die Thüringisch-sächsische Kanzleisprache bis 1325, I 1937, II 1943. – Helene Bindewald, Die Sprache der Reichskanzlei zur Zeit König Wenzels, 1928.

Konrad Burdach, Vom Mittelalter zur Reformation, 1893 (vgl. Vorspiel I, 2, 1925). – Theodor Frings und Ludwig Erich Schmitt, Der Weg zur deutschen Hochsprache. In: Jahrbuch der deutschen Sprache 2, 1944, S. 67–121.

Andreas Heusler, Deutsche Versgeschichte I–III, 2. unveränderte Auflage 1956.

Wortgeschichte

Deutsche Wortgeschichte, hg. v. Friedrich Maurer und Fritz Stroh, I–III, [2]1959f. – Hans L. Stoltenberg, Vernunftsprachtum. In: Maurer-Stroh, Deutsche Wortgeschichte II, [1]1943, S. 157–190. – Ernst Schwarz, Deutsche Wortgeschichte, 1949. – Hermann Hirt, Etymologie der neuhochdeutschen Sprache, [2]1921. – Karl v. Bahder, Zur Wortwahl in der frühneuhochdeutschen Schriftsprache, 1925. – Fritz Schramm, Schlagworte der Alamodezeit, 15. Beiheft der Zeitschrift für Wortforschung, 1914. – Jost Trier, Der deutsche Wortschatz im Sinnbezirk des Verstandes I, 1931. – Ders., Die Idee der Klugheit in ihrer sprachlichen Entfaltung. In: Zeitschrift für Deutschkunde 46, 1932, S. 625–35. – Axel Lindqvist, Deutsches Kultur- und Gesellschaftsleben im Spiegel der Sprache, 1955 (Die dt. Ausgabe ist die 2. Aufl.). – Friedrich Seiler, Die Entwicklung der deutschen Kultur im Spiegel des deutschen Lehnworts, I [3]1913, II [3]1921, III [2]1924, IV 1912, V 1921, VI 1923, VII 1923, VIII 1924. – Samuel Singer, Die deutsche Kultur im Spiegel des Bedeutungslehnworts, 1903. – Hugo Moser, Sprache und Religion. Zur muttersprachlichen Erschließung des religiösen Bereichs, 1964 (Beiheft zu „Wirkendes Wort", 7).

Historische Grammatik

Jacob Grimm, Deutsche Grammatik I–IV, neuer vermehrter Abdruck 1870–98. – Hermann Hirt, Indogermanische Grammatik I–VII, 1921ff. – Hans Krahe, Indogermanische Sprachwissenschaft I, II (Slg. Göschen), [4]1962f. – Ders., Germanische Sprachwissenschaft, I [5]1963, II [4]1961 (Slg. Göschen). – Hermann Hirt, Handbuch des Urgermanischen I–III, 1931ff. – Wilhelm Streitberg, Urgermanische Grammatik, 1896 (Neudruck [3]1963). – Antoine Meillet, Caractères généraux des langues germaniques, [7]1949. – Carl Karstien, Historische deutsche Grammatik I, 1939. – Richard v. Kienle, Historische Laut- und Formenlehre des Deutschen, 1960. – Wilhelm Wilmanns, Deutsche Grammatik, I [3]1911, II [2]1899, III 1 1906, III 2 1909. – Hermann Paul, Deutsche Grammatik I–V, 1916ff. (Nachdruck: I, II [6]1959; III, IV [5]1960; V [4]1959); zusammengefaßt bei Hans Stolte, Kurze deutsche Grammatik, [3]1962. – Walter Henzen, Deutsche Wortbildung, [2]1957. – Otto Behaghel, Deutsche Syntax I–IV, 1923ff. – Wilhelm Braune und Walther Mitzka, Althochdeutsche Grammatik, [11]1963. – Ferdinand Holthausen, Altsächsisches Elementarbuch, [2]1921. – Walther Steller, Abriß der altfriesischen Grammatik, 1928. – Hermann Paul, Mittelhochdeutsche Grammatik, bearb. v. Walther Mitzka, [19]1963. – Karl Weinhold, Gustav Ehrismann und Hugo

Moser, Kleine mittelhochdeutsche Grammatik, ^{14}1965. – Gerhard Eis, Historische Laut- und Formenlehre des Mittelhochdeutschen, 1950. – Helmut de Boor und Roswitha Wisniewski, Mittelhochdeutsche Grammatik (Slg. Göschen), ^{3}1963. – Otto Mausser, Mittelhochdeutsche Grammatik I–III, 1932f. – Karl Weinhold, Mittelhochdeutsche Grammatik, ^{2}1883. – Victor Michels, Mittelhochdeutsches Elementarbuch, ^{3,4}1921. – Agathe Lasch, Mittelniederdeutsche Grammatik, 1914. – Johannes Franck, Mittelniederländische Grammatik, ^{2}1910. – M. Schönfeld, Historische Grammatica van het Nederlands, ^{6}1959 (von A. van Loey). – Virgil Moser, Frühneuhochdeutsche Grammatik I, 1. 3. 1929, 1951.

Wörterbücher

Julius Pokorny, Indogermanisches etymologisches Wörterbuch, Bd. 1, 1959. – Alois Walde und Julius Pokorny, Vergleichendes Wörterbuch der indogermanischen Sprachen I–III, 1926ff. – E(berhard) G(ottlieb) Graff, Althochdeutscher Sprachschatz I–VII, 1834ff. – Elisabeth Karg-Gasterstädt und Theodor Frings, Althochdeutsches Wörterbuch, 1952ff. – Oskar Schade, Altdeutsches Wörterbuch, ^{2}1872ff. – Georg Friedrich Benecke – Wilhelm Müller – Friedrich Zarncke, Mittelhochdeutsches Wörterbuch I–III, 1854ff. – Matthias Lexer, Mittelhochdeutsches Handwörterbuch I–III, 1872ff. (Neudruck 1913). – Ders., Mittelhochdeutsches Taschenwörterbuch, ^{30}1961 (Nachdruck 1963). – Franz Jelinek, Mittelhochdeutsches Wörterbuch zu den deutschen Sprachdenkmälern Böhmens und der mährischen Städte ... (XIII.–XVI. Jhdt.), 1911. – Agathe Lasch – Conrad Borchling, Mittelniederdeutsches Handwörterbuch, 1928ff. – Karl Schiller – August Lübben, Mittelniederdeutsches Wörterbuch I–VI, 1875ff. (Neudruck 1931). – E. Verwijs en J. Verdam, Middelnederlandsch Woordenboek I–XI, 1885ff. – J. Verdam, Middelnederlandsch Handwoordenboek, ^{2}1932 (Nachdruck 1949). – Alfred Götze, Frühneuhochdeutsches Glossar, ^{6}1960. – Jacob und Wilhelm Grimm, Deutsches Wörterbuch, Bd. 1ff., 1854ff. – Friedrich Kluge und Alfred Götze, Etymologisches Wörterbuch der deutschen Sprache, ^{19}1963. – Hermann Paul, Deutsches Wörterbuch, ^{5}1957ff. (Tübingen, hg. v. Werner Betz), ^{7}1960 (Halle, hg. v. Alfred Schirmer). – Karl Trübner – Alfred Götze – Walther Mitzka, Deutsches Wörterbuch I–VIII, 1939ff. – Hans Schulz und Otto Basler, Deutsches Fremdwörterbuch, I 1913, II 1942 (I d. III ist noch nicht erschienen). – Franz Dornseiff, Der deutsche Wortschatz nach Sachgruppen, ^{5}1959. – Hugo Wehrle und Hans Eggers, Deutscher Wortschatz, ^{12}1961. – Lutz Mackensen, ABC. Der tägliche Wortschatz, ^{3}1961. – Heinz Küpper, Wörterbuch der deutschen Umgangssprache, I ^{2}1956, II 1963, III 1964. – Siegmund A. Wolf, Wörterbuch des Rotwelschen. Deutsche Gaunersprache, 1956. – Duden, Rechtschreibung der deutschen Sprache, Mannheim ^{15}1961. – Der große Duden, Leipzig ^{15}1957 (^{15}1960 = der 2. Nachdruck). – Theodor Siebs, Die deutsche Hochsprache, ^{18}1961.

Namenkunde

Adolf Bach, Deutsche Namenkunde, I 1 ^{2}1952, I 2 ^{2}1953, II 1 1953, II 2 1954, III 1956. – Ernst Schwarz, Deutsche Namenforschung, I, II 1949f. – Ernst Förstemann, Altdeutsches Namenbuch, I ^{2}1900, II ^{3}1913–16. – Max Gottschald, Deutsche Namenkunde. Unsere Familiennamen nach ihrer Entstehung und Bedeutung, ^{3}1954. – Josef Karlmann Brechenmacher, Etymologisches Wörterbuch der deutschen Familiennamen, I 1957–60, II 1960–63 (= die 2., von Grund auf neugearbeitete Auflage der „Dt. Sippennamen").

Gliederung und Schichtung

Adolf Socin, Schriftsprache und Dialekte im Deutschen nach Zeugnissen alter und neuer Zeit, 1888. – Walter Henzen, Schriftsprache und Mundarten, ^{2}1954. – Friedrich Maurer, Volkssprache (Fränk. Forschungen 1), 1933. – Ders., Volkssprache. Gesammelte Abhandlungen, 1964 (= Beiheft zu „Wirkendes Wort", 9). – Adolf Bach, Deutsche Mundartforschung, ^{2}1950. – Walther Mitzka, Deutsche Mundarten, 1943. – Deutscher Sprachatlas, hg. v. Ferdinand Wrede – Bernhard Martin – Walther Mitzka, 1926ff. – Deutscher Wortatlas, hg. v. Walther Mitzka – Ludwig Erich Schmitt, Iff., 1951ff. – Walther Mitzka, Handbuch zum Deutschen Sprachatlas, 1952. – Ernst Schwarz, Die deutschen Mundarten, 1950. – Bernhard Martin, Die deutschen Mundarten, ^{2}1959. – Walther Mitzka, William Foerste, Willy Krogmann und Ralph Charles Wood, Deutsche Mundarten. In: Deutsche Philologie im Aufriß I, ^{2}1957, Sp. 1599–1954. – Viktor M. Schirmunski, Deutsche Mundartkunde, 1962. – Franz J. Beranek, Jiddisch. In: Dt. Philol. im Aufriß I, ^{2}1957, Sp. 1955–2000. – Hugo Moser, Sprachgrenzen und ihre Ursachen. In: Zeitschrift für Mundartforschung XXII, 1954, S. 87–111. – Ders., Mittlere Sprachschichten als Quellen der deutschen Hochsprache. Eine historisch-soziologische Betrachtung, 1955 (bes. auch zur mhd. höfischen Dichtersprache). – Ders., Schichten und Perioden des Mittelhochdeutschen. In: WirkWort 2, 1951/52, S. 321–328. – Mathilde Hain, Sprichwort und Volkssprache (Gießener Beiträge zur deutschen Philologie 95), 1951. – Walther Mitzka, Grundzüge nordostdeutscher Sprachgeschichte, ^{2}1959. – Rudolf Grosse, Die meißnische Sprachlandschaft, 1955. – Hugo Moser, Mundart und Hochsprache im neuzeitlichen Deutsch. In: Der Deutschunterricht 8, 1956, H. 2, S. 36–61. – Ders., Umgangssprache. In: Zeitschrift für Mundartforschung XXVII, 1960, S. 215–232.

Zur Hochsprache der Gegenwart

Lutz Mackensen, Die deutsche Sprache unserer Zeit, 1956. – Ders., Sprache und Technik, 1954. – Karl Korn, Sprache in der verwalteten Welt, ^{2}1959. – Paul Kretschmer, Wortgeographie der hochdeutschen Umgangssprache, 1918. – Werner Kuhberg, Verschollenes Sprachgut und seine Wiederbelebung in neuhochdeutscher Zeit, 1933. – (Gustav) Wustmann, Sprachdummheiten, ^{13}1955 (von Werner Schulze). – Robert

Thomas, Wandlungen der deutschen Sprache seit Goethe und Schiller, 1922. – Victor Klemperer, L(ingua) T(ertii) I(mperii), Halle ^{3}1957. – Johannes Erben, Abriß der deutschen Grammatik, ^{7}1964. – Duden, Grammatik der deutschen Gegenwartssprache, hg. v. Paul Grebe, 1959. – Duden, Stilwörterbuch der deutschen Sprache, bearb. v. Paul Grebe und Gerhart Streitberg, ^{5}1963. – Wilhelm Schneider, Stilistische deutsche Grammatik, 1959, – Heinz Griesbach und Dora Schulz, Grammatik der deutschen Sprache, ^{2}1960 (vor allem für Ausländer). – Ingerid Dal, Kurze deutsche Syntax, ^{2}1962. – Hugo Moser, Entwicklungstendenzen des heutigen Deutsch. In: Moderna Språk 50, 1956, S. 213–235. – Das Ringen um eine neue deutsche Grammatik. Aufsätze aus drei Jahrzehnten (1929–1959), hg. v. Hugo Moser (Wege der Forschung XXV), 1962. – Hans Glinz, Die innere Form des Deutschen, ^{3}1962. – Ders., Der deutsche Satz, ^{3}1963. – Ivar Ljungerud, Zur Nominalflexion in der deutschen Literatursprache nach 1900, 1955. – Fritz Martini, Das Wagnis der Sprache. Interpretationen deutscher Prosa von Nietzsche bis Benn, ^{4}1961. – Leo Weisgerber, Die Grenzen der Schrift – Der Kern der Rechtschreibreform (Arbeitsgemeinschaft für Forschung des Landes Nordrhein-Westfalen, Geisteswissenschaften, Heft 41), 1955. – Hugo Moser, Groß- oder Kleinschreibung? Ein Hauptproblem der Rechtschreibreform (Dudenbeiträge 1), 1958. – Ders., Rechtschreibung und Sprache. Von den Prinzipien der deutschen Orthographie. In: Der Deutschunterricht 7, 1955, H. 3, S. 5–29. – Ders., Vermehrte Großschreibung – ein Weg zur Vereinfachung der Rechtschreibung?, 1963 (Duden-Beiträge 16). – Wladimir G. Admoni, Der deutsche Sprachbau, Leningrad 1960. – Hugo Moser, Zur Situation der deutschen Gegenwartssprache. In: Studium Generale 15, 1962, S. 40–48.

Eugen Seidel und Ingeborg Seidel-Slotty, Sprachwandel im Dritten Reich. Eine kritische Untersuchung faschistischer Einflüsse, Halle 1961. – Cornelia Berning, Die Sprache des Nationalsozialismus. In: Zeitschrift für dt. Wortforschung 16, 1960, S. 71–118, 178–188; 17, 1961, S. 83–121, 171–182; 18, 1962, S. 108–118, 160–172; 19, 1963, S. 92–112. – Dies., Vom ‚Abstammungsnachweis' zum ‚Zuchtwart'. Vokabular des Nationalsozialismus, 1964.

Hugo Moser, Die Sprache im geteilten Deutschland. In: WirkWort XI, 1961, S. 1–21. – Ders., Sprachliche Folgen der politischen Teilung Deutschlands, 1962 (Beiheft zu „Wirkendes Wort", 3). – Das Aueler Protokoll. Deutsche Sprache im Spannungsfeld zwischen West und Ost, 1964 (= Die Sprache im geteilten Deutschland, hrg. v. Hugo Moser, Bd. 1).

Zur Geschichte der Forschung

Vilhelm Thomsen, Geschichte der Sprachwissenschaft bis zum Ausgang des 19. Jahrhunderts, deutsch 1927. – Max Hermann Jellinek, Geschichte der neuhochdeutschen Grammatik von den Anfängen bis auf Adelung, I, II, 1913f.

NAMEN- UND SACHVERZEICHNIS

Abkürzungen

afries.	altfriesisch	lat.	lateinisch
afz.	altfranzösisch	md.	mitteldeutsch
ags.	angelsächsisch	mhd.	mittelhochdeutsch
ahd.	althochdeutsch	mlat.	mittellateinisch
altisl.	altisländisch	mnd.	mittelniederdeutsch
and.	altniederdeutsch	mndl.	mittelniederländisch
anord.	altnordisch	Mz.	Mehrzahl
aobdt.	altoberdeutsch	nd.	niederdeutsch
asächs.	altsächsisch	ndl.	niederländisch
engl.	englisch	nhd.	neuhochdeutsch
Ez.	Einzahl	obd.	oberdeutsch
F.	Fall	omd.	ostmitteldeutsch
franz.	französisch	ostfr.	ostfränkisch
germ.	germanisch	Pers.	Person
got.	gotisch	spr.	sprich
griech.	griechisch	urgerm.	urgermanisch
hd.	hochdeutsch	urnord.	urnordisch
ideur.	indoeuropäisch	wmd.	westmitteldeutsch

Sonstige Zeichen

-	Länge eines Selbstlauts *(ā)* (Die lateinischen Längen sind nur zum Teil bezeichnet)
ë	altes offenes *e*
æ	mhd. langer *ä*-Laut
œ	mhd. langer *ö*-Laut
ƀ, đ, ǥ	germanische stimmhafte labiale, dentale, gutturale Reibelaute
þ	germ. stimmloser dentaler Reibelaut (wie engl. *th* in *think*)
ƕ	got. *chw*
ʒ	altdeutscher *s*-Laut (neben *s*)
š	*sch*
ə	Neutrallaut
*	erschlossene, nicht bezeugte Form
<	entsteht aus
>	wird zu
'	Nasalierung *(au's)*

KARTEN

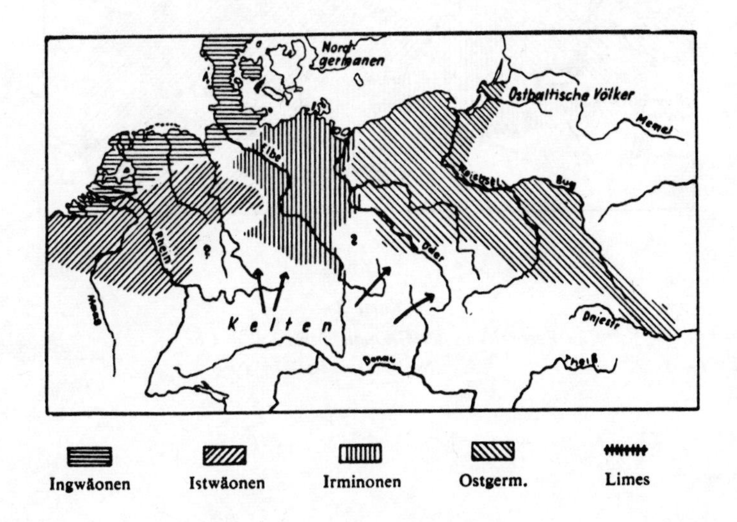

Karte 1
Verbreitung der Germanen um 300 v. Chr.
(Nach Tackenberg)

(Nach Th. Frings, Grundlegung einer Geschichte der deutschen Sprache, [3]1957)

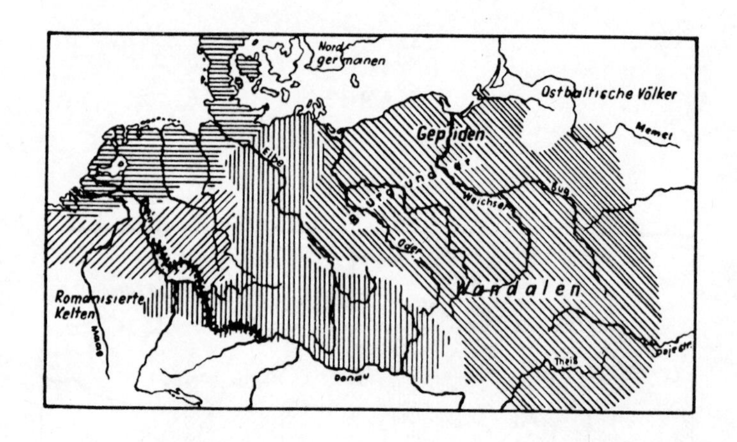

Karte 2

Verbreitung der Germanen um 250 n. Chr.

(Nach Tackenberg)

(Nach Th. Frings, Grundlegung einer Geschichte der deutschen Sprache, [3]1957)

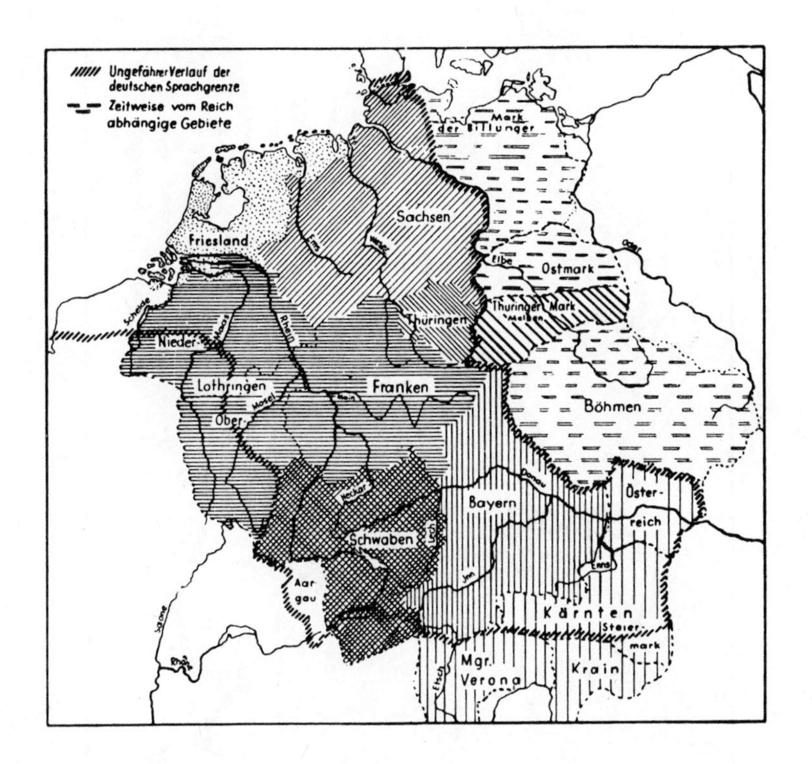

Karte 3

Deutsches Reich und deutscher Sprachraum unter den sächsischen und fränkischen Kaisern

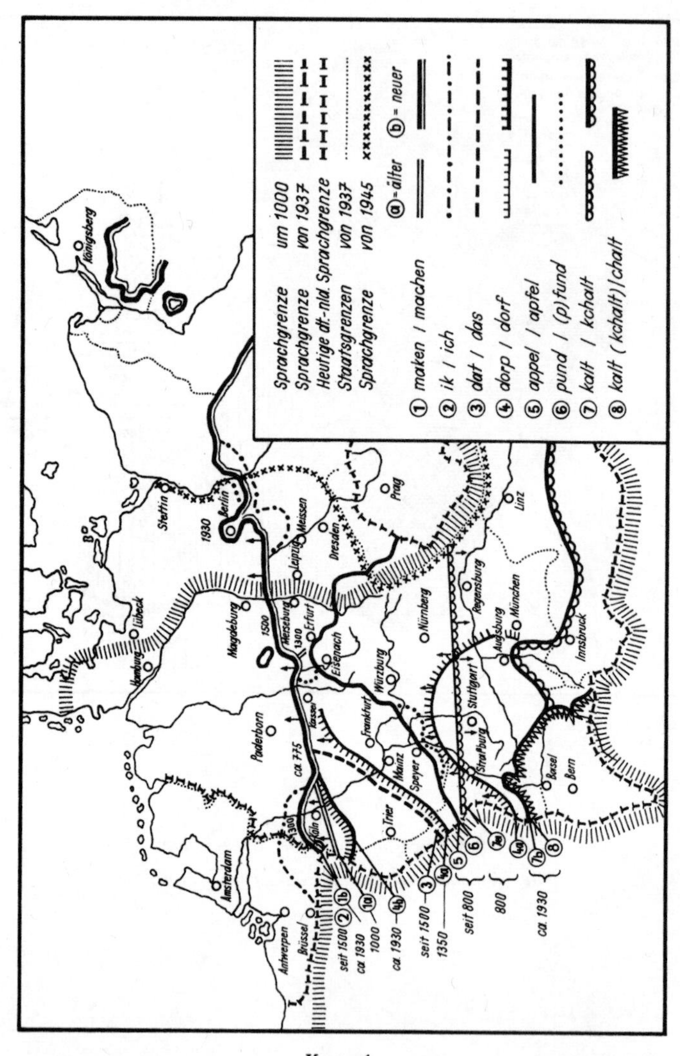

Karte 4

Räumliche und zeitliche Stufung der zweiten Lautverschiebung

(Nach K. Wagner, Deutsche Sprachlandschaften, 1927; Th. Frings, Grundlegung einer Geschichte der deutschen Sprache [3]1957, Karte 3; W. Mitzka, Beiträge zur Geschichte der deutschen Sprache und Literatur, 75, S. 145; K. Bischoff; ergänzt von H. Moser). Aus Weinhold-Ehrismann-Moser, Kleine mittelhochdeutsche Grammatik, [13]1963, S. 151 (leicht verändert).

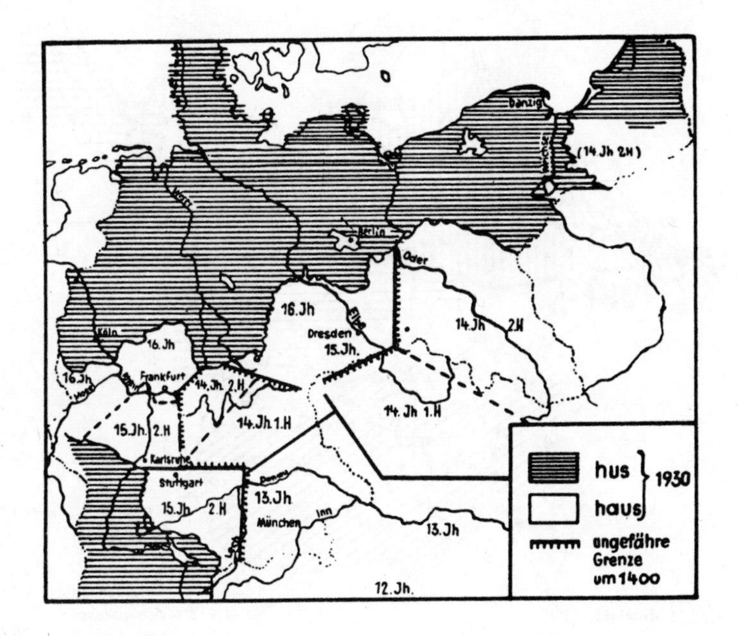

Karte 5. Verbreitung der neuhochdeutschen Diphthongierung nach den schriftlichen Zeugnissen

(Nach K. Wagner, Deutsche Sprachlandschaften, 1927, und A. Bach, Deutsche Mundartforschung, ²1950)

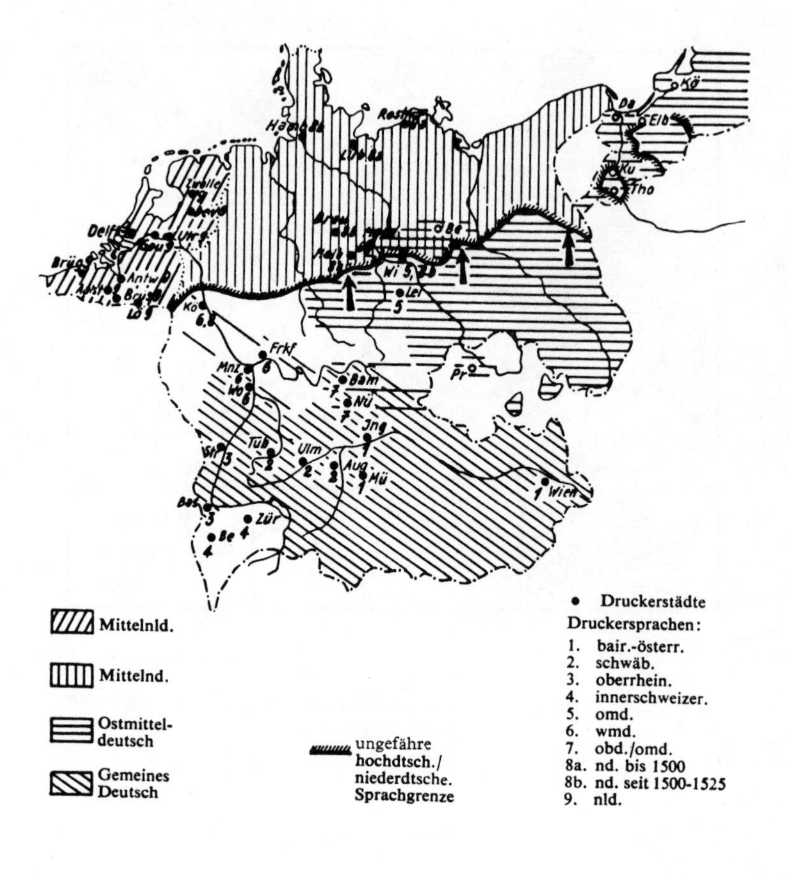

Karte 6. Deutsche Schreibsprachen, Druckersprachen und Druckerstädte um 1500

(Hd. Druckorte nach V. Moser, nd. nach W. Niekerken, nld. nach W. Krogmann. Ostpreußen ist nicht berücksichtigt)

Aus H. Moser, Sprachgeschichte der älteren Zeit, in „Deutsche Philologie im Aufriß", Bd. I ,²*1957*

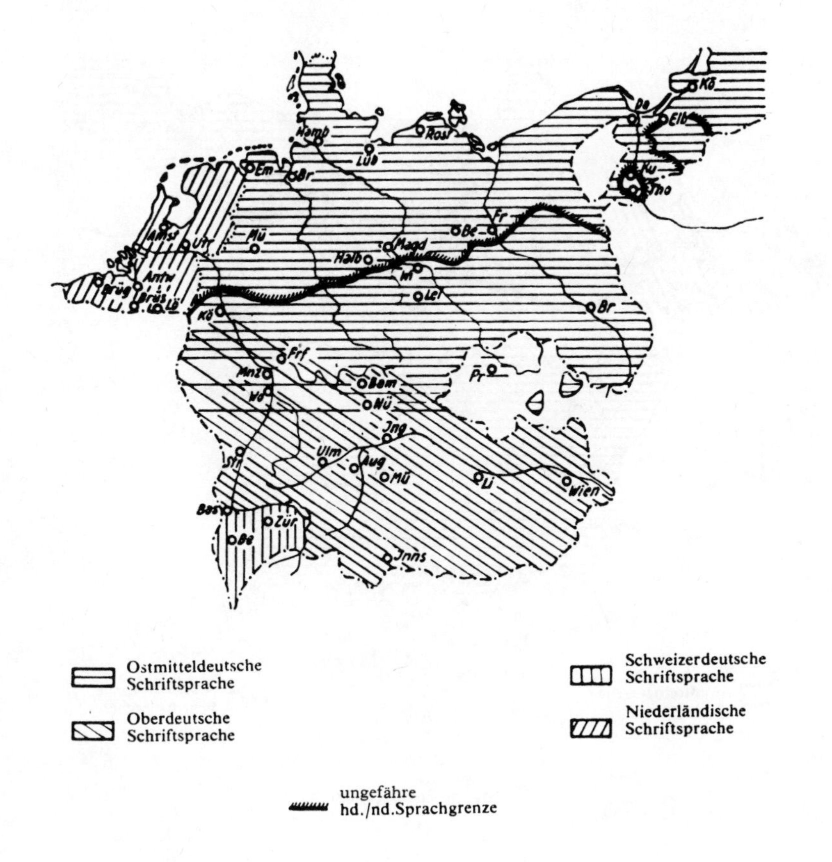

Karte 7.
Schriftsprachen Deutschlands und der Niederlande im zweiten Viertel des 17. Jahrhunderts

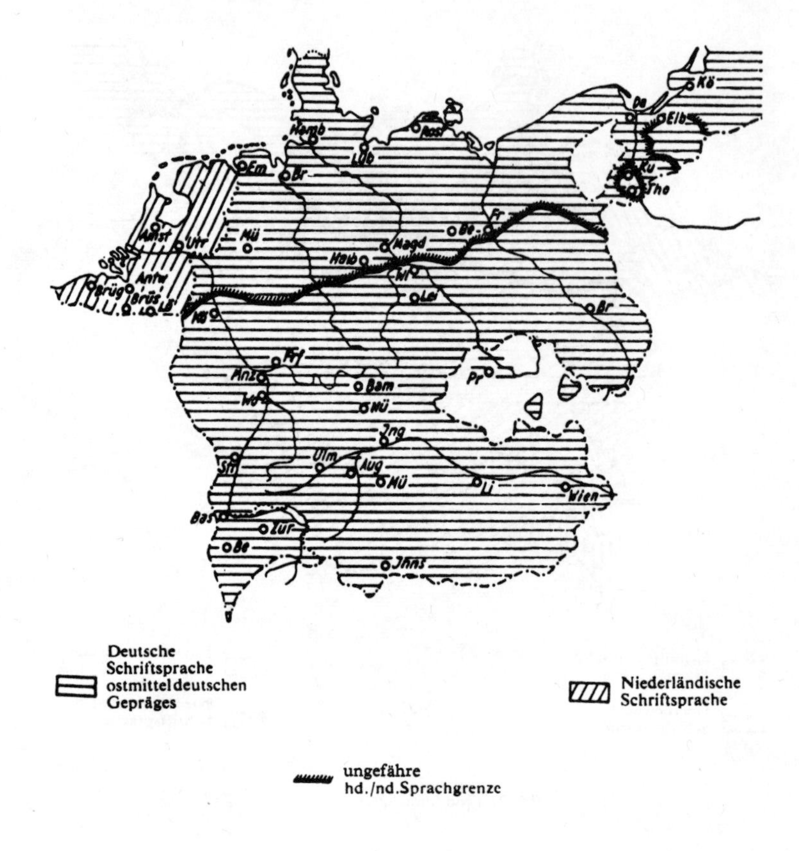

Karte 8. Deutsche und niederländische Schriftsprache seit dem letzten Viertel des 18. Jahrhunderts

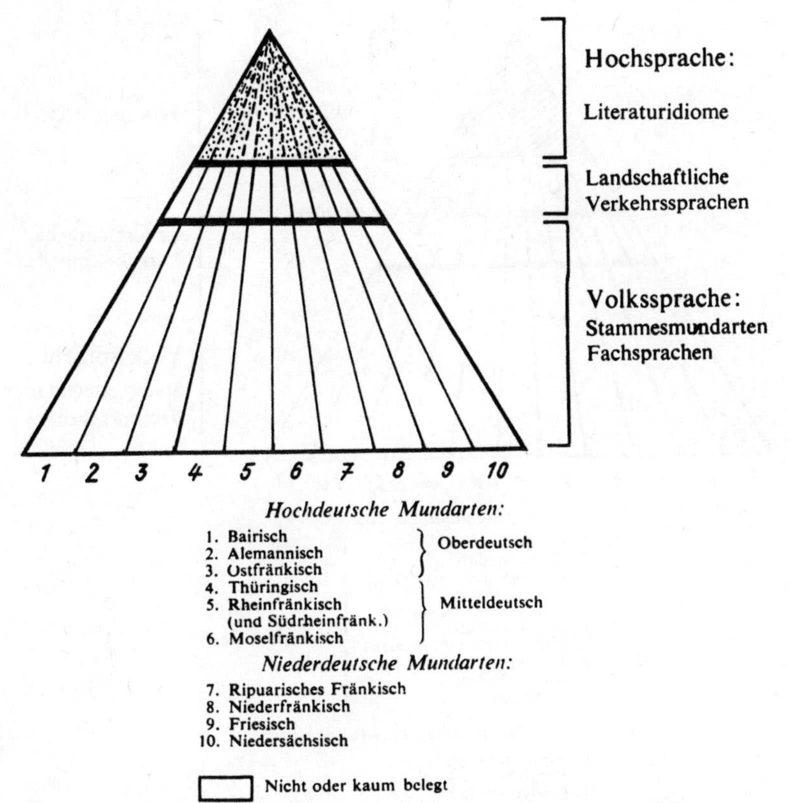

Das Langobardische und Westfränkische können nur bedingt zum Deutschen gerechnet werden.

Karte 9. Schichtung des Frühdeutschen (etwa 750—1170)

(Karten 9-11 aus H. Moser, Sprachgeschichte der älteren Zeit, in „Deutsche Philologie im Aufriß", Bd. I, ²1957)

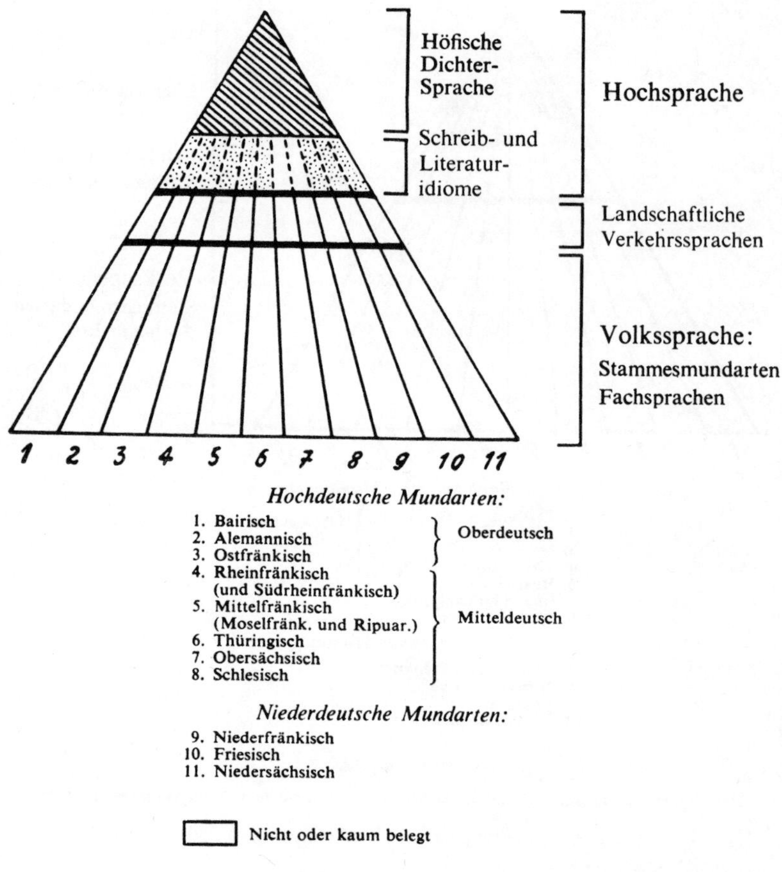

Karte 10. Schichtung des hochmittelalterlichen Deutsch (etwa 1170—1250)

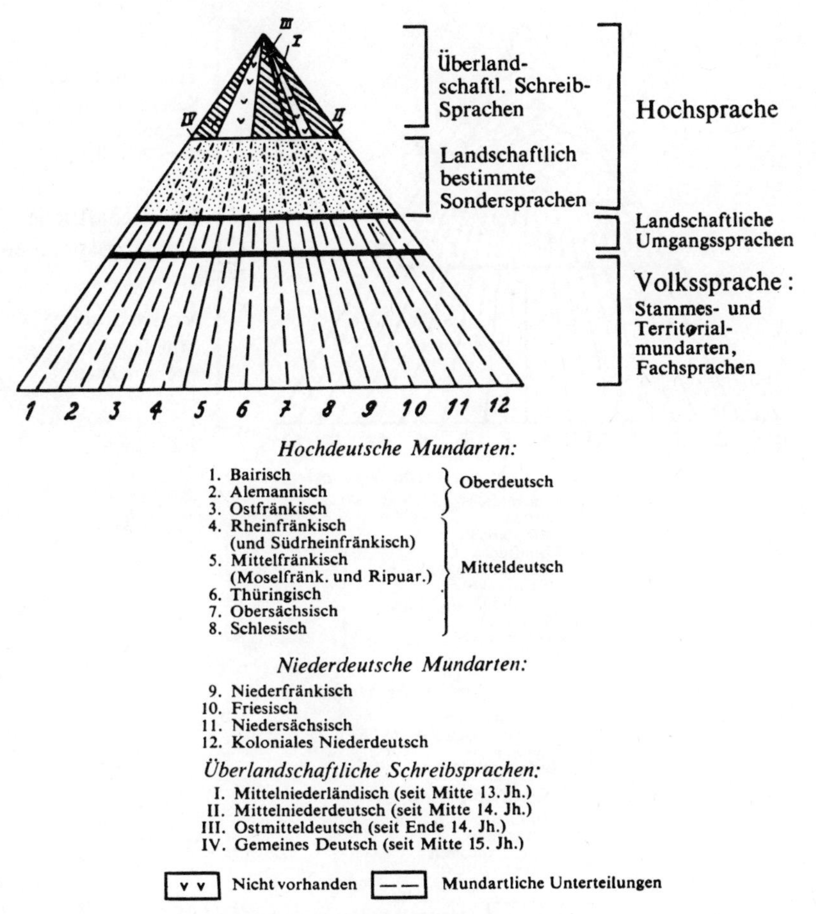

Karte 11. Schichtung des spätmittelalterlichen Deutsch (etwa 1250—1500)

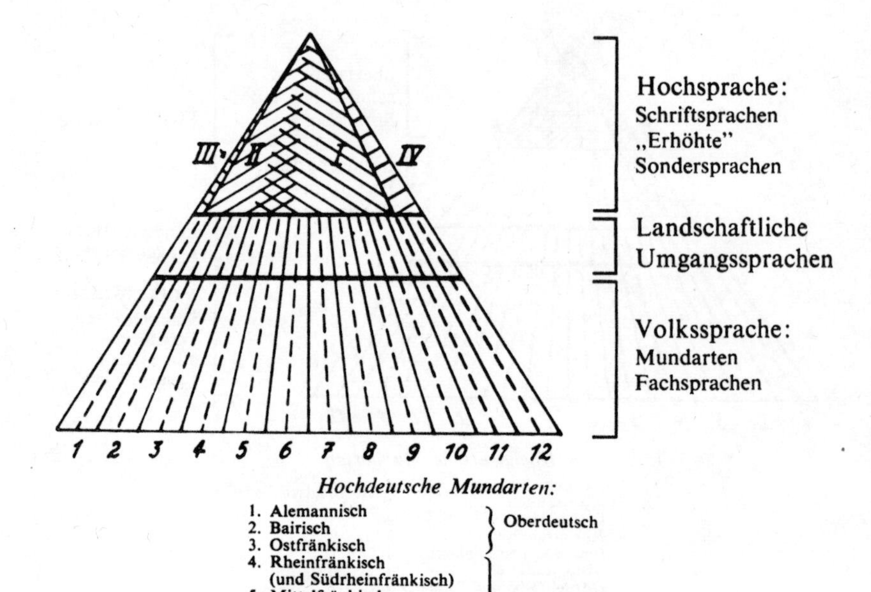

Hochdeutsche Mundarten:

1. Alemannisch
2. Bairisch
3. Ostfränkisch
} Oberdeutsch

4. Rheinfränkisch (und Südrheinfränkisch)
5. Mittelfränkisch (Moselfränk. und Ripuar.)
6. Thüringisch
7. Obersächsisch
8. Schlesisch
} Mitteldeutsch

Niederdeutsche Mundarten:

9. Niedersächsisch
10. Koloniales Niederdeutsch
11. Friesisch
12. Niederfränkisch

Schriftsprachen:

I. Ostmitteldeutsch
II. Oberdeutsch
III. Schweizerdeutsch
IV. Niederländisch

[– –] Mundartliche Unterteilungen

Karte 12.

Schichtung des Deutschen und Niederländischen im zweiten Viertel des 17. Jahrhunderts

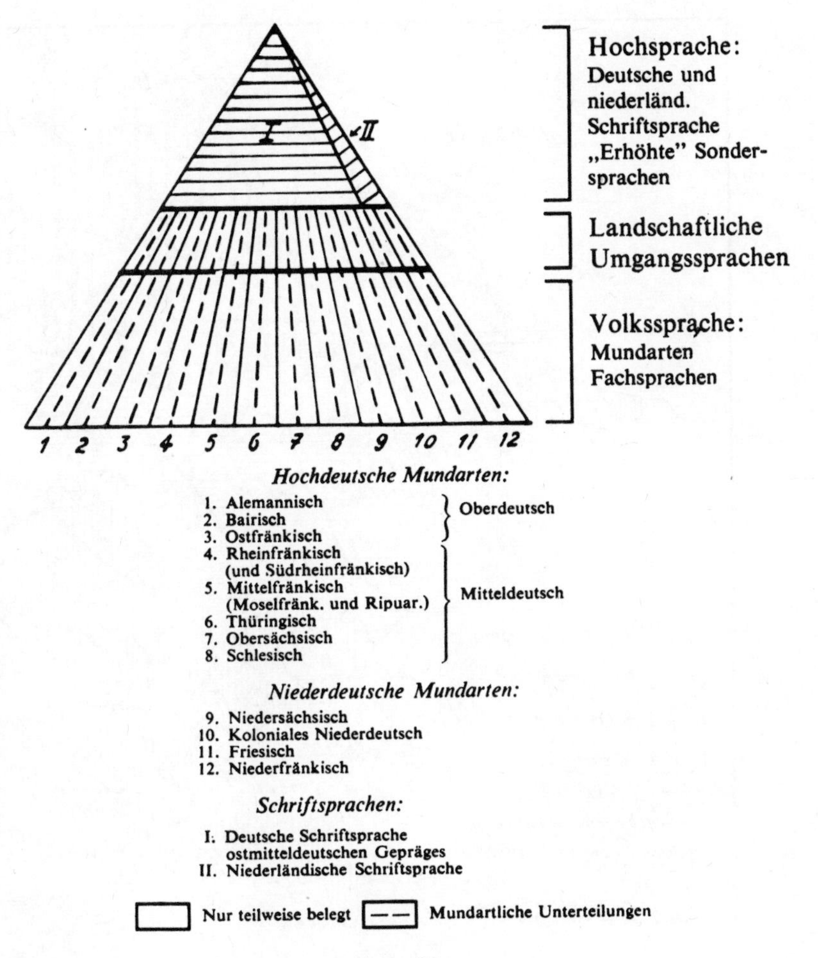

Karte 13.
Schichtung des Deutschen und Niederländischen im letzten Viertel des 18. Jahrhunderts

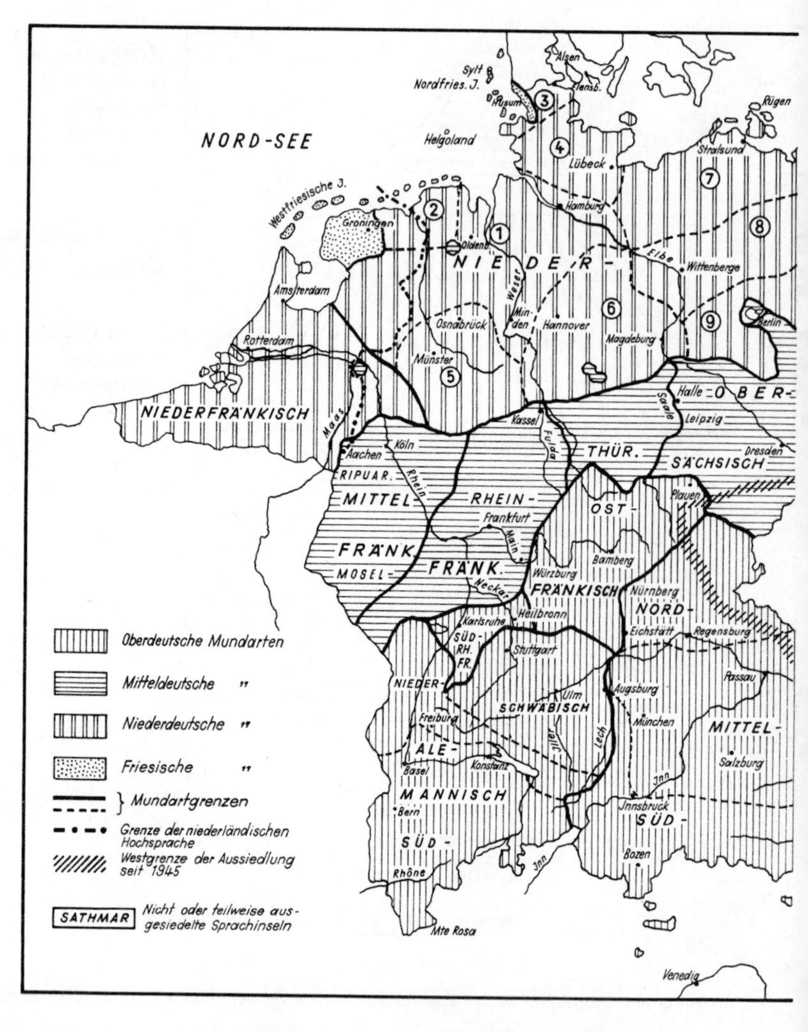

Karte 14. Umfang und Gliederung des deutschen (und niederländischen)

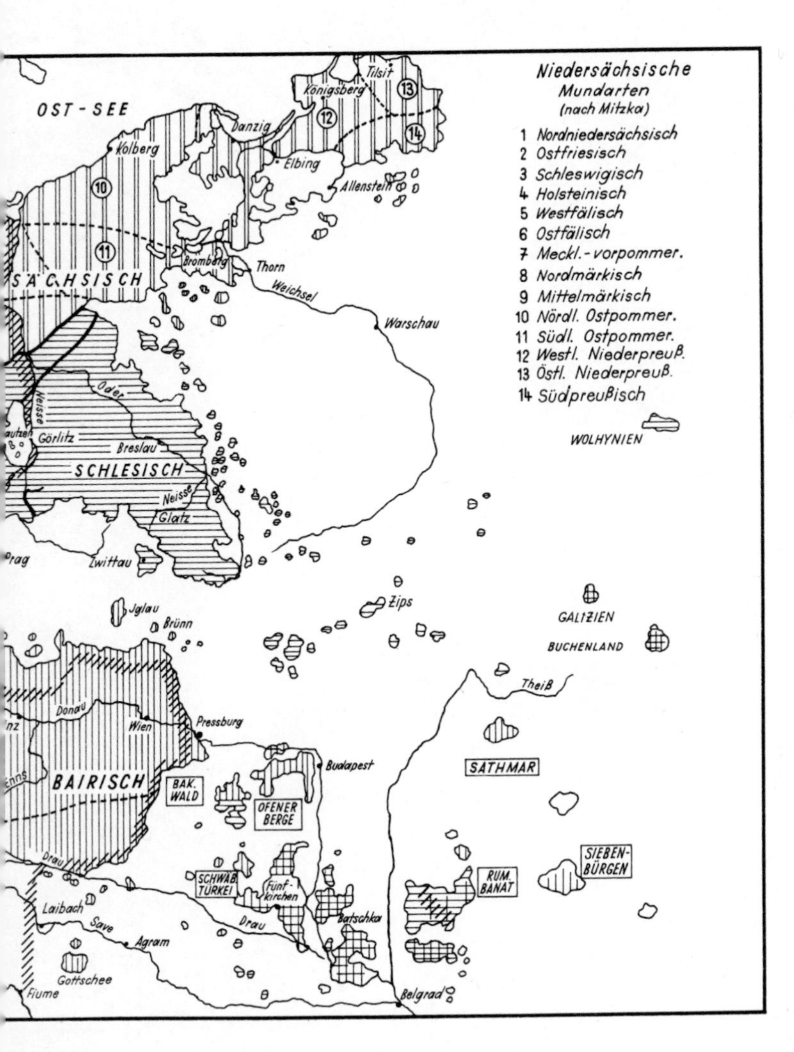

Sprachraums im mittleren und östlichen Europa vor 1939